Frank M. Snowden, Epidemics and Society

疫病の世界史 上

黒死病・ナポレオン戦争・顕微鏡

フランク・M・スノーデン

桃井緑美子・塩原通緒＝訳

明石書店

Epidemics and Society: From the Black Death to the Present
by Frank M. Snowden
Japanese translation rights arranged
with YALE UNIVERSITY PRESS
through Japan UNI Agency, Inc., Tokyo

疫病の世界史（上）——黒死病・ナポレオン戦争・顕微鏡

目次

＊本文中の［　］は訳註。

疫病の世界史（下巻）――消耗病・植民地・グローバリゼーション　目次

まえがき

この本は、イェール大学の学部課程の講座から発展したものである。もともとその講座の目的は、ちょうどそのころ話題になっていた、ＳＡＲＳ（重症急性呼吸器症候群）、鳥インフルエンザ、エボラウイルス病といった新興感染症への関心に応えることだった。イェール大学の学部生に提供されていた既存の講座では、そうした新興疾患について学べる機会はなかったのである。もちろん、大学院に在籍する科学者や、医科大学院の医学生向けの専門講義では、これらの疾患を科学的な観点や公衆衛生の観点から扱っていた。だが、それらの講義にしても、疫病を社会的な背景や、政治や芸術や歴史との関係に絡めて考察することを目的としていたわけではない。さらに周囲を見渡せば、疫病の歴史とその影響についての研究は、アメリカの大学の学部カリキュラム全般において、まったく発展途上のテーマであることも明らかになった。しかし私からすると、感染症がいかに人間社会の形成に少なからぬ役割を果たしてきたか、そして昔もいまも、感染症がいかに人間社会の存続を脅かしているかについて、学際的な観点から議論することには重要なニーズがあると思われるのだ。そこで、そのニーズに私なりに応えようとしたのが、この講座だった。

その講座を書籍化するにあたり、講義の基盤になっていた当初の意図をなるべくそのまま残すのは当然として、学生にかぎらずもっと幅広い、しかし同じような関心をもった読者層に届けられるようにしたいとも考えた。言い換えれば、本書の目標は関連分野の専門家に届くことでなく、疫病の歴史に興味をもち、微生物からの新たな挑戦に人間社会がどれだけ備えられているかを心配する一般読者や学生に、議論をしてもらえるようにすることなのだ。

したがって本書の構成と内容も、その目的にかなうことを第一としている。もともとの講義と同様に、ここでも歴史や疫学についての予備知識を前提とせず、読者ができるだけ題材にとっつきやすいようにと工夫した。本書で取り上げる問題に関心のある人なら誰でもついてこられるように、これを読んだだけで一通りそのテーマについて多面的な理解ができるように論を進めたつもりだ。大学課程でも、人文学と科学の交差に興味のある学生向けの課程なら、本書を副読本のようなものとして使えるだろう。そのために、関連する科学用語には説明を加えてあるし、もっと詳しく知りたい人や、本文に出てくる意見の出典を調べたい人のためには参考資料の書誌情報も載せてある。また、巻末の注で出典を示すのは、本文中の直接引用だけに限定した。本書が何より目ざしているのは、このテーマに独自の貢献をすることではなく、既存の知識を広範な解釈に照らして考えてみることである。

ただし、本書は教科書ではない。私はこの分野の題材を包括的にまとめようとしているのではない。むしろ、あえて主要な争点と、社会に最も深い、最も永続的な影響をあたえてきた疫病だけに焦点を絞っている。そしてもう一つ教科書と違う点は、本書のいくつかの章が、おもに一次資料にもとづいて書かれていることだ。そうした部分では、これまでの常識とは異なる見解を述べることにもなるが、それが既存の文献の隙間を埋めるのに役立つこともあろうかと考えた。いずれにしても、私は一人の学者として、この分野の研究を行いながら、イェール大学の学部生という知識欲のある思慮深い一般読者の意見や質問から、多くを学ぶ機会に恵まれてきた。本書のさまざまな章から伝わる内容が、その一学者の得た確かな情報にもとづく見解になっていることを願うばかりだ。

謝辞

本書はイェール大学での講座を発端としているので、延べ七年のあいだに講義を受けてくれたすべての学生諸君に感謝を伝えたい。諸君からの質問と提案のおかげで、本書における考えを整理し、説明をわかりやすくすることができた。また、以下の方々にも心より感謝を申し上げる。イングリッド・ワルソー＝エンゲル教授は、初年度に私と共同で講義を受けもち、講義の初期の内容を練るのに力を貸してくれた。リー・サテライン博士とジョン・ブース博士は、講座を聴講し、何かにつけ支援してくれた。妻のマーガレットは、本書の内容に関して鋭い意見や提案をくれたほか、アメリカでのエイズについての講義もしてくれた。授業助手の諸君も、有益なアイデアを提供してくれた。そしてイェール大学出版局の編集部の皆様の忍耐と賢明な助言にも深謝する。ひょっとしたら含まれているかもしれない誤りを含めて、本書の文責はすべて私にある。

新版まえがき

本書の初版が出て以来、コロナウイルスによる重症急性呼吸器症候群が世界的流行《パンデミック》を巻き起こしている。この新型コロナウイルス感染症（ＣＯＶＩＤ－19）は、まだ新しく、わからない部分も多いため、その最終的な影響を評価することは現時点ではできないが、大まかな輪郭は十分に明らかになってきた。この感染症のいくつかの特徴は、本書のテーマと密接に関連している。

あらゆるパンデミックと同じく、ＣＯＶＩＤ－19の大流行も、たまたまでたらめに発生した事象ではない。疫病は、人間が環境との関係、ほかの生物種との関係、さらには人間どうしの関係によって生み出してきた一定の脆弱性を突いて社会を苦しめる。パンデミックを引き起こす微生物は、人間が用意してくれた生態的地位を埋められるよう適応進化した微生物なのだ。ＣＯＶＩＤ－19が爆発的に広まったのも、それが私たちの築き上げてきた社会に適合しているからである。いまや世界人口は八〇億近くに達していて、その大多数が過密な都市に暮らしており、飛行機という迅速な移動の手段が世界中の人びとを結びつけている。このような社会は、肺を冒すウイルスに無数の機会をあたえているも同然だろう。一方、人口の増加と無秩序な都市化にともなって、動物の生息環境が狭められ、破壊された結果、人間と動物界の関係も変わってきている。とくに言及すべきは、コウモリとの接触が増えていることだ。コウモリは、種の壁を越えて人間に波及することのできる無数のウイルスの自然宿主なのである。

そうした波及が起こる頻度は時とともに高まっているが、普通はたいした影響をおよぼさない。しかし、最初にウイルスをうつされた人間が、たまたま不測の事態により、ほかの人間にもそのウイルスをうつしてしまうことがある。それが二〇一三年十二月、エボラウイルスで起こったことだった。このときギニアに住むある一歳半の男の子は、自宅の庭のすぐ近くにある木のうろで遊んでいた。当時、そこでは凄まじい勢いで森林が伐採されており、近くの森の林冠に棲めなくなったオオコウモリが、何千という数で人家の近くに移ってきていた。男児の不運は、生息地を追われたコウモリの糞に排出されていたウイルスを吸い込んでしまったことだった。その後、二〇一四年から二〇一六年の西アフリカでの流行でエボラの犠牲になった全員は、もとをたどれば、この「発端患者」からえんえんとつづく感染の連鎖に組み込まれていた。

このような連鎖的な感染が、村から都市へと場所を変え、二〇一九年十二月、野生動物の肉を売り買いする中国の武漢の生鮮市場《ウェットマーケット》でも起こったのだろう。冷蔵設備をもたない混雑した露店が、狭い不衛生な通路を挟んで立ち並んでいるところだ。いくつもの要因が組み合わさって、そのごみごみした場所を、巨大なペトリ皿に変えた。微生物の異種間伝播を助長した主要な条件として考えられるのは、さまざまな種の家畜動物や野生動物がすぐそばにいたこと、それらの動物を解体したあとに糞便や血液が混じり合ったこと、そして生鮮食料品と大勢の買い物客が汚染されたことである。この状況でなら、おそらく「患者第一号《ペイシェント・ゼロ》」はふだんからそこで買い物をしている客の誰かで、その客が新型コロナウイルスをもらったあと、濃厚接触者にうつしたのだろう。そこからあっという間に市中感染が広まったのは、そのような新興の病原体に対しては人類が集団免疫をもっていないからだ。つまり十分な数の人間が免疫を（ワクチン接種などを通じて）もっていて、感染の連鎖を断ち切れるようなら病気の広まりは食い止められるのだが、新しい病原体にはそれが効かないということである。

ＣＯＶＩＤ－19が提起したさまざまな問題のなかでも最も重要なのは、備えの問題である。かつてノーベル賞受賞者のジョシュア・レーダーバーグが、人間と微生物との闘いにおいて人間がもっている唯一の防衛手段は知力である、といったのは有名な話だ。レーダーバーグの信条にもう一つ付け加えるなら、人間ならではの協力する能力を挙げてもよいかもしれない。しかし残念ながら、ＣＯＶＩＤ－19が出現したとき、世界は前々から予見されていた脅威に立ち向かうべく結集することはなかった。第二次世界大戦以降、私たちは新興疾患の種類がますます増える時代に生きている。すでに二〇〇八年の段階で、研究者は一九六〇年から二〇〇四年までのあいだに新たに出現したヒトの病気を三三五種類も特定しており、その大半が動物由来の病気である。もはやそれらの病名が――鳥インフルエンザ（Avian flu）からジカウイルス感染症（Zika）まで――ＡからＺの全域にまたがるぐらいだが、専門家は、これまでに見つかっているものよりはるかに危険な病原体が存在する可能性もあると警告する。とくに一九九七年にＨ５Ｎ１亜型のインフルエンザが突発的に発生して以来、公衆衛生界は絶えず警報を発してきた。いずれアウトブレイクが起こるのは避けられない――とりわけ人間社会がきわめて翻弄されやすい、ウイルス性肺疾患の流行が起こるだろう。問題は起こるかどうかではなく、いつ起こるかなのだ。ウイルス学者のブライアン・バードにいわせれば、「われわれはいまや、慢性的な緊急事態の時代に生きている」。さらにウイルス学者たちは、近い将来に一九一八年の「スペイン風邪」に匹敵する悲惨なパンデミックが起こると予想するだけの理由が十分にある、と強調する。作家のデビッド・クアメンは科学文献をまとめた結果、二〇一二年の著書『スピルオーバー』で、「人類の次なるパンデミック」を予言した。

案の定、早く人類の知恵を結集して一致団結した対応をとれる仕組みを構築し、資金を投入しろと急かすかのような、本番前のリハーサルのごとき流行はたびたび起こった。二〇〇三年から二〇一六年のあいだに発生したアウトブレイクの例を挙げれば、鳥インフルエンザ、SARS（重症急性呼吸器症候群）、MERS（中東呼吸器症候群）、マールブルグ病、エボラウイルス病などがある。

しかし悲しいかな、アウトブレイクと連動していつも生じるお決まりのパターンは、社会の健忘症が勝ってしまうことだった。微生物が闘いを仕掛けてくるたびに、そのあとしばらくは、国内的にも国際的にもあらゆるレベルで狂ったように活発な動きが起こる。しかしやがては、すべてが忘却されて終わりとなる。二〇〇三年のSARS危機からエボラ流行が起こるまでの期間がよい例だ。SARSを経験した直後、世界保健機関（WHO）は「世界インフルエンザ事前対策計画」（二〇〇五年）を作成して国別の取り組みのガイドラインを策定し、国際保健規則を改正して新興疾患の脅威を通報義務のある事象に含め、WHO自体の迅速な対応能力も高めるとした。アメリカでも、同じ年に政府が「インフルエンザの世界的流行に向けての国家戦略」を発表し、その目的のための資金を割り当てた。国防総省、復員軍人局、全国五〇州、および民間部門の一連の大企業でも大企業でも、同様の計画が用意された。

だが、緊急事態が収束して、恐怖感が薄れるとともに、市民も政府もあっさり日常に戻っていった。ＷＨＯとアメリカ疾病予防管理センター（ＣＤＣ）とその海外提携機関を通じて、あるいは衛生局や自治体や民間研究所を通じて緊急対応に使われると誓約されていた資金も、大幅にその額を削減された。国際レベル、連邦レベル、州レベルで対応調整にあたっていた各機関は解散し、責任者は配置転換された。

予想どおり、西アフリカでのエボラ流行の緊急事態が収まったあとも、このパターンがふたたび幅を利かせた。二〇一八年、コンゴ民主共和国で新たなエボラ流行がはじまったその日に、トランプ大統領［当時］は国家安全保障会議のパンデミック担当チームの責任者を解任し、チームを解散させた。ＷＨＯ事務局長もいっていたように、世界は疫病に関して大成功と大失敗のあいだを行ったり来たりしてきた。それというのも、何かあったらその場で対処しつつ立派な志を表明していれば、最終的にはなんとかなるとの甘い想定にくり返し頼ってきたからだ。こういうときに、ＷＨＯはとくに重要な立場にある。喫緊の健康問題への国際的な対応を調整する任を負っているのがＷＨＯという機関なのである。二〇一八年、ＷＨＯは「世界健康危機モニタリング委員会」を任命して、ＳＡＲＳ以降の取り組みが緩和されたあとの世界が、次なる微生物の襲来に対してどれだけ備えができているかを評価させた。翌二〇一九年、その報告書が公表され、世界も個々の国々も前々から予期されている脅威に対して全体的に備えができていないとの判断が示された。この報告書には、「危機的状況にある世界」という痛烈なタイトルがつけられていた。

ＣＯＶＩＤ－19が世界に拡散しはじめて、みごとに広まってしまった理由の一つは、歩哨が持ち場を離れ、世界がのんきに寝ていたことにあった。ここで決定的に重要なのは、アメリカがどういう姿勢をとるかである。アメリカはいまもなお超大国で、ＷＨＯの活動に欠かせない資金を提供している経済大国でもあり、CDCは、世界各国の対応の絶対的な基準とされる機関なのである。一九九七年からくり返し警告されていたにもかかわらず、二〇二〇年現在、この窮状を招いてしまった主要な原因はアメリカ大統領の態度にある。COVID-19が三つの大陸で制御不能になっていったとき、大統領はこういった。「誰がこんなことになるなんて思うかね？」。いま、それよりも問うべきは、このCOVID-19の勢いが収まったあと、世界はいつもの無頓着に戻るのか、それともついに決意して、来るべき脅威に対する持続可能な長期的アセスメントの実行と、対抗措置の策定に乗り出すのかである。科学的な研究、保健インフラの増強、緊密な国際協力、保健教育、生物多様性の保護、十分な資金投入——これらすべてを世界中で実現させないかぎり、人類がいまの文明を守りきることはできないだろう。

第1章　はじめに

本書は、人類の健康を危険にさらす重大な出来事がいくつも起こったことを受けて開設されたイェール大学の講座をまとめたものである。二一世紀が幕を開けるとともに、SARS（重症急性呼吸器症候群）、鳥インフルエンザ、エボラウイルス病が立てつづけに流行したことで、現代社会が感染症の突然のアウトブレイクに対して意外にも脆弱であることを思い知らされ、数々の問題が明るみに出た。病気とパンデミックに対する社会のもろさを痛感した私は歴史学者として、医学史に関する知識とコレラおよびマラリアの研究成果を利用して講座を計画した。大学の講座としては一般的ではなく、学生たちにもなじみのうすいテーマだが、一躍注目されるようになったこの問題について彼らとともにじっくり考えてみようと思ったからだ。

考察と授業での討論をもとに数年かけて講座を再編集した成果が、本書である。医学史を研究する学者や公衆衛生の専門家向けの学術論文ではない。一次資料をもとにした私自身の研究にもとづく章がいくつかあるが、それはたまたまテーマが一致したからにすぎない。本書のおもな目的は新しい情報を伝えることではなく、既知の資料を現実の状況に照らして一般的な結論を導き、このテーマについて一般読者に知ってもらうことだ。イェール大学は講座をオンラインで公開しているので、本書には講座を視聴した人びとからの意見や提案も反映されている。直接お会いしたことはないこれらの方々、また受講しコメントをくれた学生たちに感謝する。

本書のテーマの一つは、これまでに世界各地の社会が経験した性質のまったく異なる疾病について論じながら、ある仮説を検証することである。感染症の流行はただそれに関心をもつ専門家のみの知るべき特別な分野ではなく、世界をもっと広い視野で見たときに歴史を動かす主要な力の一つであるとする説だ。言い換えれば、感染症は経済危機や戦争、革命、人口動向と同様に、社会の動きや変化を理解するのに欠かせない要素だということである。この考えを確かめるために、人びとの生活のみならず、宗教、芸術、現代医学と公衆衛生の発達、そして精神史への影響を考えたい。

本書では、西ヨーロッパと北アメリカに甚大な影響をおよぼしたことのある、もしくはおよぼすおそれのある感染症のみを取り上げる。癌、心臓病、糖尿病、喘息、肥満といった慢性疾患、また炭鉱夫塵肺、珪肺、石綿肺、鉛中毒などの職業性疾患、血友病や鎌状赤血球症、嚢胞性線維症などの遺伝子疾患は除外する。アフリカ睡眠病、シャーガス病、メジナ虫症といった欧米先進国では一般的でない熱帯病もここでは取り上げない。それらも慎重に調査研究するべき重大な疾病群だが、ここで全部を扱うことはできないし、ひとまとめに扱えば一貫性や論理性が失われてしまうだろう。本書では流行性疾患、すなわち感染症のみに焦点をあてよう。

その理由は三つある。第一に、感染症を独立した一つのカテゴリーとして分析するのは歴史的に理にかなっている。流行性疾患は慢性疾患とはまた別の、独特の恐怖と不安を掻き立てる。たとえば重い心臓病は非常に恐ろしいし、死ぬこともあるが、ＨＩＶ／エイズと診断されたり、天然痘やポリオ（急性灰白髄炎）やアジアコレラにかかったりするのとは性質が違う。心臓病や癌のような慢性疾患も医療制度や経済や多くの人の生活に劇的な影響をおよぼすにはちがいないが、流行性疾患とは違って、混乱した人びとが罪を着せる生贄を探したり集団ヒステリーに陥ったり、にわかに信仰にすがったりといった現象を引き起こすことはないし、一つのジャンルになるほど文学や芸術のテーマとして取り上げられることもない。言い換えれば、病気はただ罹患数と死亡数で測られるものではないのだ。感染症はあとに特別なものを残す点で特異であり、そこが注目するに値する。

感染症だけを取り上げる第二の理由はその歴史にある。本書は歴史を扱うので、二一世紀までの人間の歴史を通じて感染症がほかの疾病よりもはるかに甚大な被害をもたらしたことは見過ごせない。事実、感染症は現在も世界の苦難と死のおもな原因なのだ。本書の目的の一つは、人類の病気の歴史におけるこの特徴を説明することである。

最後の、おそらく最も差し迫った理由は、感染症の歴史にピリオドが打たれる兆しがいまもって見えないことだ。SARS、エボラ、ジカウイルス感染症のような新しい病気が発生し、私たち人間が感染症にかかりやすいことが見せつけられた。HIV／エイズの惨禍は終わっておらず、もっと古くからの病気——デング熱、マラリア、結核——も一時は根絶できると考えられていたにもかかわらず、息を吹き返して大きな脅威になっている。欧米先進国でさえいまだその危機にさらされ、気候変動が将来の災禍の可能性を拡大している。病原体によるこの脅威は絵空事ではない。どれほど激烈な脅威なのだろうか。どうしたら防げるのか。不可避にしている要因は何か。立ち向かうにはどのように備えればよいのか。この問題に対していかに世界が一丸となって取り組むかがこの社会の存続を、もっといえば人類の存続を決する重大な鍵だろう。

地域としては、おもにヨーロッパと北アメリカに焦点をあてる。その理由はひとえに扱いやすさにある。世界全体を正確に系統立てて扱おうとすれば、おもに熱帯地域を襲う数多くの病気も含めなくてはならず、この何倍もの長さになってしまうだろう。その一方で、二〇世紀末から二一世紀の感染症を扱う機会はいくらでもあり、それにはもっと視野を広げるのが重要だ。たとえばＨＩＶ／エイズ、ポリオの根絶作戦、ペストの第三のパンデミック、現代のコレラ、エボラを取り上げるのに、その原発地や流行の中心地や、これらの感染症にいまも苦しめられている国々を考慮しないわけにはいかない。病原体もそれを媒介する昆虫も、政治的な国境などにはおかまいなしの世界に私たちは生きている。この避けられない事実は考慮しなくてはならない。そこで一部の章では、南アフリカ、西アフリカ、インド、ハイチ、ペルーを取り上げた。

古いものから新しいものへ話を進めていくが、疫病のなかでも誰もが最悪のシナリオだったと思うものとしてペスト（十四世紀のヨーロッパをそのピークとする）からスタートし、現代のエボラの脅威で終わらせることにしよう。今日の新聞をにぎわせる出来事を歴史に結びつけ、歴史的経験に照らして考えることで、読者が現在の感染症に対して情報をもとに建設的に立ち向かうのに必要な道具を手にすることを願っている。

取り上げる疾病の選択基準はどんなものだろうか。重要な基準は四つある。第一に、社会、科学、文化に大きな痕跡を残した病気に注目する。そこでたとえば結核は取り上げ、腸チフスは割愛するなどして簡潔にした。

第二に、公衆衛生の発達のきっかけになった病気に着目する。本書の関心の中心は病気の流行そのものばかりでなく、社会がその病気と闘い、拡大を防ぎ、治療し、撲滅するためにとった対策にもある。そこで社会がさまざまなかたちで対応の努力をした病気に特別な座をあたえよう。失敗した対応策も数々あったが、そのもとになった概念はいまも病原体の襲来に立ち向かうための公衆衛生対策の基礎になっている。

第三に、生物学的な多様性は重視したい点である。感染症の原因は細菌の場合もあれば、ウイルスや寄生虫の場合もある。感染経路も、空気、性的接触、病原体に汚染された水や食べもの、糞便、蚊や虱《しらみ》や蚤《のみ》などの媒介生物《ベクター》とさまざまだ。本書ではそれぞれの例を取り上げる。

最後に、感染症の社会への影響を単純に死亡数と相関させることはできないが、各時代の大きな死亡原因を考えることは重要である。近代初期の社会と死亡数の関係を理解するためには、ペストについて論じることが明らかに欠かせない。二〇世紀と二一世紀の疾病の研究にＨＩＶ／エイズをクローズアップしないわけにはいかないのと同じことだ。

以上の四つの基準を考慮して慎重に選んだのが、ペスト、コレラ、天然痘、結核、ポリオ、発疹チフス、赤痢、黄熱、ＨＩＶ／エイズ、エボラである。これらは絶対ではなく、これですべてだというのでもない。たとえば腸チフス、インフルエンザ、梅毒を含めることもできるだろう。この選択はたんに代表であって、全部を網羅しようというものではない。それでも時代と場所に鑑みて、歴史をふり返るときに考えねばならない最小のものであり、なおかつ一冊の本にまとめるのにはおそらく最大のものであることは断言できる。

本書は歴史の本であり、生物学の本ではない。だがその一方で、感染症の流行はまぎれもなく生物学的な事象だ。そうであれば、各疾病を考察するにあたっては、その病因と感染経路と人体内でのふるまいを知る必要がある。病気は医学的基礎と生物学的基礎の知識なくしては理解できない。さらに、主要な感染症の流行によって医学哲学に意義深い変化があったのはなぜなのかも考察すべき重要なことがらである。それでも生物学が背景知識の範囲を超えることはなく、第一の関心はあくまでも社会と歴史と文化への影響である。

ここでの主たる目的は、感染症の病理やぞっとするような症状を見ていくことよりも、長期的な社会の変化をたどることにある。なかでも重要なのはいうまでもなく次の側面である。

公衆衛生対策

公衆衛生対策には、ワクチン接種、検疫、防疫線、都市の衛生設備、療養所、そしてキニーネや水銀剤、ペニシリン、ストレプトマイシンといった「特効薬《マジックブリット》」がある。他方、病気の存在を否定するために秘匿政策も用いられた。たとえば中国はＳＡＲＳの流行初期にその事実を公表せず、また長い歴史のなかでその他の国も流行の発生を隠蔽している。

精神史

現代の生物医学のパラダイム、細菌説、熱帯医学などの分野の発展において、感染症は主要な役割を果たしてきた。さらに医学の学説は、科学的な理由からのみ支持されるわけではない。それによって社会のあり方が変わり、国家に権力があたえられ、エリートをその地位に就かせるからでもある。

市民による自発的な対応

ある種の状況下で共同体が感染症の流行に巻き込まれたとき、身に危険の迫った人びとのあいだに思わぬ集団的な反応が生じることがある。他者にスティグマを負わせたり罪を着せたりする、流行地から逃亡する、集団ヒステリーに陥る、暴動を起こす、宗教熱が高まる、などだ。こうした出来事を通じて、疫病に見舞われた社会とその構造が観察できる――人と人との関係、政治指導者と宗教指導者の人道的配慮、自然環境および構築環境と人間の関係、生活水準の低さなどは、社会が安定しているときにはなかなか顧みられない。

戦争と病気

フランス革命とナポレオンの時代に国民皆兵制とともにはじまった「総力戦」によって、国民全体をも巻き込む前例のない規模の軍事衝突が起こるようになった。このような大規模な戦争は、発疹チフスや赤痢、腸チフス、マラリア、梅毒が流行しやすい条件を生んだ。これらの病気は兵士にも一般市民にも戦闘そのもの以上の大きな打撃をあたえ、また軍事作戦、国際政治、政治体制にも決定的な影響をおよぼした。

戦争と疫病の関係を解くために、私はナポレオン時代にそれぞれ西半球と東半球で起こった二つの軍事衝突の例を調べた。一つは、一八〇二年から一八〇三年にナポレオン・ボナパルトが奴隷制度とフランス支配の強化をねらってカリブ海のサン・ドマングへ大軍を送ったときのことである。黄熱の流行でナポレオン軍は壊滅し、その後のアメリカのルイジアナ購入とハイチ独立につながった。

もう一つは、フランス皇帝になったナポレオンが一八一二年に未曽有の大軍で攻め入ったロシア遠征である。東ヨーロッパでの大規模な衝突は、戦時の典型的な二つの疫病の影響を考える機会をもたらした。赤痢と発疹チフスの流行は大陸軍《グランダルメ》を苦しめ、皇帝ナポレオンの凋落と強国のパワーバランスの変化に重要な役割を果たしたのだった。

過去の疫病の流行と社会の相互作用を評価することによって、最近のSARSと鳥インフルエンザとエボラの流行で浮かび上がった問題に取り組むのに必要な背景知識が得られる。私たち人間は、過去四〇〇年のあいだに幾度となく起こった恐ろしい感染症の流行から何を学んだだろうか。一九六九年に、合衆国医務総監は細菌と闘う科学と公衆衛生の力を過信し、感染症の時代の終焉を早々に宣言した。同じころ国際的な公衆衛生機関は、マラリアと天然痘を皮切りに二〇世紀中に病原体の脅威を根絶できるだろうと声明を出した。勝利の自信に満ちあふれたこの時代に、イェール大学やハーバード大学をはじめとする医科大学は感染症の学科を閉鎖した。社会、とくに先進国の社会は新しい疫病の災禍に簡単には屈しなくなりつつあると考えられていた。

残念だが、この期待はまったく的はずれだった。二一世紀になった現在も、人類が撲滅できた感染症は天然痘だけである。感染症はいまなお世界のおもな死因であり、経済成長と政治的安定の足枷になっている。たとえばエボラやラッサ熱、ウエストナイル熱、鳥インフルエンザ、ジカウイルス感染症といった新興感染症が新しい脅威になり、その一方で、結核やマラリアのような古くから知られた病気が恐ろしいことに薬剤耐性を獲得してよみがえっている。一九一八年から一九一九年に世界中を巻き込んで猛威をふるった「スペインの貴婦人」（スペイン風邪）と同様の壊滅的なインフルエンザのパンデミックがまた起こるおそれも消えていず、公衆衛生機関はこの脅威をとくにターゲットにしている。

実際のところ、感染症のパンデミックに対して世界がいまだに脆弱なのは、現代社会のおもな特徴のせいなのである。SARSとエボラは新世紀の二大「本番前リハーサル」と呼ばれるが、このリハーサルで公衆衛生と生物医学の防衛策が慄然とするほど穴だらけであることを思い知らされた。現代社会の顕著な特徴である人口増加、気候変動、交通の高速化、都市インフラの不十分なメガシティの増加、戦争、根深い貧困、広がる一方の社会的不平等などはみな、パンデミックの危険がいまなお消えない原因なのだ。しかも悪いことには、このうちのどれ一つとして近い将来に解消される見込みはない。

本書の最後の重要なテーマは、感染症が警告もなく気まぐれに社会を苦しめるわけではないことである。それどころか、どの社会もそれぞれに疫病に突かれやすい弱点がある。各社会の構造や生活水準、政治の優先策を理解することで、その弱点がどこにあるかが見えてくる。ある意味で、感染症はつねに私たちに何かを知らせている。医学史の挑戦はそこに隠れている意味を読み解くことだ。

本書の章には部分的に重なりあう二つのタイプがある——テーマを扱う章と、個々の感染症を扱う章である。章ごとに完結しているのでどこから読んでもよいが、テーマを扱った章は疫病が流行したときの社会背景を論じている。一例がペストである。十七世紀のペストに対するヨーロッパの対応を理解するには、当時の医学の主流だった説——ヒポクラテスとガレノスから受け継がれてきた体液病理説——について考えるとよいだろう。初めての「科学的な医学」と呼んでよい体液病理説は当時の支配的なパラダイムであり、医師、為政者、教養ある平民はその枠組みでペストの襲来を解釈したからだ。

そこで第2章は、医学史におけるきわめて重要な二人のギリシャ人、紀元前五世紀のヒポクラテスと二世紀のガレノスの功績を取り上げる。二人の医学哲学を見ておくことで、悪疫の襲来を乗り切ろうとした人びとの知識がいかに打撃を受けたかがよくわかる。ペストの時代は死と苦難の時代であったばかりではなく、知識が揺らいだ時代でもあった。それまでの病気のとらえ方を覆され、人びとはただ当惑し恐れるばかりだった。悪疫による荒廃は、知識と精神を脅かす出来事だったのである。

体液病理説について知ったところで、感染症の最初のケーススタディはペストを取り上げる（第3章から第5章）。疫病の最悪のシナリオとしてほぼ誰もが挙げるのがペストだからである。ペストを意味する英語の「プレイグ（plague）」という言葉は、恐怖と言い換えてよいだろう。瞬く間に広まり、人を人でなくすような耐えがたい苦痛をもたらして死にいたらしめる。効果的な治療方法もなく、おびただしい数の患者が命を落とし、ロンドンやパリのような大都市では人口崩壊が危惧された。ペストに関する言い古された恐ろしい言葉はそこから来ている。いわく、死者を埋められるだけの生者が残っていない。

ペストの考察では、まず人体に何が起こるかを調べ、次に社会全体への影響に目を向ける。病気と死を眼前にした人びとの反応——逃亡、魔女狩り、聖人信仰、暴力——を説明するには、臨床症状を知ることが欠かせないからである。

だが同時に、ペストとの闘いをきっかけに、初めての公衆衛生計画が策定されることにもなった。身に迫った脅威の大きさにふさわしい厳しい対策である。緊急時にはほぼ無制限の権力をもつ衛生局が創設され、検疫と罹患者の強制隔離が実施された。街や国そのものをまるごと隔離するために、軍隊が配備されて防疫線が張られ、海上封鎖がなされ、伝染病病院が設置されて病人と死にゆく者が収容された。

本書で取り上げるほかの感染症も、同様のやり方で取り組んでいく。背景知識を得たうえで病因と臨床症状を論じ、社会と文化への影響と、封じ込めのための医療と公衆衛生の対策を見ていこう。個人と社会の感染症へのさまざまな対応、そして感染症の医学史、社会史、精神史を本書を通じて学んでほしい。

第2章　体液理論による医学——ヒポクラテスとガレノスの遺産

本書の重要なねらいは、さまざまにかたちを変えてあらわれた「科学的な医学」の意味を考察することである。だが、最初に着手すべきところは非常に古い。紀元前五世紀から十八世紀まで医学の——唯一ではないとしても——主要なパラダイムでありつづけた合理的な医療が初めてかたちになった時代だ。その起源は古代ギリシャ、医学の父と呼ばれるヒポクラテス（紀元前四六〇年ごろ～紀元前三七七年ごろ）にある。複数人の手になるとされる六〇余篇の著作を編纂した有名な『ヒポクラテス全集』は、医学の革新的な思想を告げるものだった。

そのなかでも「ヒポクラテスの誓い」「神聖病について」「人間の本性について」「流行病」「空気、水、場所について」などはとくによく知られている。多彩であることが『ヒポクラテス全集』の第一の特徴で、箴言、臨床記録、講義録、覚書、当時の医療のあらゆる側面——外科手術、助産術、食事療法、生活環境、治療法——に関する著作が収録されている。これだけ多面的でも、そこには一貫した論理がある。病気とは自然原因によってのみ引き起こされ、合理的な方法によってのみ治療しうる純粋な自然現象であるということだ。ヒポクラテスは、自然法則だけに支配される宇宙というマクロコスモスと人体というミクロコスモスの両方を考察すべきとする医学哲学を主張したのである。

しかし、これによって否定されたそれまでの病気のとらえ方もヒポクラテス医学と並んで生きつづけ、今日なお消え去っていない。病気を超自然的な現象とする見方だ。それには二つのかたちがある。神の業とするものと悪霊の仕業とするものである。

病気は神の業である

神の御心に逆らう者、神に背いて罪を犯した者に対して怒れる神が罰をくだす。病気はその罰だとするこのとらえ方は西洋文化に深く浸透している。そのことは次の四つの時代の四つの例によくあらわれている。

聖書

創世記は最初の人間であるアダムとエヴァについて語っている。二人は病苦も労働もない楽園に住む不死の存在だった。蛇にそそのかされてその甘言に乗ったとき、すべてが変わった。アダムとエヴァは神の命令に背き、善悪の知識の木に実る禁断の果実を食べてしまったのだ。この罪により、人間は神の恩寵と無垢を失った。怒った神はアダムとエヴァをエデンの園から永遠に追放し、罰として病苦と苦役と出産の苦痛を負わせ、最後に死ぬ運命をあたえた。言い換えれば、病は「罪の報い」なのである（図2－1）。

出エジプト記には疫病のことが具体的に記され、その記述は創世記の病気のとらえ方とまったく一致している。楽園追放からしばらくのちのこと、神に選ばれた民であるヘブライ人はエジプ

図 2-1　創世記では、神はアダムとエヴァが禁断の果実を食べたことへの罰として二人をエデンの園から追放し、病気に苦しむ定めを負わせた。ミケランジェロ『原罪と楽園追放』（1509-1510年）、システィーナ礼拝堂、バチカン市国

トで奴隷として苦役に携わっていた。神はモーセとアロンを通じてファラオにヘブライ人を解放せよと命じるが、ファラオはそれを拒む。すると神はその返報に恐ろしい疫病でエジプト人を懲らしめる。疫病は神の意思に逆らったことへの罰だったのである。

詩編九一章にはさらに重要な表現が見られる。ここでも悪疫は神から人間への懲らしめとして描かれているが、詩編がとくに重要なのは、ヨーロッパ中が疫病に襲われたときに聖職者が信徒に読み聞かせたからだ。これほどの災難がなぜ降りかかったのかを人びとに教えると同時に、希望をあたえもする聖句だった。

夜、脅かすものをも
昼、飛んで来る矢をも、恐れることはない。
暗闇の中を行く疫病も
真昼に襲う病魔も
あなたの傍らに一千の人
あなたの右に一万の人が倒れるときすら

あなたを襲うことはない。
あなたの目が、それを眺めるのみ。
神に逆らう者の受ける報いを見ているのみ。
あなたは主を避けどころとし
いと高き神を宿るところとした。
あなたには災難もふりかかることがなく
天幕には疫病も触れることがない。
主はあなたのために、御使いに命じて
あなたの道のどこにおいても守らせてくださる。

（詩編九一章五〜十一節、新共同訳）

いわんとしていることは明らかだ。罪を犯すのをやめ、主を信じるならば、疫病を恐れる必要はない。疫病は邪《よこしま》な者にのみ降りかかるのである。

ホメロスの『イリアス』

病気は神が遣わすものだとするとらえ方があらわれている西洋文化のもう一つの例は、トロイア戦争の山場を描いたホメロスの『イリアス』の冒頭の場面である。叙事詩はギリシャ王アガメムノンに愛妾のブリセイスを奪われたギリシャ軍の勇将アキレウスの怒りからはじまる。ことの発端は、アポロンの祭司クリュセスがアガメムノンの愛人にされている娘クリュセイスを返してほしいと懇願したことにあった。アガメムノンはそれを拒絶し、彼を辱めて脅す。こうして疫病が蔓延する。詩の冒頭にうたわれているように、クリュセスの祈りを聞き入れたアポロンが彼にかわって復讐してやったのである。

「お聞き下さい銀《しろがね》の弓持たす君……かってわたくしがあなたのために御心に叶う社《やしろ》を築きまいらせ、また牛、山羊の肥えた腿を焼いてお供えしましたことをお忘れなくば、このわたくしの望みを叶えて下さいませ。どうかあなたの弓矢によってダナオイ勢に、わたくしの流した涙の償いを払わせてやってくださいませ。」

こう祈っていうと、ポイボス・アポロンはその願いを聴き、心中怒りに燃えつつ、弓とともに堅固な覆いを施した矢筒を肩に、オリュンポスの峰を降《くだ》る。怒れる神の肩の上では、動きにつれて矢がカラカラと鳴り、降りゆく神の姿は夜の闇の如くに見えた。やがて船の陣から離れて腰を据え一矢を放てば、銀の弓から凄まじい響きが起る。始めは騾《ら》馬《ば》と俊足の犬どもとを襲ったが、ついで兵士らを狙い、鋭い矢を放って射ちに射つ。かくして亡骸を焼く火はひきもきらず燃え続けた。

(『イリアス』松平千秋訳)

光明神アポロンは、祭司の嘆願に耳を貸さなかったギリシャ人に疫病をもたらしたのだった。

オナイダ・コミュニティ

三つめの例はもっと現代に近づいて、十九世紀の宗教者ジョン・ハンフリー・ノイズ(一八一一~一八八六年)である。ノイズはイェール神学校の学徒だった一八三〇年代に、病気が罪の報いなら治療する方法はあるはずだと考えた。彼と仲間は、罪深い行いをやめることでもう一度病と死を免れて完全な存在になれると信じた。彼らはその思想にふさわしく自らを「完全主義」と呼び、罪のない暮らしをする共同体を設立して、初めはバーモント州パットニーで、その後はニューヨーク州オナイダで生活した。理想郷を求めるアメリカの宗教共同体の歴史において、不死の追求にとどまらない彼らの特異な社会習慣は異彩を放っている。オナイダでは複合婚が認められ、共同体員はたがいに監視して堕落した行為を批判しあった。

オナイダ・コミュニティは社会主義の原理にしたがって一八四八年に設立されたが、一八九〇年には衰退して共同出資会社として再編制された。この会社は現在も陶器と銀食器を製造しているが、もはや道徳的な清廉さを求める団体ではない。設立メンバーはその願いにもかかわらず誰一人として不死を獲得できず、最後のメンバーも一九五〇年に死去した。道徳の規範を緩めたか、さもなければ初めから考え方がまちがっていたのだろう。

オナイダでのノイズの実験は、病は罪に対する神罰であるという考え方にもとづいていた。悪疫への彼の考え方は、法則に支配される宇宙をうかがわせる。病気は明確な理由があって存在し、したがってそれに応じた治療方法もあるとする考え方は理路整然としている。ただし、その方法とは悔い改めと正しい行いだとノイズは信じていた。

ジェリー・フォールウェル現象

さらに最近の例はジェリー・フォールウェル現象である。フォールウェルはバージニア州出身の福音派教会南部バプティスト連盟の牧師で、メガチャーチ現象を起こし、ロビー活動団体のモラル・マジョリティを組織した。ＨＩＶ／エイズの流行を同性愛者への神からの罰だと厳しく批判し、罰せられるべきは同性愛者ばかりでなく、社会も同罪だと断じた。有名な差別的表現で彼はこう述べている。「エイズはたんに同性愛への神からの罰ではなく、同性愛を容認する社会への罰である[2]」。

病気は悪霊の仕業である

病を神罰とする見方は現実離れしているが、それなりに理屈は通っている。ところが同じ超自然的な解釈でも、もっと常識を逸脱した突拍子もない変種がある。一部で「病気の悪霊論」と呼ばれているものだ。この世界には強大な力をもつ邪悪な霊がいて、病気の原因はその悪霊の呪いなのだという。魔女や毒をまく者といった邪な人間、生者に憑く死霊、人間ではない何か、あるいは悪魔そのものなどだ。疫病は自然現象でも論理にしたがった現象でもなく、悪魔の仕業だとする見方は本書でもこのあと何度か取り上げる。十七世紀にはそのようなオカルトじみた犯罪は魔女によるものと決めつけられ、大西洋の両岸で魔女狩りと生贄探しが横行した。マサチューセッツ州では一六九〇年代にセイレムの人びとがこの考えにとらわれた。そのときの狂乱をアーサー・ミラーが一九五三年の戯曲『るつぼ』に描いている。またヨーロッパでも、一五〇〇年代にマルティン・ルターがこう述べた。「魔女に同情の余地はない。みな焼き殺してしまおう[3]」。

これに似たものとして、本人に邪心はないが一時的に悪霊に取り憑かれていると見なされるケースがあった。この場合は悪魔祓いで悪魔を追い出す必要があった。祓魔《ふつま》師は調合薬や聖歌、神聖な儀式、呪文などの方法で悪魔を誘い出した。ヨーロッパの歴史においてこの考え方をよくあらわしているのがロイヤルタッチ、すなわち国王が病人にふれて病を治すというものだ。一六〇〇年代にはイングランド王チャールズ二世が一〇〇〇人近くの人びとにふれた。そこまで治癒力の強くない癒し手は聖歌を詠唱したり捧げものをするよう勧めたり、邪悪な霊を寄せつけないように護符をあたえたりした。それでも効かない場合は、村や町が病に襲われたら逃げ出すか、聖母マリアや聖人のように力のある味方を探すよう助言した。

ヒポクラテスの革新

紀元前五世紀のヒポクラテス医学の革新は、二つの超自然的解釈――神の業と悪霊の仕業――の対極にある。宗教や呪術を排して自然主義的に病気をとらえる見方は、政治家ペリクレス（紀元前四九五～紀元前四二九年）が活躍した時代のアテナイでさかんになった。そのことはペロポネソス戦争を記録した有名な『戦史』に明らかである。トゥキディデスが記したアテナイの疫病――最近のＤＮＡ研究によると腸チフスだったようだ――の状況は、魔術も超自然的な力も神もかかわりのない、純粋な自然現象として描かれている。

非常に驚かされるのは、ヒポクラテスが「神聖病」として論じた病である。現代の医者なら癲《てん》癇《かん》と診断するであろうこの病気は、悪魔に憑かれたとしか思えないような症状を呈する。それでもヒポクラテスは、この神聖病さえも自然原因のみに帰すると強く主張しているのだ。

〔この病気は、〕他の病気とくらべて何ら神的でもなければ神聖でもないと私には思われる。この病気も他の病気と同じように自然を原因とし、そこから生じるのである。ところが、この病気が他の病気と少しも似ていないことから、人びとは自分たちの経験不足とこの病気の不思議な性質のために、この病気の性質や原因を何か神的なものと考えた。そして彼らは、事の真相を知ることが難しいために、この病気をいまだに神的なものとして通そうとしている。その反面、彼らの用いる治療法が安易であるため、つまり潔めやまじないなどによって治療するために、この病気の神聖さがかえって損なわれている。この病気が、もし不思議であるということによって神的なものと考えられているのなら、神聖な病気は決して一つではなく、たくさんあることになろう。実際、不思議で驚くべきものという点では少しもひけをとらないのに、誰も神聖とは見なしていない病気を私はほかにもいくつかあげることができる。たとえば、毎日熱、三日熱、四日熱は、彼らが少しも不思議なものと見なしていないが、それらが神聖で神によっておこるように見えるという点では、神聖病に少しもひけをとらないように私には思われる。……

ところで、私の考えではこの病気を最初に神聖なものとしたのは、いまで言う魔術師、潔め師、山師、いかさま医師などのような人びとである。だが実際、彼らは、大いに神を畏れるふりをしたり、人並み以上のことを何か知っているふりをしているにすぎないと私には思われる。つまり、これらの人びとは、自分たちがその病気の治療に役立てうるものを何一つもっていない無能力さゆえに、神的なものをかくれみのとしているのである。……そして自分たちの無知が明らかにならないように神的なものを全面に出し、この病気を神聖と見なすのである。そこで彼らは、自分たちの立場の保全のために適当な説明をつけてこの病気の治療法を定め、潔めやまじないを用いたり、この病気の人びとに入浴を禁じたり、彼らにとって有害と思われる食物を多量に摂るのを控えるように命じた。……また、黒い衣服を着ないように――黒は死の兆候であるから――、山羊の皮の上で横になったり、それを着たりしないように、さらに足に足を、手に手を重ねないように――これらのことはすべて禁忌とされているから――命じた。この病気が神的なものであるという理由から、彼らはこうしたすべてのことを課している。それは、自分たちが何か人並み以上のことを知っているように見せ、さらには、いろいろな口実を設けて、もし患者の健康が回復すれば、腕がよいという名声は彼ら自身に帰せられるが、かりに死んだとしても、弁明をして保身をはかり、自分たちにではなく、神々に責任があると言い逃れをするためなのである[4]。

（『ヒポクラテス全集』所収「神聖病」石渡隆司訳）

これは途轍もなく重要な革新だった――この認識を基礎にして科学的な医学が確立されていくのである。病気治療から呪文や祈禱や供物が消え、悪魔祓いは廃止され、神を宥めることもなくなった。精神史と人間の意識におけるこの大いなる一歩は、一九四〇年代に疫学者のチャールズ・エドワード・ウィンズローがその価値を印象的な言葉で評価している。「病気を神や悪魔のもたらすものと見なすなら、科学の進歩はありえない。体液に起因すると考えるなら、その理論は検証して向上させられる。自然原因の概念はきわめて重要な第一歩だ。人類の精神史において並ぶもののない画期的な前進を示している[5]」。

ウィンズローの言葉はヒポクラテスへの一般的な評価をあらわしているが、誇張ぎみであることはまちがいない。『ヒポクラテス全集』は複数人の手になる著作の集成であり、現存する六〇余篇に書かれた意見はさまざまで、とても統一されているとはいえない。また、ウィンズローはヒポクラテスを唯一のすばらしい合理的医学としているが、現代の学者らは当時の医術がもっと多彩だったことを指摘している。ギリシャの医療市場では非常に多くのタイプの治療者が活動しており、ヒポクラテス派の医師――イアトロス（ギリシャ語で「治療者」の意）――はその一つにすぎない。各派はそれぞれの主義のもとに医術を施し、なかには基礎となる哲学もなく技能のみで施術する者もいた。歴史学者のヴィヴィアン・ナットンが述べているとおり、古代ギリシャには「外傷専門外科医、接骨医、薬草医、産婆、体操教師、婦人科医、祓魔師」[6]がいたのである。

このように古代ギリシャでは数多くの健康法と治療法が競争しあい、患者はそのなかから適当と思われるものを選んでいた。したがって『ヒポクラテス全集』は医療関係者の総意のもとにまとめられた権威ある書物として読まれていたわけではなく、医術に関する一つの立場を表明し、注意を引き、顧客を誘うものだったのだろう。患者の信頼を得るため、あるいは医者を騙るペテン師を暴くための助言が含まれているのは偶然ではない。それでもウィンズローは、医療事情の全体を見損なってはいるものの――彼のいう古代医学への一般的評価と同じく――ヒポクラテス医学の重要さを鋭く指摘している。実際、数多の競争相手の資質がどうであれ、ヒポクラテス医学は――彼の死後にギリシャの医学者ガレノス（後述）がお墨付きをあたえたこともあって――のちの医療の考え方に甚大な影響をおよぼすようになった。

この影響についてナットンが述べているように、ガレノスがヒポクラテス主義を「宿命的に信奉した」ことで、ヒポクラテスの教えはさまざまに変形させられた。ガレノスはヒポクラテスを当時の医療の現場から切り離し、古代ギリシャの医術の複雑さと矛盾をごく単純にとらえ、理論の重要性ばかりを強調した。その一方、ビザンティオンで、またイスラム世界で、のちには西方ラテン世界で数百年にわたってガレノス流に解釈されたヒポクラテスの思想が何にも勝るものとして確立されたのには、ガレノス自身の権威が重要な役割を果たしたとナットンは書いている。

ここでどうしても疑問が湧く。迷信や呪術的な要素を排除した自然主義的な医学への革新が五世紀のギリシャで起こったのはなぜだったのだろうか。答えの大部分は不可測な要素にある。いってみれば、ヒポクラテスとヒポクラテス派のインスピレーションである。歴史の因果作用の連鎖には、つねに偶発的な要因が働いている。しかし、それればかりではないことも確かだ。たとえば、誰が異端者かを裁断して罰する権力をもつ教会の支配体制がなかったことが挙げられる。そのほかにも、ギリシャでは行政権が都市国家に分散されていたこと、ギリシャに自然哲学の伝統があり、とくにアリストテレスの影響が大きかったこと、また個人主義の文化が根づいていたことなどがある。

さらにいえば、ギリシャにおけるヒポクラテス派の医師の地位と市場におけるその占有部分を思い出すことも重要だ。ヒポクラテス派は貧者や奴隷の治療をしたことで知られているが、そのわりには彼らの医療は大衆には概して手の届かないものだった。ギリシャ時代も、のちのローマ時代も、彼らの主要な顧客は教養ある金持ちだったのだ。「体液理論」による医術は患者と医師に同じだけの素養があることによるところが大きかった。自然哲学が両者の共通知識としてあり、特別な食事療法や静養など、医者の勧める治療法は教養ある富裕層の人びとのみが理解し、施術してもらえるものだったのである。

体液理論の医学哲学

体液理論を基礎にした医学哲学は、全世界を大宇宙《マクロコスモス》、人体を小宇宙《ミクロコスモス》として、両者が呼応しあうという考え方を基本前提にしている。両者は同じ元素からなり、同じ自然法則にしたがい、どちらかに不調が生じるともう一方が病気になる。

アリストテレスとギリシャの自然哲学によれば、世界は火、空気、水、土の四大元素からなる。また各元素には「温」と「冷」、「乾」と「湿」のうち二つの性質がある。のちのアリストテレス派の自然哲学者はそこから四という数字に心酔し、四つの季節、四つの方向、四つの方位――そしてとくにキリスト教で――四つの福音書を加えた。

医学の観点からは、ミクロコスモスはマクロコスモスの基本的特徴を備えている。人体もまた四元素に相当する「体液」からできているということで、その体液とは黒胆汁（土）、粘液（水）、血液（空気）、黄胆汁（火）である。血管を通じて体をめぐるこの四体液はそれぞれ元素と同様に温、冷、乾、湿の性質をもち、それに対応する働きがある。

1　血液（空気）は温と湿の性質をもち、肉に栄養をあたえる。熱を発生させ、他の体液を体中に運ぶ。年齢と季節に応じた量が肝臓で生産される。

2　粘液（水）は冷と湿の性質がある。脳の栄養になり、血液の発生させる熱をやわらげる。

粘性があるため関節の潤滑液になり、体をなめらかに動かす働きがある。
3 黄胆汁（火）は温と乾に関連する。胆嚢に溜まり、腸の排泄の動きをたすける。
4 黒胆汁（土）は冷と乾の性質をもち、食欲を促進し、骨と脾臓に栄養をあたえる。

人間には四つの気質があり、その人が憂鬱質（黒胆汁質）、粘液質、胆汁質、多血質のいずれであるかは体内の四つの体液の割合によって決まった（図2－2）。これらは「人間の四つの年代」（幼少期、青年期、成熟期、老年期）と四つの主要な臓器（脾臓、脳、胆嚢、心臓）にも対応しているとされた。

このような体液理論のパラダイムは、医学ばかりでなく芸術や文化を理解するうえでも役立つ。ウィリアム・シェイクスピアの戯曲はその例で、おもな登場人物の性格は明らかに四体液説の気質にもとづいている。『ハムレット』のオフィーリアは、冷と乾に関連する憂鬱質の説明そのままの性格である。『ベニスの商人』に登場する粘液質のシャイロックは冷淡で吝嗇な老人で、それゆえ執念深い。対照的に『じゃじゃ馬ならし』のカタリーナは胆汁質だ。じゃじゃ馬の彼女を「調教する」一つの方法は、ヒポクラテスの原理にしたがって温と乾の物質である肉を除いた食事をさせるというものだった。肉は「黄胆汁を生み、怒りを植えつけ」るので、カタリーナの熱しやすい性質を助長してしまうからだ。

体液理論は公理のようなもので、第一原理からの推論にもとづいている。原理の中心をなしていたのは四季のある地中海性気候とこの気候に多い病――今日ならマラリアおよび肺炎と診断される病気――であり、ここからものごとが四つの季節に関連づけられた。ヒポクラテスのテキストはこの四つの体液とその性質の体系を骨子とし、のちにそれを継いだのがガレノスとその門弟の教えだった。ただし、『ヒポクラテス全集』の体液の解釈には人により違いが見られる。たとえば古代ギリシャ・ローマの治療者には、体液を四つとしない者や体液を液体ではなく気体と考える者がいた。

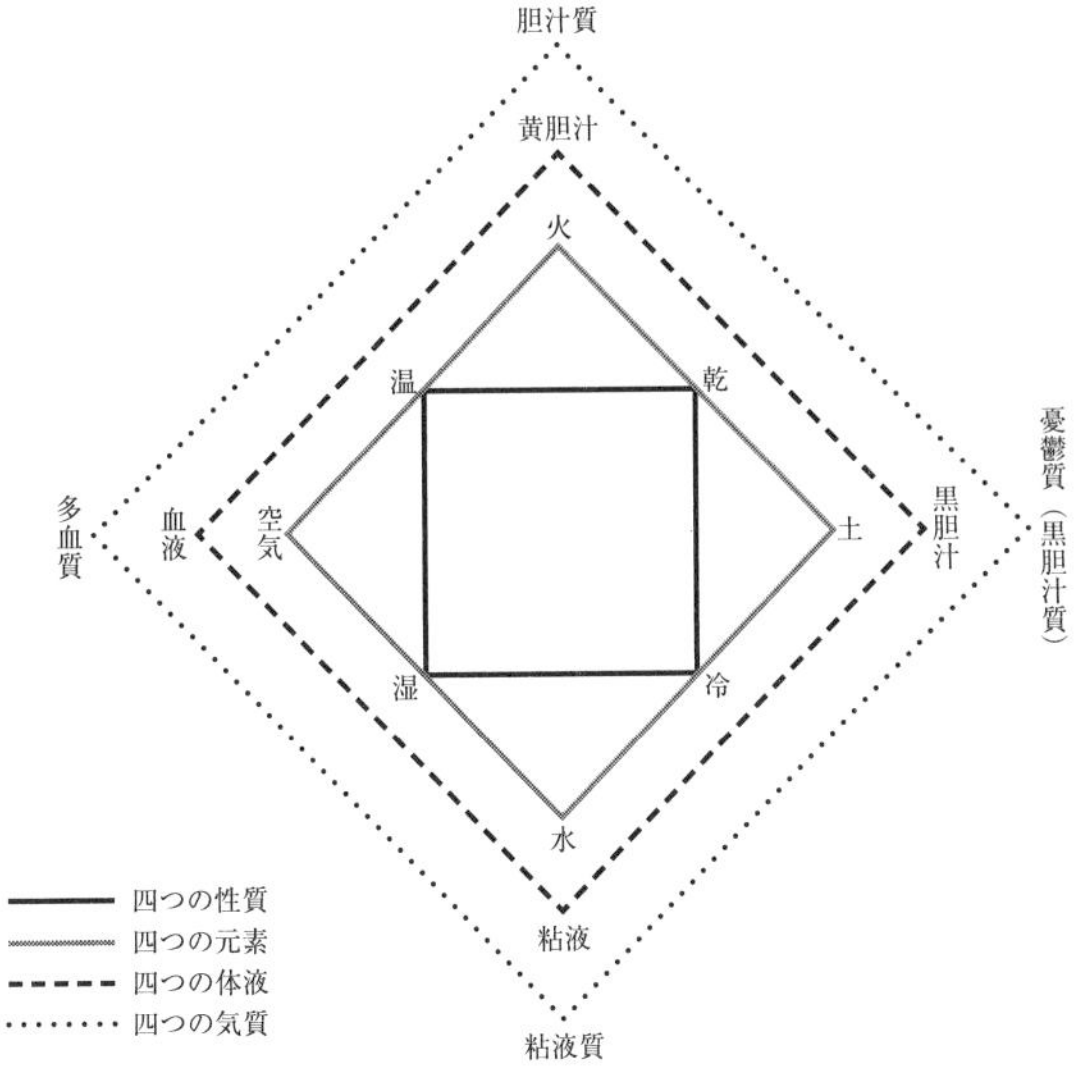

図 2-2　体液理論における四つの体液、元素、性質、気質の関係［Bill Nelson 改変］

だが、健康とは体液と性質の全体の調和が保たれている状態であるとするのはヒポクラテス派に共通する思想だった。その調和はある程度まで人によって違い、また一人の人間のなかでも季節や年齢、生活様式、性別によって変わる。変化の限度を超えるといずれかの体液が過剰になったり不足したりして全体の調和が乱れる。この乱れた状態が悪液質と呼ばれるもので、病気の原因になる。つまりヒポクラテス医学においては、病気とは体液の過剰か不足によるバランスの乱れなのである。さらに体液は腐敗することがあり、腐敗した体液は体を蝕む。

この体液理論の枠組みでは、たとえば

現代の医学でいう腸チフス、癌、肺炎、インフルエンザといったような個々の病気の概念がない。古代の考え方では、均衡が崩れて体全体が病むのが病気なのである。その意味で病気は一つだけであり、それが体液の性質と不均衡の程度によってさまざまな症状と重度であらわれる。さらに体液は変動し、混和する。だから病気は一つの固定した状態ではない。それどころか別の病気に変化していき、たとえばインフルエンザが赤痢に変わるというようなことがあった。

ヒポクラテスの病気の概念がわかったとして、では病気の原因はどうだろう？　病気は一つと理解されていても、原因はいくつもあった。人を病気にさせるものは、現代の用語でいえば「環境障害」と呼んでよいだろう。ガレノスはそれを六つの「非自然要素」に分類した。人体がさらされるその要素の第一は空気である。空気は腐敗して、四体液説の言葉で「瘴気《ミアズマ》」になる。この毒性のある空気が体液の均衡を失わせる。第二は動き、今日でいう運動（つまり運動不足）だ。あとの四つは、睡眠と覚醒、排出と滞留、飲食物、精神的現象である。

治療方針は自然性を基礎にしていた。つまり、体には「自然治癒力」があるというのがヒポクラテスの考えである。体には体内環境を維持ないし回復しようとする機能、すなわちホメオスタシスがある。たとえば体温を調節したり、過剰な体液や「腐敗した」体液を汗やくしゃみ、下痢、嘔吐、排尿によって排出したりする。したがって治療とは、病気と闘う体を援助するという控えめなものだった。

そこで医師が一番にする仕事は、病気につながりそうな兆候や症状を見きわめること、そして容態の経過を記録することだった。不均衡の性質を突きとめるには、脈をとる、胸部を触診したり聴診したりする、舌を見る、皮膚の温度を測る、尿の状態を調べるといったことをして患者の体をよく観察する。尿はとくに重要な観察対象で、ヒポクラテスは尿の色や濃度、臭い、味、血や濁りの有無を注意深く観察した。これらの手がかりが患者の体液の状態を示すのである。目的はある症状をなくすことではなく、患者の状態を全体的に判断することだ。そしてその状態から治療の方法が決定される。一人ひとりの違いを重んじる治療法である。病気はその病気として独立しているのではなく、千差万別に変化しながら進展するものだった。

結果として、体液理論の医学はどちらかというと診断には注意を払わなかった。それよりもどんな患者も抱く疑問、すなわち「治るでしょうか、先生」という問いに答えることを重視した。ヒポクラテス派の医師の頭のなかでは、予後が最重要事項だった。

患者の状態の性質と重症度を判断したあとは、逆の性質をもつものが最善の治療法という原理にしたがって治療する。冷と乾の体液である黒胆汁が過剰な患者には、温と湿の食べものや薬草を摂取させる。この場合の「温」とは触ると温かいものとはかぎらない。英語では辛い食べものを熱くなくても「ホット」というのと同じようなことだ。

食事療法は医師のおもな治療手段の一つだった。食べものには温、冷、湿、乾の性質があるとされていたので、体内である性質が過剰になるか不足したときに逆の性質の食べもので均衡を取り戻すことができるからだ。ただし、このほかにも治療法はあった。現代の医者が健康施設や保養所を勧めるように、運動や休息を指示するのである。そのほか環境を変える、性活動を控えめにする、感情を穏やかにするといったこともあった。また、薬草療法も用いられた。ヒポクラテス派は内科医としても意欲的だったからである。普通は、嘔吐、排便、排尿、発汗を促進する施薬によって過剰な体液の排出を促す。もう一つの有力な方法は瀉血《しゃけつ》である。体液の一つである血液は、ほかの体液を血流とともに運ぶからだ。瀉血はヒポクラテス派の医師のトレードマークになり、二〇〇〇年以上ものあいだ――少なくとも十九世紀の末まで――主力の療法としてつづけられていた。体液療法とは、結局のところ足し引きの処置だった。不足しているものを加え、過剰なものを減らすのが医師の仕事だったのである。

図 2-3　エドワード・ジェンナー（1749-1823 年）のメス。瀉血と初期のワクチン接種にはこのような刃物が使われた。［科学博物館、ロンドン、CC BY 4.0.］

現代人は瀉血と聞くと訝しく思うかもしれないが、ヒポクラテス派の医師の立場からすれば大きいメリットがあったことを思い出してほしい。瀉血は病気と同じように全身に作用する。その場で効果があらわれ、その効果の量を治療者が加減できる。また、経験ある医師なら限度を見きわめるのも容易で、脈が弱くなる、血液の色が急変する、気を失うといったことがあればただちに中止できる。最終的には基準になる医療禁忌があり、たとえば患者が高齢である、血液が不足している、暑さが厳しい、別の箇所から大量に瀉血したばかりだといったときには処置しない。このようにメリットと明確な限度のある瀉血とその器具――メス――は、医師の正統な治療手段だったのである（図2-3）。

ガレノスとテキスト偏重

『ヒポクラテス全集』が初めての「科学的な医学」として体液理論をまとめたものだとすれば、

そこに大きな改変を加えた医学の第二の父がいた。ペルガモンに生まれ、おもにローマで活動したギリシャの医師ガレノス（一二九～二〇〇年ごろ）である。

ガレノス主義が学説としてどのように世にあらわれ、永きにわたって支持されたのかを理解するには、ガレノス個人の資質を考える必要がある。ガレノスはヒポクラテスと資質がまったく違っていた。ヒポクラテスの実像についてはほとんどわかっていないため、ガレノスの伝えるヒポクラテスが複数の著作者による『ヒポクラテス全集』の著述を統合して一つの型に創りあげたものであることを忘れてはいけない。全集からうかがえる遍歴医ヒポクラテスは優れた観察者であり、経験主義者だった。対照的に、ガレノスの功名は彼がヒポクラテスのテキストの習熟者であること、そして哲学的原理から理論を導いたことにある。ガレノスは事実上ヒポクラテスを師と崇め、その一言一句を具体的に説明した。そしてヒポクラテスの教えの最高指導者、あるいは公式の解釈者を自任し、教えを教義に仕立て上げた。ルネサンス期の詩に詠われた臆面もない不遜さは、ガレノスへのあてこすりだ。

ヒポクラテスを引きずり下ろせ、さすれば私が一番になる。
彼に負うところは多いが、彼も私に負うている。
彼のやり残したこと、いまだ不明なことは、私が完成を託されている。
この大冊を曇りなく明晰に。

小さい島が彼を生み、アジアという広大な土地が私を生んだ。

彼はわずかなことを著し、私は無数のことを著した。
彼がくれたのは基礎材料、私はそれで医学の城塞を築いた。
アポロンの守る城塞を。[7]［アポロンは病を払う治療神でもある］

だが同時に、ガレノスはラテン語を母語とするローマ人にヒポクラテスの著作を知らしめ、ヒポクラテス医学をローマ帝国に広めた功労者でもあった。

ガレノスは裕福な家に生まれ、高等な教育と豊かな財産を享受した。ペルガモンで剣闘士を診る医師として勤務したことから名声獲得への道をスタートさせ、一六二年にローマに移っていよいよ頭角をあらわす。ついには皇帝マルクス・アウレリウス・アントニウスの典医にまで任命された——影響力を広げられたのはこの地位にあったからこそだといえる。うぬぼれの強い男ガレノスは自らを博識家と称し——理想的な医師、哲学者、言語学者、科学者——ヒポクラテスの後継者にふさわしい唯一の人間だと主張した。批判者や同業者をヒポクラテスの知恵を理解できない素人と見なして、あからさまに蔑むだけだった。とくにライバルの二つの派、経験主義者と形式主義者を敵視した。

ガレノスは非常に豊富な知識を備えていた。彼が当時の学問のあらゆる部門に精通していたことを思い出すだけで、その影響のほどを理解できる。のみならず医師としての活動は生涯にわたり、八〇歳を超えてなお執筆をつづけた。ガレノスの著作は生前の一九二年の火事で書斎が焼けてしまったときに一部が焼失したこともあり、およそ半分しか残っていない。それでも現存するものだけで各一〇〇〇ページの著作が十二冊ある。このように並はずれて多作だったこと、そして長寿だったことも彼の知の偉業に貢献した。ヴィヴィアン・ナットンは歴史におけるガレノスの位置をうまく説明している。

何百年にもわたるガレノスの遺産を詳述するのは、彼の死後の医学の歴史を綴るに等しい。ガレノスの思想が少なくとも十七世紀までの、ことによると十九世紀までのヨーロッパの正式な医学の基礎をなしただけでなく……イスラム世界では現在も伝統医学として継承されている……ヒポクラテスとヒポクラテス医学についてのガレノスの解釈は、最近まで医学史の研究者がかならず取り上げるものであったし、さらにまた現代も、医学とは何か、医師はどうあるべきかの考え方に知らずしらず影響しつづけている。[8]

しかしそうであっても、ガレノスは科学の知識と進歩について現在の理解とはかけ離れた考えを抱いていた。ガレノスからすればヒポクラテスは医学の永遠の源泉であり、教義のおもな哲学は不変のものだった。ガレノスの体系に修正の余地はなく、ヒポクラテスの著作と自分自身の著作が永遠に正当だと考えていた。それはただ練り上げ、完成させるべきものであり、それこそが自分に任じた生涯の仕事だった。

ガレノス主義の本質はこのような不動の教義なのである。ガレノスの手にかかれば、ヒポクラテスはカルトの教祖に、すなわち尊敬と、結局は崇拝の対象になった。著作以外に実像をほとんど知られていない人物が、皮肉にもあらゆる幻の美徳をのちに付与されたのである。ガレノスはヒポクラテスを知識と勇気、節度と思いやりと誠実さの規範として理想化した。ヒポクラテスの敬虔さ、勇気ある行為、勤勉さも伝説になって流布された。父方の祖先はギリシャの医学の神アスクレピオス、母方の祖先はヘラクレスだという逸話まである。アテナイ人を悪疫から救った英雄、金と名声を軽蔑した清廉の士でもあった。こうしてヒポクラテスはその他の古代の偉人――ソクラテス、プラトン、アリストテレス――と並び称されるようになった。だが、その過程で『ヒポクラテス全集』に著された医師の根本、すなわち病床にある病人を直接観察することは、ヒポクラテスとその正当な解釈者ガレノスのテキストを習熟することにすり替えられた。こうして「病床医学」は「書斎医学」に変わってしまったのである。医学知識の情報源はもはや患者の体ではなくテキストの権威だった。

体液理論の残したもの

体液理論にもとづく医学にはどうしても疑問が生じる。どんなに明確に仕組みを説明されても、「効果はあったのか」と問いたくなるのだ。しかし治療効果もなしに、医学哲学が何百年も生き残れるだろうか。

まず重要なのは、体液理論の医師が病気や不調だけを診たわけではないことである。ガレノスが考えていたとおり、「治療」には健康の維持も含まれる。実際、ガレノスの重要な著作に『健康を維持することについて』と題されたものがあり、衛生学が扱われている。体液理論の医師はガレノスの原理にしたがって、診療のかなりの時間を今日でいう生活様式に関する助言にあてた。古代の医学では、病気予防に大いに役立つと考えられていたからである。睡眠、運動、食事、性活動、入浴、発声練習、そして道徳や精神的な助言などがテキストの多くのページを割いて論じられていた。こうしたことはみな情緒に、したがって体液の均衡に影響し、ひいては健康を左右すると考えられた。古代ギリシャ・ローマの医師は治療に効果があったかどうかのみで評価されることはなく、それどころか治療効果はおもな評価材料でさえなかった。医師の活動の多くにおいて、彼らは今日でいうトレーナー、心理カウンセラー、栄養士の役割を担っていた。

次に重要なのは、体液理論には治療計画の基礎とした場合に大きな長所がいくつもあったことだ。まず、体液理論という革新によって治療は呪術から切り離された。また自然哲学と一致していたため、当時の人びとに受け入れられやすかった。それにヒポクラテス派とガレノス派の医師の治療は控えめで、彼らはたとえば接骨、膿瘍の切除、瀉血のための血管切開はしたが、体腔に手を出してはならないと考えていたのでそれら以外の手術はしなかった。

また、今日も一次医療の医院では患者の大半が特段の治療をせずとも時間の経過とともに治癒する自然治癒疾患で、精神疾患も多いことを忘れてはいけない。そういう患者に何よりも必要なのは、なんの心配もないと安心させることだ。体液理論による医療の主眼は、病気を診て治療することに慣れた経験豊かな医師が予後についても習熟し、患者を安心させるスキルをもつことである。ヒポクラテス派の医師は望みがないと判断した症例については治療を断り、自分の手に負えない重篤な患者を他院に紹介することができた(後述)。

だが体液理論、とくにガレノスの体液理論には数多くの欠点もあった。なかでもその第一は、医学理論として閉鎖的だったことである。体液理論は推測にもとづいたもので、結局はヒポクラテスの経験主義が消失していくのにともなって個人崇拝になった——ガレノスの個人崇拝、ガレノスを通じたヒポクラテスの個人崇拝である。知識が硬直化し、啓示された真理のようなものになっていくあいだに、古きを尊ぶカルトに変わっていったのだ。ガレノス主義は権威と伝統を重視し、やがて大学で古典を第一として教育を受けた医師のエリート医学を生んだ。医師をどのように訓練するかという問いへの答えは、ヒポクラテスとガレノスを原語で読むことだったのである。

神殿医療

古代ギリシャにおいて、呪術や祈禱を切り離して自然主義をとることで医学哲学に新風が吹き込まれたのは革命的なことだったが、自然主義と信仰心とのあいだに葛藤もあっただろう。ヒポクラテスとガレノスは神々とその神殿の世界に生き、二人とも神を信仰していた。古代ギリシャ・ローマの社会では、神はきわめて大きな意味があり、とくに治療に携わる者にとっては、ギリシャ神のアスクレピオスは重要だった。

アポロンと人間の女との子であるアスクレピオスは名医の誉れ高く、その名と神殿に崇拝者が集まった。古代世界では、医師はアスクレピオスを「守護神」と見なし、自分たちをその息子という意味で「アスクレピアド」と呼んだ。アレクサンドロス大王の時代のギリシャにはアスクレピオスに捧げられた神殿（アスクレピア）が全国に三〇〇から四〇〇あり、療治院として使われた。なかでもアテナイ、コス、エピダウロス、トリッカ（現トリカラ）、ペルガモンのものは規模が大きく有名だった。

アスクレピオスと古代の医療の関係を理解するために重要なのは、アスクレピオスがまじない師のたぐいではなかったことである。アスクレピオスは優れた医師であり、信奉者のアスクレピアドらと同じ原理にしたがっていた。キリストの物語との類似性が指摘されてもいる。実際、アスクレピアド信仰は数百年にわたってキリスト教とライバル関係にあった。

古代ギリシャ・ローマの医師のような遍歴医にとって、アスクレピオスは非常にありがたい存在だった。身分の証、権威の根拠、職業の存在意義をあたえてくれるからである。ヒポクラテス派の医師は「同職者集団《ギルド》」の一員だと識別できた。医師は各地を旅し、患者の家に招き入れられて治療にあたったが、それには自分が篤行の人であることを請け合ってくれる権威を必要とした。アスクレピオスは彼らに能力と資格があること、誠実であること、支払いの手段をもたない貧しい者も手厚く診ることを保証した。

アスクレピオス神殿は、いくつかの点でヘルススパやサナトリウムや病院の前身といえる。貧しい者も重篤な病人も、ここでなら看病してもらえた。患者はあらかじめ入浴や節食、祈り、捧げものなどをして準備期間を終えたのちに神殿の聖域に入る。それから神殿で眠ると、夢のなかにアスクレピオスがあらわれて養生法を示してくれるのである（これを「夢見による神癒《インキュベーション》」といった）。だが、この治療計画には体液理論派の熟練した医師がしないようなことは含まれていなかった。インキュベーションは、自然主義的な療法の妨げにはならなかったということだ。アスクレピオスは、呪術や奇跡など、普通の医師にできない治療を命じはしなかったのである。

まとめ

この章で考察した病気のとらえ方――神、悪霊、体液理論――は、順にあらわれて消えたわけではない。それどころか「科学的」な医学哲学が確立されても、神の業とする考え方も悪霊の仕業とする考え方も廃れることはなく、三つは数千年ものあいだ並存した。一人の人間の頭のなかで同時に三つが存在することさえあった。今日もそれは変わらず、受け継がれてきた文化の一部として生きている。実際、インド亜大陸のイスラム文化圏ではいまもユナニ医学の体液理論にしたがって治療を受けることができる。

ヨーロッパで十九世紀まで広く行われた医学哲学を考察したことで、ペストについて深く知る準備ができた。ペスト禍に見舞われた社会は、受け継がれた病気のとらえ方でこの疫病を理解した。この病気がどんな知識を背景に経験され、それによりどんな意味付けがなされたかを考えずにペストの歴史を把握することはできない。

第3章　ペスト、三度のパンデミック――五四一年〜一九五〇年ごろ

感染症とそれが社会におよぼした影響について語るなら、ペストを取り上げずにすますわけにはいかない。ペスト禍は多くの点から見て想像しうる最悪の惨事であり、それゆえにほかの感染症の比較基準になった。のちの時代に未知の疫病が流行したとき、人びとはペストに匹敵する猛威をふるうのだろうかと不安な思いで経過を見守った。十九世紀のコレラ、二〇世紀のスペイン風邪とエイズのように、とりわけ恐ろしい病気が出現したときは「ペストの再来」といわれ、十九世紀に死亡原因の第一位だった結核も「白いペスト」の名で呼びならわされた。それどころか、英語でペストを意味する「プレイグ（plague）」という言葉は、疫病にかぎらず事故や銀行強盗など、社会に起こる凶事の代名詞にもなっている。

ペストが他と一線を画す恐ろしい病気とみなされるのは、この病気にどんな特徴があり、地域社会がどのように応じたからだろうか。ペストの最も際立った特徴は、その抜きん出て強い病毒性だ。「病毒性」とは病気の症状を発現させ、重篤化させる力の強さのこと、つまり病原体が人体の防衛能力に勝ち、病苦と死をもたらす能力の程度のことである。ペストはその病毒性が桁外れに強い。急に襲いかかって耐えがたい症状を引き起こし、もし処置しなければきわめて高い致死率をまちがいなく示す。致死率とはその病原体による致命率、すなわち罹患者中の死亡者の

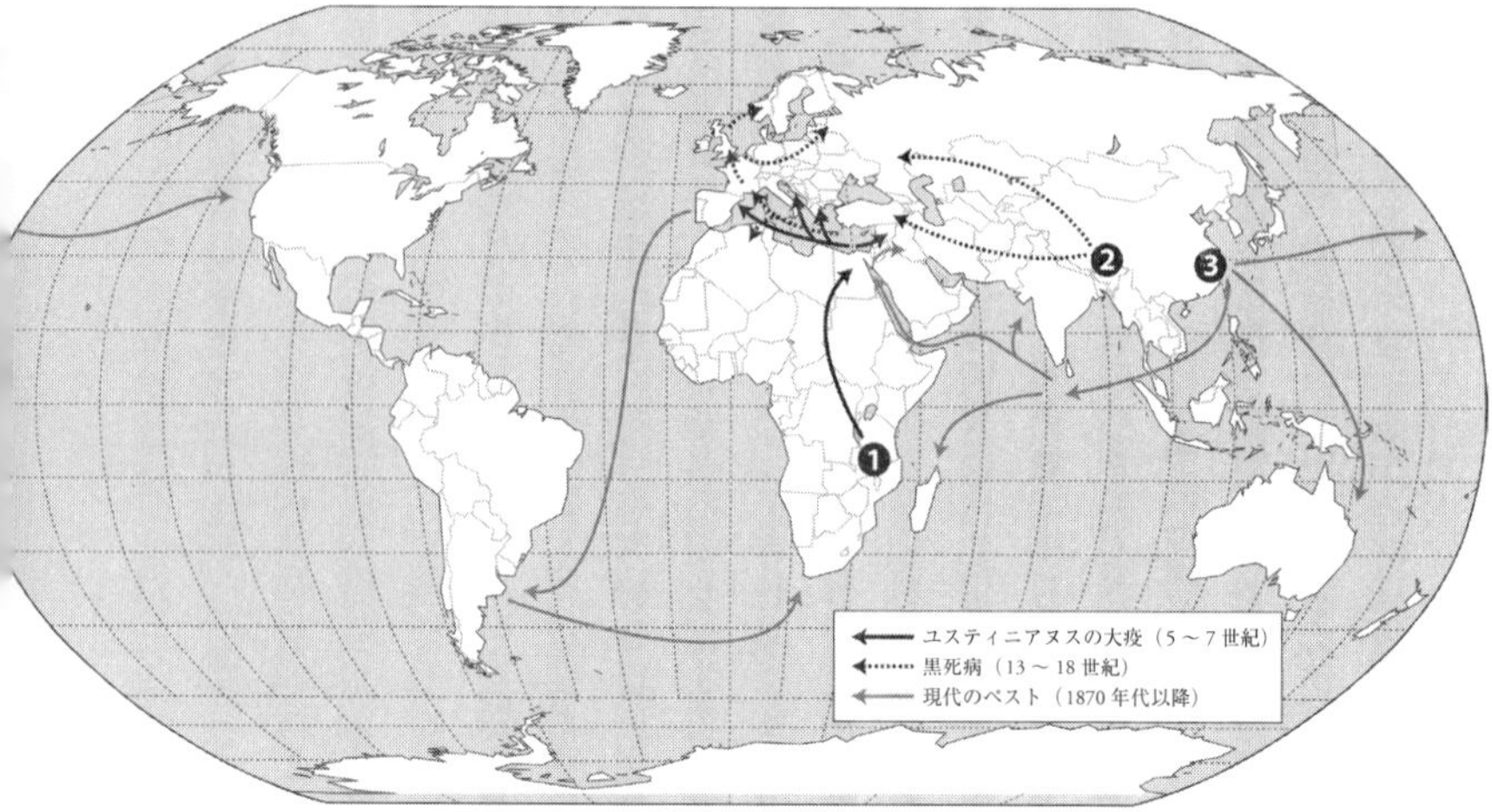

図3-1　ペストの三度のパンデミック［Bill Nelson作画］

割合である。抗生物質が発見される以前、ペストは罹患した者の半数以上の命を奪った。致死率が五〇パーセントを超える病気は、ほかにはほとんどなかった。しかも罹患後の進行が恐ろしく速く、発症から死亡まで普通は数日、場合によっては数日ももたなかった。

ほかにもペストには犠牲者の年齢と階級に恐ろしい特徴があった。通常の地域流行病は、子供と老人がかかりやすい。流行性耳下腺炎（おたふくかぜ）、麻疹、天然痘、ポリオ（急性灰白髄炎）といった感染症ではこの傾向が見られる。ところがペストはそうではなかった。盛年から壮年の男女が犠牲になったのだ。そのためにペストの流行は、異様な、人知を超えた出来事に思えた。また、このことは経済と人口動態と社会秩序の混乱を増大させもした。ペストが去ったあと、孤児、未亡人、貧困家庭が増えたのである。さらにペストは大半の感染症と違い、貧しい者ばかりを襲ったのではない。災いは裕福な者にも貧しい者にも無差別に降りかかったので、ペストの到来は最後の審判の日の到来のようだった。

もう一つの特徴は、ペストの掻き立てる恐怖である。ペストが流行した地域では集団ヒステリーや暴動が発生し、神の怒りを鎮めようとする人びとのあいだで信仰熱が高まった。人びとは誰がこの災厄の原因をつくったのかを突きとめようとした。病気を神罰と考える者からすれば、それは罪深い者だ。こうしてペストの流行期にはたびたび生贄探しと魔女狩りが行われた。一方、ペスト禍を悪霊の仕業だと信じる者にとっては、陰謀の手先となった者のせいだった。彼らはよそ者とユダヤ人を疑い、井戸に毒を入れた者や魔女を追いつめた。

本章はペストという病気の概観にあてる。ペストに対抗するための公衆衛生対策、ペストの一般的な影響、一五〇〇年あまりのあいだに発生した三度のパンデミック（図3－1）はどんなものだったかを見ていこう。

ペストと公衆衛生

ペストは、社会にある重大な動きを起こした点でも無視できない影響を残した。公衆衛生の発達である。ペストが蔓延したことで、感染拡大を抑えて市民を守るために、罹患者の強制隔離という非常に厳しい公衆衛生対策が策定された（ハンセン病患者の強制入所は、ハンセン病療養所が治療のための施設ではなく、公衆衛生計画の発展に寄与しなかったため同様には扱えない）。まず軍隊を動員して防疫線を張った。人と物資の移動を止めて、住民を守る非常線である。さらにラザレットと呼ばれる隔離施設が設置され、検疫がはじめられた。また、非常時にこうした規制を実行するために、衛生官や保健委員会など、保健衛生を管轄する行政機関も組織された。さらし台などが設置されたところもあり、役人の権力の強さを見せつけた。

とくにルネサンス期のイタリアの都市国家は地中海の貿易ルートの中心にあったために、ペスト対策の先駆になることを余儀なくされた。中東や北アフリカから人と物資が――そして船に潜んでやってくる鼠も――到着するので疫病の攻撃を受けやすかったのである。フィレンツェ、それに港を擁するベネツィアやジェノバやナポリから公衆衛生対策が発達し、それが広く他の都市の手本になった。

時代がくだっても同じことがくり返された。コレラ、黄熱、エイズなど、生命にかかわる新しい病気が人間を襲うようになったとき、衛生当局がまず実行したのは対ペスト策の応用だったのである。将軍は一つ前の戦争を戦いたがるという格言がある。新しい敵を前にして、時代遅れの戦略でしか戦えないという意味だ。衛生当局にも同じことがいえる。その後何世紀もこの傾向がつづいたのは、ペスト防衛策は強力で有効だったというぼんやりした記憶があり、市民を安心させられたからだった。

ペストの影響

ペストという病気の最も重大な特徴は、社会への甚大な影響である。感染症がかぎられた地域や人のみの関心事ではすまないことを、まさにペストは証明している。ペストは戦争や宗教、経済、上位文化と同様に、「この世界を動かすもの」の重要な一部であり、その時代の歴史を理解するのに不可欠である。もちろん病気ですべてが決定されるというつもりはない。そういう「病原体マルクス主義」じみた意味ではなく、もっと単純に、病気が社会を変容させることはありえ、ペストはそうした力のある病気の一つであるといいたいのだ。これだけの影響をおよぼす病気はほかにはあったとしてもごく少なく、インフルエンザやポリオのように多くの命を奪う病気でさえそれにはあてはまらない。本書でペストを取り上げる大きな目的は、同じ感染症でもなぜそのような違いがあるのか――文化や政治や社会に深い爪痕を残すものとそうでないものがあるのはなぜなのかを探ることにある。

ペストは社会のあらゆる側面に影響した病気の好例である。黒死病は近代初期のヨーロッパの人口動態を大きく変えた。十四世紀から十八世紀にかけて、流行の波が周期的に訪れたために人口増加を阻む最大の要因になったからだ。経済生活と経済発展にも壊滅的な打撃をあたえた。また宗教と大衆文化にも大きく作用し、信仰心を示す新しい行為や習慣、ペストにちなむ聖人の崇拝、受難劇などを生んだ。死すべき運命が人の心に深く刻み込まれ、人間と神との関係にも深く影響した。

ペストの流行拡大によって、ヨーロッパでは説教と宗教冊子の発行がさかんになり、弁神論が説かれた。弁神論とは、悪や苦と神の正義が同時に存在することに矛盾はないと主張するものである。神は神に背を向けて戒律にしたがわない者に腹を立て、罰をくだすという教えは比較的納得しやすかった。だが、大勢の罪のない者が、しかも子供までもが悶え苦しみ、死んでいくのをどうやって説明すればよいだろう？　ペストによって宗教熱が高まったのは確かだが、逆方向への強い引き波もあった。神などいないのではないかという恐ろしい考えを抱いた者もいたのである。慈愛に満ちた全能の存在が大都市に住む人びとの半数から命を奪い、男も女も子供も見境なく殺すことなどあろうはずがないではないか。人びとの心に生まれたのは神の否定というよりも、口にすらできない無言の絶望だった。あの時代にはそぐわない言葉だが、現代でいう心的外傷後ストレスに似た強い精神的打撃だろう。

ペストは芸術と文化にも多大な影響をおよぼした。ペスト文学が一つのジャンルとして生まれ、ジョヴァンニ・ボッカッチョ、ダニエル・デフォー、アレッサンドロ・マンゾーニ、アルベール・カミュらが作品を残している。ヨーロッパの絵画と彫刻の主題も変わり、建築では救いの聖母マリアやペストの守護聖人である聖セバスティアヌスと聖ロクスに捧げる大聖堂や教会が建立された。ウィーンをはじめとする中央ヨーロッパの各地にペスト流行の終焉を祈願してペスト塔が建てられ、人びとはそれを仰いで神の慈悲を願った。

二〇世紀の半ばにも、スウェーデンの映画監督イングマール・ベルイマンが一九五七年に『第七の封印』を制作し、作中で黒死病を描いている。冷戦の絶頂期だった当時、ベルイマンは核戦争の勃発を憂慮していた。全面的破壊を思わせるものとして、ペストはいうまでもなく人間の受ける苦難を、すなわち核による大惨事をあらわしていた。

十七世紀には、ペスト禍をきっかけにバイエルン地方のオーバーアマガウでキリスト受難劇が上演されるようになった。一六三〇年代のペスト大流行で生き残ったこの地の人びとは、「たすけてもらえるならキリストの受難劇を今後数年ごとに住民総出で上演する」と誓いを立てた。この誓いは実行され、現在も同地の伝統行事になっているが、反ユダヤ感情を刺激するおそれがある点で論争の余地を残している。

ペストは医療のパラダイムも大きく変えた。病気を体液理論から理解することが根本から見直されたのである。ヒポクラテスとガレノスの医学ではペストの感染経路を十分に説明できなかった。これだけ大勢の人がほぼ同時に体液の均衡を失うなどということがありうるだろうか。ヒポクラテス派は、今日の言葉でいう環境要素による侵襲が考えられると主張した。ある場所の空気が「悪くなって」、「伝染性大気」になるというのが理論に沿った説明である。土中や近くの沼の腐敗した有機物が発酵し、放散された有害な物質で空気が汚染されるのが原因で、その悪い空気（瘴気《ミアズマ》）を吸い込んだり毛穴から吸収したりした多くの人びとが病気になる。

中世にこれと似た考え方をしたのが占星医学だった。占星術師はペストなどの疫病を引き起こすのは星の凶配列だといいだした。世界《マクロコスモス》の乱れが人体《ミクロコスモス》の乱れになってあらわれるというのである。彗星の出現や惑星の合《ごう》のせいで病気が流行するとまでは考えなかった者でも、天体現象は災いの前兆になると信じていた。また、地震、洪水、火災といった天災も疫病の前ぶれとされた。

十六世紀のイタリアの医師ジロラモ・フラカストーロは、疫病の原因をまったく違う角度から説明しようとした。体液理論をすっかり捨て、有毒な化学物質が人から人へ運ばれることによって——どのようにしてかはわからなかったが——病気が伝染すると考えたのである。十七世紀に入ってドイツ出身のイエズス会司祭アタナシウス・キルヒャーがこの説を発展させ、ペストは「微小動物《アニマルクル》」が病人から健康な者になんらかのかたちで移ることで広がると考えた。つまりフラカストーロとキルヒャーは「接触伝染」の概念を提唱した先駆者なのである。

接触伝染説《コンタギオン》は当初、大衆の想像力に強く訴えかけたが、大学で医学を学んだ医師にはさほど支持されなかった。そんなことはそれまでのテキストのどこにも書かれていなかったからだ。フラカストーロとキルヒャーの異端の病因論が微生物学によってようやく立証されたのは、十九世紀末のことである。ルイ・パスツール（一八二二〜一八九五年）とロベルト・コッホ（一八四三〜一九一〇年）の功績は第12章で取り上げよう。

三度のパンデミック

感染症の流行をあらわす三つの言葉の違いを知っておくのは重要である。感染症の流行は、感染者数と拡大地域の規模によって三つのいずれかにあてはめられる。「突発的な集団発生《アウトブレイク》」とは特定の地域で感染例が急激に増加することだが、その数はさほど多くない。それに対し、「流行《エピデミック》」は地域および感染者数ともにかなり大きい。最後の「世界的な大流行《パンデミック》」は国や大陸を越えて流行が拡大したもので、多大な犠牲者を出す。ただし、この三つは明確な線引きが難しく、主観で判断される場合も多い。特定の地域に封じ込められた感染症でも、病毒性が強く、その地域のほぼ全員が感染するような場合はパンデミックと呼ばれることがある。

この語法にしたがえば、人類はペストのパンデミックを三度経験している。いずれのときも流行をくり返し、その周期は何世代、ときには何世紀にもおよぶ。アウトブレイクはたびたび起こったので、小説や戯曲でプロットを自然に進行させる小道具になったほどだ。よく知られているのがシェイクスピアの悲劇『ロミオとジュリエット』である。物語はイタリアの都市ベローナでのペストの集団発生を背景に進み、ベローナとマントバのあいだの通信が途絶したことで悲劇的な結末を迎える。マントバに追放中のロミオにジュリエットからの大切な手紙を届けようとした修道僧のジョンは、ペストのせいで途中で監禁されてしまうのである。「町の検疫官から両人とも伝染病患者の家にいたと疑いをかけられ、その戸という戸に封印をされ、外に出してもらえなかったのです。それでマントバへ急ぐべきところ、足止めを食ってしまいました」（第五幕第二場）。ともに自ら命を絶った悲運の恋人たちの物語において、ペストが巧みな仕掛けになっているというわけだ。近代初期のヨーロッパにおいて、ペストは絶えずつきまとう危険であり、いつ不意に襲ってきても不思議はなかったことをシェイクスピア劇の観客はよくわかっていたのである。

顕著な季節性もくり返されるペストの特徴だった。通常、流行は春か夏にはじまり、寒さの訪れとともに去っていった。例年よりも暖かい春のあとに蒸し暑い夏がつづくときはとくに危険だった。この傾向は現在、ペストを媒介する蚤《のみ》の発生しやすい条件であるためと説明されている。暖かく湿気のある時季は蚤の卵が孵化しやすく、逆に寒くて乾燥しているときは蚤が不活発になる。このパターンが通例なのだが、不思議なことに真冬のモスクワ、アイスランド、スカンディナビア半島でもペストは発生することがわかっている。この変則的な発生は疫学における難問になっている。

第一のパンデミック——ユスティニアヌスの大疫

世界の歴史に初めて姿をあらわしたペストは、当時の東ローマ帝国がユスティニアヌス一世の統治下だったことにちなんでユスティニアヌスの大疫と呼ばれる。歴史家のプロコピウスによれば、ユスティニアヌスの悪行が神を激怒させたと一部では考えられた。現在の遺伝学者はこれを

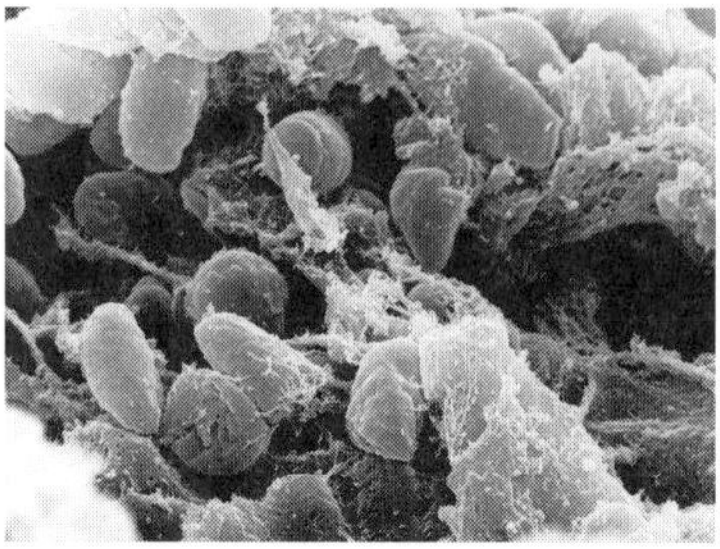

図 3-2　媒介生物である蚤の前腸で凝集体を形成するペスト菌（*Yersinia pestis*）の走査型電子顕微鏡写真。［ロッキーマウンテン研究所 NIAID, NIH.］

人獣共通感染症、すなわち動物から人間に伝染する病気で、「原発地」はアフリカだったと考えている。五四一年にナイル川デルタのペルーシウムでペストの苦難が最初にはじまった。それから二〇〇年にわたって一八度の流行の波が到来し、ようやく七五五年になぜかはじまったときと同じように急に消えていった。

　このときの悪疫はアジア、アフリカ、ヨーロッパを苦しめ、計り知れない数の死者を出した。直接の記述はほとんど残っていないが、トゥールのグレゴリウスやエフェソスのヨハン、ベーダ、プロコピウスといった目撃者による現存する記録は災厄の規模が一致し、プロコピウスの言葉で「全人類が滅ぼされる寸前の悪疫」だったという。[1]最近のおおよその推計では、総死者数は二〇〇〇万人から五〇〇〇万人とされている。

　この膨大な死者数とローマ時代の典型的な病状の説明――腋窩《えきか》や鼠径《そけい》部や首のしこり――は、明らかに腺ペストであることを示している。さらに近年になって、古代末期の墓所から掘り起こした遺体を古病理学者が調査したところ、歯髄から取り出したDNAに病気の原因になったペスト菌が存在することが確認された。たとえばバイエルンでの調査では、アッシュハイムの六世紀の墓所の遺骨にペスト菌（図3－2）が認められ、ローマ時代のペストの記述が正確であることを強く示唆している。

第二のパンデミック――黒死病

ペスト第二のパンデミックは一三三〇年代に中央アジアで発生し、一三四七年にヨーロッパに到達したのち五〇〇年つづいて一八三〇年代に終息した。一三四七年から一三五三年にヨーロッパを襲った第一波は今日、黒死病として知られているが、第一波をさすこの名が使われはじめたのは十八世紀になってからである。十四世紀当時の文献には、「大悪疫」「フィレンツェの疫病」「大量死」「疫病」などの記述が見られる。このことや、黒っぽい腫れものと壊疽がこの病気の目立った症状であることから、いまも多くの学者はもとの「黒死病」という言葉をより広く第二のパンデミック全体をさす名として使っている。

第二のパンデミックは一三四七年の夏に、黒海を渡ってシチリア島のメッシーナに入港したジェノバのガレー船に乗ってヨーロッパにやってきたと考えられている。瞬く間にシチリア島に広まったのちサルデーニャ島とコルシカ島に伝播し、イタリア本土に悠然と拡大していった。ペストを乗せてつぎつぎとジェノバに着岸した船がそれを援護することになった。こうしてイタリアからヨーロッパ全土が疫病の殺戮に巻き込まれた。ヨーロッパで最初にペストに蹂躙されたのがイタリアの都市だったのは偶然ではない。地中海貿易の中心だったために疫病にさらされやすかったのである。

黒死病が到来した当時のヨーロッパは社会の困窮と経済の低迷に苦しみ、そのことが疫病の拡大を助長した。その前の十三世紀は経済が発展し、一一〇〇年から一三〇〇年までの二〇〇年で人口が二倍に増加して都市化が進んだ時代だった。人口一万五〇〇〇人超の大きい町が増えていき、過密した都市部では狭く不潔な住居が問題になった。一二七〇年を過ぎると生産性が落ち、それにともなって経済は低迷し、賃金が減って貧困者が増えた。農業生産高が激減して、経済学者トマス・ロバート・マルサスの指摘した典型的な危機が訪れた――人口増加に生産が追いつかず、飢餓状態になったのである。

さらにこれまでにない天候不良がつづき、すでに行き詰まりのはじまっていた社会体制に致命的な打撃をあたえた。くる年もくる年も肝心な時季に大雨が降りつづき、低温のために作物の成長する期間が短くなって、農作物生産はただ減少するのではすまず、ついに凶作に陥った。洪水、暴風、極寒の冬が打撃に拍車をかけた。「苗床が冠水し、作物と牧草は水没し、穀物は腐り、仕掛けた漁網は破壊され、堤防が流され、牧草も芝も水浸しで刈れず、石切り場は浸水して採石できなかった」[2]。人びとはおののき、いま一度ノアの方舟の救いがほしいと願った。

中世後期の「大飢饉」は創世記でヨセフが予言したエジプトの飢饉に匹敵するほどだったにもかかわらず、ファラオの備蓄したような食糧も現代のような分配網もなく――とどまるところを知らぬ打撃をあたえながら――一三一五年から一三二一年までつづいた。アルプス山脈の北一帯を呑み込んだこの飢饉は数百万の命を奪い、さらにその後の一三四五年から一三四八年には深刻な食料不足と食料価格の高騰を招いた。そのうえ一三一九年から翌年にかけては牛疫と考えられる疫病が北ヨーロッパの家畜を襲い、肉と牛乳がほとんどの人の手に入らなくなり、役畜と堆肥が不足して農業生産が滞った。この「大牛疫」は毎年のように起こる収穫不足と結びつき、人間は栄養不良で成長と発達が損なわれた。

経済低迷と貧困が深刻化したのは、中世後期の社会の甚だしい不平等も一因だった。古生態学者のペル・ラゲロースは次のように厳しく指摘している。ここで述べられているのはスウェーデンの事例だが、この状態は西ヨーロッパ全体にあてはまった。

貧困化は中世社会の不平等のせいでもあった。ただでさえ平民には税金や小作料、十分の一税、労働が重くのしかかり、手元に残るものはほとんどなかった。上流階級と中央政府が真っ先に優先したのは、贅沢な消費と生活様式を維持することであり、農業制度にはろくに資源を投じなかった。収穫が乏しくなって収入が減少すると、それを補うためにただちに税金と小作料をさらに引き上げた。経済が低迷し、農業がもちこたえられなかったのは、このような逆効果でしかないやり方をしたせいでもある。先に述べた理由から、人びとは餓死寸前にまで追いつめられた[3]。

その結果、一三一五年以降に生まれた人びとは病気に対する抵抗力が弱かった。成長期に満足に栄養をとれなかったせいで免疫不全のまま成人したころに、ペストを乗せたジェノバ船がメッシーナに入港したのである。

黒死病はシチリア島からヨーロッパ全土に容赦なく広がっていくあいだに、大飢饉以上に社会を揺るがせた。一三四七年から一三五三年の第一波でヨーロッパの人口の半分が死亡したとされ、ラゲロースのいう「ヨーロッパを襲った最悪の災厄[4]」になった。なかでも悲惨だったのは一三四八年のフィレンツェでの流行だった。多くの住民がばたばたと死んでいく様子がボッカッチョの『デカメロン』に生々しく描かれている。また一六三〇年のミラノなども有名で、アレッサンドロ・マンゾーニの主要な二作品――『汚名柱の記』と『いいなづけ』――はそこから生まれた。一六五六年にナポリが、一六六五年から一六六六年にロンドンが犠牲になり、このときのロンドンの大疫病はダニエル・デフォーの『ペスト』の主題になった。

その後、ペストは十七世紀末から十八世紀半ばにヨーロッパから姿を消していった。その理由はさまざまに議論されており、本書でも次章で検討する。末期には一六四〇年にスコットランド、一六六五年から一六六六年にイングランド、一七一〇年にオランダ、一七二〇年から一七二二年にフランスで流行し、一七四三年のイタリアが最後だった。奇しくもメッシーナでの集団発生は第二のパンデミックの幕開けであると同時に、幕引きにもなった。ペストはこの地に一三四七年に西洋で最初に襲来し、一七四三年にここを最後に去ったのである。

第二のパンデミックのはじまりに作家や歴史家が克明に描いた人的被害に心をとらえられるのは無理からぬことだが、ペストの病毒性が何世紀も衰えなかったこともそこからよくわかる。ロンドン（一六六五〜一六六六年）、マルセイユ（一七二〇〜一七二二年）など、第二のパンデミック末期の流行はとくに破壊的だった。変わったのはこれら最後の攻撃が局地的で、最初の襲来時ほど大陸全体に広がらなかった点である。

第三のパンデミック――現代のペスト

最後の第三のパンデミックは、第二のパンデミックと同様に中央アジアを原発地とし、一八五五年に騒乱と戦争のために社会が不安定だった中国で爆発的に流行した。ペストはまず雲南省を襲い、一八九四年に香港で大流行したことで世界中の注目を集め、その後国際貿易の要衝だったブエノスアイレスやホノルル、シドニー、ケープタウン、ナポリ、ポルト、サンフランシスコなどに飛び火した。到達したほぼすべての場所を破壊したこれまでのパンデミックと違い、第三のパンデミックは不平等と貧困と無策の断層線で影響の度合いを大きく分けた。

第三のパンデミックは第三世界の国々を苦しめ、ヨーロッパと北アメリカの先進国を避けた。どこよりも猛威をふるったのはインドで、一八九八年から一九一〇年のあいだに一三〇〇万人から一五〇〇万人ものインド人が死亡した。ようやく終息するまでに控えめに見積もっても約一二〇〇万人の命を奪いながら五大陸を総なめにしたが、西洋の先進国は被害をほぼ免れたのである。しかもインドと中国においても、第二のパンデミックのように人びとを無差別に苦しめたわけではない。たとえばインドではボンベイ（現ムンバイ）の集合住宅（チョール）とカルカッタ（現コルカタ）のスラム（バスティ）が集中的にやられ、ヨーロッパ人と富裕層はほぼ無事だった。

ヨーロッパでは一八九九年にナポリ、ポルト、グラスゴーで短期間の流行があり、それから半世紀で七〇〇〇人が死亡した。中南米は三万人の犠牲者を出した。アメリカはサンフランシスコ、ニューオリンズ、ロサンゼルスでの小規模なアウトブレイクで約五〇〇〇人の死亡が記録されている。

南北アメリカでは人間への影響はさほど大きくなかったが、アメリカ南西部やブラジル北東部、アルゼンチン南部の野や森に棲む齧歯動物が森林ペストの安定した病原保有体《リザーバー》になって環境を一変させた。これらの地域では現在も齧歯動物の大量死が周期的に起こり、人間もこうしたペスト菌の常在地域にうっかり足を踏み入れたり、飼っているペットがジリスやアレチネズミから蚤をうつされたりして感染することがわずかながらある。アメリカ疾病予防管理センター（CDC）の報告によると、アメリカでは一九〇〇年から二〇一六年のあいだにニューメキシコ、アリゾナ、コロラド、カリフォルニアを中心に一〇〇〇人強のペスト罹患者が出ており、そのほとんどがハンターとキャンパーだった。

こうして他大陸の既存の病原保有体にアメリカ大陸の病原保有体が加わることになった。その結果、二〇一〇年から二〇一五年のペスト罹患者は四大陸で合計三二四八人、そのうち死亡者は五八四人で、感染地域はおもにコンゴ民主共和国、マダガスカル、ペルーだと世界保健機関（WHO）は報告している。ただし診断ミスもあるし、地域と政府が発生を隠蔽することや、多くの状況で試験機関がないことなどから、公式の統計が実際を大きく下まわっているのはほぼまちがいない。

最も重要なのは、第三のパンデミックによって齧歯動物と蚤と人間の接触という病因の複雑さが明らかになったことだ。これによって、二〇世紀初めに新しい知識にもとづいた公衆衛生対策が施行されはじめた。第二のパンデミックと第三のパンデミック初期の厳しいペスト対策にかわり、殺虫剤や鼠捕りや殺鼠剤で蚤と鼠を駆除のターゲットにするようになったのである。

第4章　ペストという病気

ペストの病因

「病因《エティオロジー》」とは病気の原因のこと、そしてそれがどのように作用して人間を苦しめるのかということである。ペストには通常四つの主役による複雑な病因がある。主役の第一は病原体だ――当初はパスツレラ・ペスティス（*Pasteurella pestis*）と呼ばれ、現在はエルシニア・ペスティス（*Yersinia pestis*）とあらためられた卵形の細菌である。一八九四年にパスツール研究所のスイス人細菌学者アレクサンドル・イェルサンと、近代免疫学でルイ・パスツールの好敵手だったロベルト・コッホに師事した日本人医師の北里柴三郎が香港で別々に発見した。

一八九八年には、同じくパスツール研究所のポール＝ルイ・シモンが人への感染を媒介する二つの病原保有体《リザーバー》を発見した。共生齧歯動物、とくに鼠と鼠に寄生する蚤《のみ》である。シモンの洞察はあまり注目されなかったが、第16章で見ていくとおり、一〇年後にインドペスト委員会の懸命な調査によって正しいことが確かめられた。第三のパンデミックにおけるインド亜大陸での大流行にかかわる決定的な発見だったが、シモンも委員会も、第三のパンデミックもこれまでの流行と同じ感染経路だとするまちがいを犯した。ペストの病因としてこの見方が定着したために、黒死病の理解を誤ることになった。第二のパンデミックの発生機序に鼠と蚤がどのように関係していたかがわからなかったため、一三四七年から四世紀にわたってヨーロッパを蹂躙した疫病がペストだったかどうかまで疑われたのである。

それでもペストの流行が「動物間流行性」疾病としてはじまったことについては異論はない――常在する病原保有体間で発生する病気である。とくに危険なのが野生の穴居動物、たとえばマーモットやプレーリードッグ、リス、シマリスなどで、人間の知らないうちにこうした動物のあいだに病気が広がる。したがってペストとは、たまたま何かのきっかけで人間に伝播する動物の病気であると理解するのが適当だ。ハンターがペスト菌の常在する病原保有体生息地に入り、獲物の皮を剝ぐなどしたときにできた傷口から細菌が血管に侵入したのが人間への感染のきっかけになることもあるだろう。また、戦争や環境破壊、自然災害、飢饉などがあると、住む場所を失って齧歯動物の生息環境に入っていく人間の数が増える。あるいは洪水や旱魃といった環境変化によって動物のほうが人間の居住域に近づき、家屋に棲みついている鼠と接触するかもしれない。第二のパンデミックで決定的な役割を果たしたのは、食べものをねらって人間のすぐ近くに棲んでいるクマネズミだった。

野生の齧歯動物からイエネズミに、イエネズミからイエネズミに、イエネズミから人間に細菌を媒介するのはペストの最後の主役、蚤である。なかでも二つの種が主犯とされている。一つはネズミノミで、恒温動物に寄生し、ペストの強力な媒介生物《ベクター》として齧歯動物とヒトのあいだの種の壁を容易に越える。もう一つはヒトノミだ。この種は鼠には寄生せずに人間だけにつき、人から人へ細菌を運ぶ。

どちらの種も血液のみを摂食する。自分の体重と等しい量を吸血するが、この血液量に数百万の細菌が含まれる。血といっしょにペスト菌を吸った蚤は感染して死ぬ。胃に血液を流し込む弁が細菌でふさがれてしまい、飢餓と脱水でゆっくりと死ぬのである。前腸をふさぐこの障害物は蚤の命を奪うだけでなく、病気を人間に運ぶ役割も果たす。ペスト菌の混ざった血液を逆流させるので、蚤のひと噛みで病気を伝染させるのだ。また、飢えた蚤が生きようとしてますます必死に食いついてくることにもなる。感染した瀕死のネズミノミは恐ろしい媒介生物なのである。

さらにいうと、感染した蚤を被毛につけた鼠が病気で死ぬと、その蚤は別の哺乳動物の温かい体に飛び移る――鼠か人間だ。温かさ、振動、二酸化炭素を鋭く感知できる蚤は新しい宿主を探し出し、有名なジャンプ力で首尾よく移動する。また、感染していないときの蚤は六週間は血を吸わずにいられる。ペスト流行中に感染するかどうかが一定しないのはそのためだ。

ネズミノミはおもに鼠につき、鼠がいないときに人間につく。だから鼠が大量死すれば、飢えた蚤の大群が突然大発生して人間に寄生することになる。この行動こそがペストの爆発的な流行を引き起こす。感染症の死亡数と罹患数をグラフにすると、ほかの大半の感染症が釣り鐘型のカーブを描くところ、ペストはスパイク状の急激な跳ね上がりを示す。

鼠とヒトのあいだの種の壁が取り払われたあと、ペスト菌に感染した人間が蚤と病気を家族や隣人にうつし、そこからペストは家庭や近隣、町や村に拡大してそこが病巣地になる。生活環境、とりわけ密集度と衛生状態が決め手になる。大勢の人が一つの部屋に集まったり家族が同じベッドで寝たりして過密な状態になれば、蚤がうつりやすい。ペストが広がっていくときには、とくに危険な状況がある。たとえばペストで死んだ人についていた蚤は、冷たくなっていく遺体から脱出し、その遺体を納棺したり身を整えてやったりする人の温かい体に飛び移る。

流行が発生したのは、初期のアフリカと中央アジアの原発地が貿易や通商や布教のルートとつながったためだった。つなげたものの一つが罹患者の衣服である。近代初期には衣類は貴重だったので、死者の衣服や寝具は再利用されたり箱に詰めて市場や祭りで売られたりし、そこに蚤が生きたまま紛れ込んだ。病人や死者と日常的に接点のある職業に携わる者は、当然その外部寄生虫とも接触しやすかった。行商人、医師、牧師や神父、墓掘り人、洗濯婦はペストの時代には非常に危険で、仕事で動きまわるたびに病気をあちらからこちらへ運ぶことになった。ほかにも粉屋とパン屋が病気の運搬人になった。鼠が穀物をねらうからだ。

第一のパンデミックと中世後期の第二のパンデミックでは、修道院も突発的な集団発生の片棒を担ぐことになった。都市ばかりでなく人口の少ない田舎でもペストで命を落とした人があるのはそのためである。修道院は集落と集落、村と村を結ぶ穀物取り引きの中継地であり、また隣接しあう居室に大勢が住む大きい共同体でもあり、ペストを逃れてきた人びとの避難所にもなったからだ。敷地内には健やかな者も病める者も、感染した蚤にたかられた者もいっしょに暮らしていた。このような環境は蚤によるペスト伝播のサイクルにうってつけだった。

それでも蚤はまだ活動の範囲がかぎられているが、その点、鼠はどこへでも自由に行かれる。穀物の荷に紛れ込み、荷車に乗って陸を行ったり舟やはしけで川を行ったりする。それどころか、はるか遠い見知らぬ土地まで旅することができた――海を渡るのだ。ロープや歩み板を伝ったり麦や米の木箱とともに船荷されたりして船に乗り込む。こうして船積みと出荷によってペストが遠い土地まで拡散されることになった。このことはペストの感染拡大の説明になる。つまり疫病は鼠とともに船に乗ってある国に到着し、道路や川の交通路で陸中に広まるのである。クマネズミにとって、地中海は障害になるどころかハイウェイのようなものだった。

イスタンブール（三三〇～一四五三年はコンスタンティノープル）は地中海の都市をつなぐ貿易と病気の重要な中継地だった。陸路でバルカン半島を、海路でベネツィア、ナポリ、コルフ島、ジェノバ、マルセイユ、バレンシアを結ぶ。船員がペストで全滅した船が幽霊船になって海を漂うといった惨劇も起こった。しかしそれよりも、船が港に着いて鼠の積み荷が乗船時と同じように巻き上げ機やロープや歩み板で陸揚げされることのほうが多かった。感染した乗客と乗員も蚤をつけたまま上陸する。六世紀にプロコピウスがすでに記しているが、ペストは「かならず沿岸域からはじまり、そこから内陸に攻め込んだ」[1]。

そしてまた、ペスト流行の最初の兆しがしばしば市中での鼠の大量死だったのも頷ける。悪疫の流行がこのようにしてはじまる様子は、アルベール・カミュの『ペスト』をはじめとして、ペスト禍を扱ったさまざまな作品に生々しく描かれている。『ペスト』では、フランスの植民地であるアルジェリアのオラン市でおびただしい数の鼠が死にはじめたのが流行の序章となり、ナチスとファシズムの台頭に具現化される悪の象徴にもなった。

十七世紀のフランスの画家ニコラ・プッサン（一五九四～一六六五年）も『アシュドドのペスト』（一六三〇年）に鼠を描き込んでいる（図4－1）。旧約聖書のサムエル記上では、ペリシテ人が神の契約の櫃《ひつ》を盗んで異教の神ダゴンの神殿に置き、ダゴンはイスラエルの神よりも優れていると宣言した。神は疫病をもって彼らに罰をくだし、アシュドドの街を破壊した。プッサンは恐怖の絶頂のその場面で、呪われたアシュドドの通りにそれとはっきりわかるように鼠を描いた。地を這いまわる鼠の大群が疫病と差し迫った惨事のいつもの前兆であることを鑑賞者が見てとるのを

図 4-1　ニコラ・プッサンは 1630 年の作品『アシュドドのペスト』に鼠を描き込んだ。鼠は災厄が迫っていることを知らせる前兆だった。ルーブル美術館、パリ

わかっていたのだ。

二〇世紀になって、ペストと鼠の関係が丹念な研究によって科学的に確認された。黒死病の時代の墓所から鼠の骨が発見されたのである。また前述したとおり、インドペスト委員会は鼠と蚤の関連と現代のペストにおけるその役割を詳細に報告した。

だが二〇世紀に入る前は、鼠とペストの関係が病気拡散の原因だとはわかっていなかった。鼠が人よりも先に病気に感染するのは、体高が低いためだと考えられていた。鼻先が地面や床に近く、地面から発散する瘴気《ミアズマ》や疫病のもとになる足元のほこりを吸い込みやすい。人間が病気になる前には、通りや家のなかで鼠を見かける機会が急に増える。ぼうっとしてふらついた鼠は天敵や捕食動

物を警戒しなくなる。猛烈な喉の渇きから狂ったように水を探しまわり、挙げ句に力つきてしまう。倒れた鼠ははたして首に腫れものがあり、四肢を広げ、息絶える前から体の硬直がはじまる。

こうしたことは瘴気説で説明できた。疫病の原因になるものは土中にあり、それがゆっくりと立ち昇って空気に混ざり、それを吸った動物を死にいたらしめる。したがって鼻先が地面に近い鼠がまず死に、鼠よりも背の高い人間はそのあとにやられるという理屈は筋が通っていた。この病因説は疫病が鼠のあとに人間を襲うことを示したが、鼠が病気の原因だとは説明していなかった。

症状と治療

この病気が人体にあたえるダメージに着目するのは、悪趣味な好奇心などではない。疫病は、たんに苦痛と死をもたらす原因といってすむものではない。それどころか重大な感染症にはそれぞれに特有の性質があり、大きな違いの一つは罹患者へのダメージのあたえ方である。ペストの場合、その特徴はあたかも極限の恐怖を味わわせようとするかのような激烈な症状にあった。人を人でなくすような、たとえようもなく激しい苦痛に責め苛まれたのである。

感染した蚤に刺されると、一日から一週間の潜伏期間ののちに主立った症状があらわれ、腺ペストの第一段階がはじまる。刺された箇所が黒っぽく腫れ上がり（これを癰《よう》という）、その周囲の皮膚が赤黒くなる。それとともに高熱、悪寒、激しい頭痛、吐き気、嘔吐、猛烈な喉の渇きに襲われ、間もなく第二段階に入る。マラリアを媒介する蚊と違って、蚤は細菌を血管に直接注入するのではなく皮膚になすりつける。わずか一〇個の細菌で感染することがいまではわかっている。

そんなことができる理由はステルス型の機序、すなわち「病原因子」にある――酵素を産生し、それによって宿主の防御機構をかいくぐる能力だ。急速に増殖したペスト菌は蚤の刺し口に一番近いリンパ節に侵入し、そこに横痃《おうげん》（リンパ節の腫脹《しゅちょう》）を形成する。

リンパ節の腫脹は腋窩、頸部、鼠径部に生じて皮下で固いしこりになり、ときにはオレンジ大に成長することもある。どこにできるかは刺された箇所によるが、一か所とはかぎらず、それが破れて膿を流すこともめずらしくない。リンパ節の腫脹はかならずといってよいほどあらわれる典型的な症状で、このことから「腺」ペストと呼ばれる。

このリンパ節の腫れが患者に苦痛をもたらす。十六世紀のフランスの医師アンブロワーズ・パレは、熱をもち、「針で刺したような耐えがたい激痛が走る」と説明している[2]。デフォーの『ペスト』によれば、ロンドンでは腫れの痛みに耐えかねてテムズ川に飛び込む者がいたという。パレもパリで似たような光景を目にし、窓から身を投げる患者がいたと書いている。現代の医師のもっと正確な描写では、膿んで肥大した腫脹は「ほんの少し触っただけで激痛を生じる」[3]。体も体から排出されたものも――膿汁、尿、汗、息――患者はまだ死んでいないのに、まるで腐敗しているかのようなひどい悪臭を放ったという病状も共通している。伝染病病院で働く人のうち感染を免れた人びとの話では、患者の手あてをしているときに最悪だったのはこのたまらない悪臭だったという。歴史学者のジェーン・スティーヴンズ・クロウショーは、例として一五七五年にジェノバの伝染病病院で患者を診たアンテロ・マリア神父の記述を要約している。

ラザレットの病人はおぞましい臭いがした――一人いただけで、世話をする者がその部屋にいられなくなるほどだ。神父が告白していうには、患者は自分のその臭いのせいで人を避け、神父自身も部屋に入る前に何度もためらった――感染を恐れてのことではなく、むかつくほどの悪臭のせいである。しかも患者の嘔吐がそこに輪をかけた。あまりに凄まじい臭いで気分が悪くなったという。ラザレットで最悪なのは、言いあらわす言葉もないほどひどいその点だったと神父は記録している。[4]

一方、ペスト菌――現在もなお「細菌のなかで最も恐ろしい病原体」――は二時間ごとに二倍の速さで幾何級数的に増殖する。[5] 進化論の観点でいえば、このような増殖量は正の選択を受ける。人間を刺咬《しこう》する蚤が感染するには、一立方ミリメートルの血液に一〇〇〇万個から一億個の細菌が存在する菌血レベルが必要だからだ。ペスト菌が蚤を媒介生物として伝播し、生きて存在するには病毒性が非常に強くなくてはならなかった。その結果、複製しつづける細菌が急激に生体の防御機構を制圧する。免疫機能の中心的な役割を担う細胞――樹状細胞、マクロファージ、好中球――を優先的にターゲットにして破壊するのである。アメリカ地質調査所の二〇一二年報告書から引用しよう。

> ペスト菌は針状の付属器官を使って宿主の白血球をねらい、タンパク質を注入する……白血球に直接注入するのである。このタンパク質の作用で宿主の免疫機能が破壊されてしまい、細菌がさらに成長するのを抑制または阻害する炎症反応が起こらなくなる。また、ペスト菌は別のタンパク質も注入する……宿主の免疫細胞は宿主の生成する二種類のタンパク質に刺

激されて細菌を取り囲み、その成長を妨げるのだが、このタンパク質の生成をペスト菌のタンパク質が阻害するのだ……。ペストに罹患すると、宿主の細胞は組織のダメージが修復されているという偽のメッセージを受け取る。実際には、内臓器官、とくに肝臓と脾臓がペスト菌に急速に乗っとられて機能を失う[6]。

リンパ系を抜け出て血流に入った細菌は、増殖しつつ病気を第三段階に進める。敗血症である。血中に入れるようになった細菌は強い毒を放出し、通常はそれがもとで罹患者は死にいたる。組織が攻撃され、血管から出血して皮下に溜まり青黒いあざになる――「ペストのあらわれ」だ。この名がついたのは、神の怒りのしるし、すなわち「あらわれ」だと多くの人が考えたからである。

全身性感染症は、心臓、肝臓、脾臓、腎臓、肺、中枢神経の組織を変性させて多臓器の機能不全を引き起こす。眼が充血し、舌が黒ずみ、顔面の筋肉がうまく動かずに青白くやつれた表情になる。全身の倦怠感、歯の根が合わないほどの悪寒、呼吸窮迫、四〇度近くの、場合によっては四二度もの高熱と並行して、神経がやられるために呂律がまわらなくなるほか、手足の震え、よろつき、発作、神経障害を経て最後には意識が混濁し、昏睡し、死亡する。妊婦はとくに感染しやすく、流産して失血死する。体の末端が壊疽になることもある。鼻、指、つま先の壊死も「黒死病」という名の由来の一つだろう。

ヨーロッパで最初の流行は一三四七年にメッシーナからはじまった。そのときの感染者の様子をフランシスコ会修道士のミケーレ・ダ・ピアッツァが克明に描写している。

「腫れはひりひり痛み」、ところかまわず膿みの腫れものができた。陰部にできる者もいれば、太ももにできる者、腕や首などにできる者もいた。初めは榛《はしばみ》の実ほどの大きさで、患者は激しく痙攣し、間もなく衰弱してまっすぐ立っていることができなくなった。床《とこ》に寝ているしかなく、高熱にうかされ、苦痛で疲弊した。やがて腫れはくるみ大になり、さらに鶏の卵大、鵞鳥の卵大と腫れ上がっていき、その途轍もない痛みに体が苛まれ、体液が腐って喀血した。肺から喉に血がこみあげ、体中が化膿し、腐敗した。病気は三日間つづき、長くても四日目には死んだ。[7]

ペスト流行中に頭痛と寒気に襲われた者には死が待っていた。死地を脱した者はわずかにいたが、回復には長い時間がかかったうえ、耳が聞こえなくなる、視力が低下する、手足の筋肉が麻痺する、喉の麻痺で話せなくなる、記憶を失うなど、さまざまな後遺症が残った。精神的にもいつまでもトラウマに苦しめられた。それでいて免疫を獲得することすらない。ある年の流行でたすかっても、翌年には死ぬことがあったのだ。突発的に発症し、激烈な経過をたどり、ぞくぞくと襲ってくる症状に七転八倒し、最後は死で幕を引くという事実を考えれば、「ペスト」という言葉が想像しうる最悪の災厄を意味するようになったのも不思議ではない。イスラム世界では「大壊滅」として知られているほどである。

ペストの病型

腺ペスト

ペスト菌がリンパ節へ侵入するのが腺ペストである。おもに蚤に吸血されることで感染し、前述したような症状を発症する。ペストのなかでは最も一般的な病型で、歴史的に見ても三度のパンデミックで最大の被害をもたらした。腺ペストのほかに、敗血症性ペストと肺ペストの二つの病型がある。気をつけてほしいのは、これら三つは別々の疾病ではなく、疾病のあらわれ方が異なるだけで、どれもペスト菌の感染によるペストだということである。

敗血症性ペスト

原発性［疾患が他の病気の結果としてではなく、その臓器自体の病変から引き起こされる場合］の敗血症性ペストは劇症性で、三つの病型のなかでは最も少ない。蚤に刺咬されてペスト菌に感染するのは腺ペストと同じだが、違うのは血流感染であることで、リンパ節の腫脹などの局所症状がない。細菌がたちまち全身に播種《はしゅ》し、あっという間に末期的な症状を呈する。進行が非常に速く、症状があらわれる間もないまま数時間で死亡することさえある。通常は機能不全、激しい吐き気、高熱、腹痛などに苦しんだのち、複数の要因によって間もなく死ぬ。致死率は一〇〇パーセントに近い。

敗血症性ペストは原発性よりも続発性のほうが多い。腺ペストが抗生物質による適切な治療をなされずに進行した段階である。おもな症状はすでにあらわれ、細菌がリンパ系から血流に移って血中で増殖し、全身に播種して容赦なく死をもたらす。

肺ペスト

肺ペストは肺にペスト菌が侵入する。そのため古くから「感染性肺炎」とも呼ばれてきた。病因はペスト菌がリンパ系から呼吸系へ広がることだと考えられ、これが続発性の肺ペストである。歴史的にこれよりも重要なのは、リンパ系を経由せず、感染した人の咳やくしゃみの飛沫を吸い込むことで人から人へ感染するケース、すなわち「原発性肺ペスト」だ。

感染箇所が肺であるため、症状も腺ペストおよび敗血症性ペストとは大きく異なる。ペスト菌が肺を侵入口とすることが、何よりも致死性と全身におよぶ経過に大きく影響する。その理由の一つは、蚤の内臓の温度と感染直後の人間のそれが異なることだ。蚤から人間へ感染する腺ペストの場合は、ペスト菌が発育する至適温度が蚤の内臓の二六度であるのに対し、人間から人間へ感染する肺ペストでは三七度である。そして分子レベルでは、より高い温度での細菌の発育は病毒性を表現する遺伝子を活性化することが最近の研究で示されている。これらの遺伝子は食細胞（白血球）を破壊する抗原を産生し、またマクロファージとして知られる大きい白血球の受容体による検出をかわす化学反応を生じさせる。その結果、「肺は免疫抑制環境」になり、肺胞——生命維持に必要な血中の酸素と二酸化炭素のガス交換をする微小な空気の袋——で「細菌を急速に増殖」させることになるのである。[8]

こうして肺ペストにかかった者は急性肺炎とよく似た症状を呈する。肺胞破裂、肺水腫、肺出血から、呼吸困難、高熱、胸痛、咳、吐き気、頭痛に苦しみ、泡立った血痰を吐く。病状は重篤で、感染から三日ともたずに死亡することが多い。

原発性肺ペストの感染経路が過去のペスト禍に関して重要な意味をもつのは、鼠と蚤を媒介しないからである。ここに「ペスト否定」の潮流を生んだ疫学上の謎への答えがあるかもしれない。グレアム・トゥウィッグやサミュエル・K・コーンらは、第二のパンデミックの正体はペストではなく炭疽か、炭疽となんらかの併存症だったと主張している。もしこのときの悪疫がペストだったとしたら、黒死病を扱った文学作品や絵画や記録に鼠の集団死がもっと描かれていてよいはずだというのだ。鼠が動きまわるだけで病気があれほど急速にヨーロッパ大陸に広まるものだろうか。寒い季節には蚤は不活発になるのに、厳寒のモスクワやアイスランドでペストが感染爆発するだろうか。第三のパンデミックの重要な疫学上の特徴と病毒性の特徴が第二のパンデミックを目撃した者の記述とこんなにも違うのはなぜなのか。

このように考えると、アイスランドの例はとくに首を傾げたくなる。この島は大陸から離れているために、黒死病の流行がやや遅れてやってきた。一四〇二年から一四〇四年に第一波に襲われ、人口のおよそ半数が死亡した。この寒冷な気候でペストが流行したのも不思議だが、なおまた謎がある。中世後期のこの地の動物相は、鼠がいなかったことが特徴なのだ。鼠とネズミノミが媒介する感染症がどちらもいない土地でどうやって急速に広まったのだろう?

北ヨーロッパでのペストの流行について決定的な発見をもたらしたのは、骨考古学——遺跡から出土した人骨を調査する科学——の研究である。また遺伝学の研究からも、大きい疑問の大半について少なくとも部分的に答えが得られている。ペストの犠牲者の埋葬地から発掘された骨と歯髄を調べたところ、まちがいなくペスト菌が存在したことが立証された。研究者の簡潔なコメントを引用すれば、「はたして疫病はペストだったのだ」。これらの発見は第二の病原体の可能性を排除するものではないが、ペストが原因であることの確固とした証拠である。さらにいえば、これまでのところ炭疽菌などのほかの病原体のDNAは検出されていない。

加えてゲノムの研究でも、第二のパンデミックをペストと考えた場合に突きつけられる問題の多くを解決する機序が発見された。現在では、ペスト菌には菌株があること、それらの菌株は腺ペストないし肺ペストを引き起こす性質が異なること、黒死病の原因になった菌株は肺ペストを引き起こす傾向が大きいのを理由の一つとして病毒性が強いことがわかっている。

これらのデータは黒死病を見直すきっかけになる。人から人への飛沫感染は、鼠が陸や海を越えて長い距離をゆっくり移動するよりもはるかに速く拡大する。また、肺ペストは腺ペストにくらべて冬季でも広がりやすい。確かに蚤は寒い季節に不活発になるが、人間は室内で過ごす時間が増え、それだけ咳やくしゃみから感染しやすくなるからだ。北ヨーロッパと東ヨーロッパの冬でも流行するのはそういうわけだろう。

しかも鼠を介さずに人から人へ直接に細菌を運ぶのは飛沫ばかりでない。ネズミノミではなく、ヒトノミがその役割を果たすのである。一六六五年から一六六六年にペスト禍に見舞われた小村ながら有名なアインシャムのダービーシャー村の例を調査してわかったのは、ネズミノミが媒介して感染を拡大させるよりもヒトノミによる人から人への感染のほうがずっと多かったことだった。第二のパンデミック全体を見ても、ペストの急速な蔓延はこのような人から人への直接の拡散で説明できる。鼠と蚤が細菌を体に隠して感染を広めるよりもずっと速かったのである。

黒死病は海の彼方から突如としてあらわれた見知らぬ侵略者だったため、人びとにはそれに対する免疫がなかった。遺伝子研究による発見は、ユスティニアヌスの大疫はペスト菌によるものだったが、第二と第三のパンデミックの原因になったものとは遺伝子的にかけ離れた菌株だったことを明かしている。したがって交差免疫は期待できそうにない。そういうわけで、黒死病はアメリカ大陸における天然痘と同じように「処女地の疫病」として広がったのだろう――このことからもペストの並はずれて強い病毒性と急速な拡散力が説明できる。また、肺ペストが飛沫感染することは、当時の文学や絵画や記録に人間が危難に遭う前の鼠の集団死があまり描かれなかった理由になる。

一方、第三のパンデミックでは、対照的に肺ペストよりも腺ペストが猛威をふるった。第二のパンデミックとの明らかな違いがここに見られる――目撃者が大量の鼠の死骸にかならず言及していること、感染拡大の速度がゆっくりで、なおかつ不規則だったこと、侵入した地域で流行が何年もつづく傾向があったこと、温暖な気候と暑くも寒くもない季節を選ぶことである。さらなる調査と明確な証拠が待たれるが――菌株の違いがあったと認め、腺ペストと肺ペストの割合を考慮すると――三度のパンデミックをペスト菌によるものとしたこれまでの見解が正しいことは現在のエビデンスの圧倒的多数が示している。

肺ペストの目立った特徴を見れば、バイオテロリストや細菌兵器の開発研究所がペストに関心を寄せているのも納得できる。拡散速度が速く、容易にエアロゾル化し、致死率は一〇〇パーセントに近い。しかも初めは風邪に似た症状であるために診断と治療が遅れ、感染後七二時間もしないうちに例の経過をたどる。治療計画を実行する時間はきわめて短い。この条件は抗生物質に耐性のあるペスト菌株が最近あらわれたことで、ますます深刻になっている。こうしたことから、アメリカ疾病予防管理センター（CDC）はペスト菌を「第一階層生物剤」――生物戦やバイオテロの兵器として最適な病原体――に分類している。

まとめ

ペストにかかったら、なす術はないに等しかった。とくに黒死病の流行の初期には、社会は未知の「新興病」に不意を突かれた。押し寄せるように襲ってくる病気と死に対処する施設は、行政、宗教、医療のどの方面にもなかった。医師にも看護人にも、降りかかる苦難の正体を理解したりそれに対処したりすることはできず、否応なく巻き込まれる惨事に対応できる人員が圧倒的に足りないことがわかりきっていた。そして彼らもその職業ゆえに危険にさらされ、多くが命を落とした。

そのうえ多くの医師が一般市民と同じように恐怖にすくみ、ペストに蹂躙される町から患者の親族や友人らとともに逃げ出した。実際、ペスト流行の恐ろしさは人と人との絆を断ち切ることにもあった。多くの患者が見捨てられ、苦痛のうちに一人きりで死んでいった。最も有名で、おそらく最も無残なペストの目撃証言はジョヴァンニ・ボッカッチョが『デカメロン』に記したものだろう。そのくだりは一三四八年のフィレンツェでの経験にもとづいている。

誰も彼もが相手を避け、隣人に情けをかける者とて誰一人なく、親類縁者も見舞うこともない。たまに会うことがあってもよそよそしいというありさまです。この惨苦はみなを慄然とさせましたので、男も女もそれが胸に深く刻み込まれ、兄は弟を見棄て、伯父は甥を見放し、姉は弟に手を貸さず、妻が夫をないがしろにすることもありました。それればかりか信じがたいことに、親が子を打ち捨てたまま、世話するどころか気遣ってやることもせず、まるで親でもなければ子でもないといった素振りなのです。そんなわけで、数を数えることもできないほど大勢の者が男も女も病気になり、友人の慈悲のほかにすがるものがなく（友人などもうほとんどいなかったのですが）、あるいは使用人の計算高さをあてにするしかありませんでした。その使用人も、たっぷりすぎるほど賃金をはずむなど、破格の条件をつけてやらなければ見つかりません。[10]

（『デカメロン』平川祐弘訳）

人びとの恐怖にはもう一つの側面があった。死というものと折りあいをつけるために中世に生まれた概念の枠組みがペストによって崩れたことである。ヨーロッパの人びとは死すべき運命を眼前にして、それを受け入れるための信仰や習慣や儀式などを考え出したと歴史家のフィリップ・アリエスは述べている。人びとはそれらを通じて家族や隣人を亡くした喪失の悲しみを乗り越え、嘆きをあらわし、死者に最後の敬意を示した。こうした習慣や儀礼の全体が、キリスト教徒として人生の最後にどのようにあるべきかを定めた「死ぬ技法《アルス・モリエンディ》」であり、絵画や版画、説教、冊子などで具体的に示された。このような作品群は――「死を忘るなかれ《メメント・モリ》」という警句を思い出させるものとして――臨終のときに立ち会うべき者、聖職者による儀式、葬儀の正しい手順を細かく説明した。たとえば納棺の仕方、通夜や祈禱や葬式の次第、清められた場所への埋葬の手順、出席した友人や親類縁者への食事の内容などが指示された。こうした儀式の目的は、それによって共同体の結束と人間の尊厳の大切さを人びとが痛切に感じることにあった。

「死ぬ技法《アルス・モリエンディ》」に関する著作でとくに有名なのは、十七世紀の英国教会の主教ジェレミー・テイラーである。英米で広く読まれた『聖なる生の規則と実践』（一六五〇年）と『聖なる死の規則と実践』（一六五一年）のねらいは、現世の生は不確かなもので、ゆえに重要ではないこと、したがって信心深い者ならば死後の永生への準備をして生きるべきであることを人びとの心に刻むことだった。この世にあっては世事を誠実にこなし、魂が神の恩寵のうちにあるようにして最後の審判の日を迎えることが何よりも重要なのである。テイラーの著作は肉体と魂の充実への指南書だった。要するに、いよいよのときに立ち向かう備えができていると確信して運命と向きあえるように、（アリエスの表現で）「死を飼いならす」方法を教えるものだったのである。

ペストがとりわけ恐ろしいのは、「死ぬ技法《アルス・モリエンディ》」を無にするようなものを突きつけ、「死を飼いならす」機会を奪ったことだった。ペストは突然の死《モルス・レペンティナ》を強いた。遺書を書く間も遺言を残す間もなく、罪の告白もできないままでは来世で地獄に落ちる。ペストの死は不意に訪れた。人びとは聖職者の立ちあいもなく孤独のうちに死に、葬儀はおろか、まともに埋葬されることすらなかった。

ペストによる突然の死の恐怖は、ドルー・ギルピン・ファウストが『戦死とアメリカ——南北戦争62万人の死の意味』（二〇〇八年）で報告した恐怖と同種のものだ。ファウストがこの著作で突然の死への恐怖を取り上げたのは、南軍北軍を問わずどの兵士もそれに苛まれていたからである。兵士たちは家族や友人に宛てた手紙に死が身に迫る恐ろしさをたびたび綴った。ペストはこの点で総力戦に似ている。どちらも突然の死が「盗人のように」（ヨハネの黙示録第三章三節）訪れるおそれがかぎりなくあったのである。

新約聖書のヨハネの黙示録には、終末のときが生々しく書かれている——神の怒り、災い、疫病と苦痛。「解き放たれた死」はペストの時代にも視覚芸術で描写された。多くの画家が「死の勝利」を主題に、いたるところに見られたペストの光景を描き、ヨハネの黙示録の四騎士を添えて完成させた。一例を挙げるなら、フランドル地方の画家ピーテル・ブリューゲル（父）による『死の勝利』（一五六二年～一五六三年）ほどふさわしい作品はないだろう〔カバー写真を参照〕。画面前景の左では死が自ら荷車を駆り、中央では大鎌をふるって不気味な収穫物を容赦なく刈っている。死の天使はラッパを吹こうとし、どこにもかしこにも人びとが斃れ、ぱっくり口を開けた地面にその髑髏が呑み込まれていく。

ペストの図像には第二の重要な要素がある。「バニタス」、すなわち現世の生ははかなく、無価値であるという観念を象徴的に表現するものだ（図4－2）。バニタスは黒死病の第一波がはじまったころによく見られるようになり、その後、十八世紀に啓蒙時代が到来し、第二のパンデミックが終息するとともに姿を消した。人生のむなしさという古くから伝わるキリスト教の観念は、旧約聖書の伝道の書にあらわれている。「なんという空しさ、なんという空しさ　すべては空しい。太陽の下、人は労苦するが　すべての労苦も何になろう。一代過ぎればまた一代が起こり……」（第一章第二～四節、新共同訳）。絵画では、人間の野心の傲慢さを具現する束の間の現世の物品がよく描かれた。たとえば金、楽器、書物、地球儀、豪華な衣服などである。そしてこれらとともに、ハッとするようなモチーフが並べられる。髑髏、炎の消えかかった蝋燭、時の経過

図4-2　ハルメン・ファン・ステーンウェイク『静物（人生の空しさの寓意）』（1640年ごろ）。人生の空しさと死の不可避性を象徴的に描いている。バニタスは黒死病の時代にさかんに描かれたテーマだった。ラーケンハル市立博物館、ライデン

を示す砂時計、骸骨、スコップなどは、人間のなすことなどつまらないもので、人生は短くはかないという真実をひそかに象徴していた。ドイツの画家ルーカス・フルトナーゲルは中年夫婦の肖像で、妻の持つ手鏡に映る二人の顔を骸骨であらわしている（図4－3）。

ペストの時代に見られるもう一つの芸術のモチーフは「死の舞踏」である。骸骨の姿をした死に導かれて、あらゆる階級の老若男女が踊り狂う様子が描かれる。死は大鎌や弓や矢を手にしていることもある。そして楽器を吹き鳴らしながら踊りの行列を先導する。教会はしばしばこのような舞踏の場になり、人生のはかなさの表現を舞台上にもち込んだ。もっと最近のイングマール・ベルイマン監督によるペスト映画『第七の封印』は、主人公らが死神に先導されて踊る様子で終幕を迎える。

図4-3　ルーカス・フルトナーゲルが1529年に描いたバニタス『画家ハンス・ブルクマイアとその妻アンナ』。美術史美術館、ウィーン

本章では、ペストの肉体への影響と文化への影響の大きさを考察した。では、教会や国はこの災厄をどうやって抑え込もうとしただろうか。行政の対策、医療体制はどんなものだったのか。社会がこの危機にどのように対処しようとしたかを次章で見ていこう。

第5章　ペストへの対応

ペスト菌の暴虐に対し、人びとはまず自分でなんとかしようとした。だが、のちには組織的な対応策として公共政策が施行されるようになり、一七四三年のメッシーナでの感染爆発を最後に第二のパンデミックはヨーロッパから退却し、人類は初めて病気に打ち勝った。そこでペストの影響そのものだけでなく、ペストへの対応策が残したものについても取り上げたい。政府の対策はペスト封じ込めの成功にどれだけ効果があっただろうか。

ペスト征服は快挙にはちがいないが、それは西欧から見ての話であって、地理的にかぎられていることを忘れてはならない。ペストは完全に撲滅されたわけではないからだ。ペスト菌の病原保有体《リザーバー》動物は北極圏を除くどの大陸にも生息し、ペスト禍が再燃する危険はいまもある。また、ネズミからヒトへの異種間の伝播は世界中で発生しており、毎年ペスト菌に感染する人が絶えず、小規模の感染拡大もときおり起こる状況がつづいている。さらにいえば、バイオテロによる人為的な流行の危険もつきまとう。これは第二次世界大戦中に日本軍が侵攻した中国で実際に起こっており、冷戦時代にも米ソともにペスト菌を細菌兵器として利用する用意があった。ペストの脅威は消えてはいないのである。

市民の自発的な対応

逃亡と町の浄化

ペストの集団発生に対する人びとの対応は、まず逃亡することだった。一六六五年から一六六六年のロンドン大疫病のときには、取り乱した人びとが死を逃れようと大挙して街から逃げ出した。ダニエル・デフォー（一六六〇～一七三一年）は一七二二年に発表した『ペスト』で、ロンドンを呑み込んだ恐怖をありありと描写している。

> ここまでくると、みな自分の身の安全が第一で、とても他人の嘆き悲しみにかまっている余裕などなかった。死神が一軒一軒、戸口のところにやってきているようなものなのだ。いや、もう家のなかに入り込んでいるところもあって、どうしたらよいのか、どこへ逃げたらよいのか、見当もつかないありさまだった。
>
> ここにいたっては、思いやりなど吹っ飛んでしまう。誰しも自分を守るのに精いっぱいだった。子供らが、衰弱しきって力なく身もだえする親を見棄てて逃げてしまうかと思えば、それよりは少ないとはいえ、親のほうが同じことをして子を見限ることもあった。……
>
> そんなことは不思議でも驚きでもないだろう。死がすぐそこに迫り、他人への愛情だとか憐みだとかがすっかり消え去っているようなときには。[1]

一六五六年にペスト禍に見舞われたナポリの例を見ると、人びとが街から逃げ出した理由がよくわかる。十七世紀のヨーロッパで屈指の人口密集都市だったナポリは、地中海貿易の中枢だったことに加えて、人口密度の高さと不潔な貧民街のせいでとくに疫病が広まりやすかった。ペストが最大の猛威をふるった一六五六年、ナポリでは人口のほぼ半数にあたる五〇万人が死亡した。商店は扉を閉ざし、人びとは仕事を失い、飢えに襲われるなか、日常生活は立ち行かなくなった。よくいわれるとおり、生きている者より死んだ者のほうが多くて遺体を埋める者がいなかった。家のなかにも外にも死体が打ち捨てられていた。しまいには何万もの死体がまとめて焼かれ、さらに多くがただ海に放り込まれた。

このような状況にあって、イタリア最大の港町には異臭が漂い、犬やハゲワシや烏に死体が食われた。法も秩序も崩壊し、公共サービスはことごとく麻痺した。死者の家は略奪され、遺体を積んだ荷車が陰鬱に通りを進んだ。占星術師が運勢を占ってあげようと声をかけ、ニセ医者がいかさま薬を売り歩き、種々雑多の治療師が目の玉の飛び出るような法外な治療代をふっかけた。世界の終わりが目前に迫っているとしか思えなかった。

人びとが逃げようとしたのには、そのころの疫病の医学知識に理由の一端がある。当時の医師はヒポクラテスとガレノスの体液理論にしたがって、逃げるのが正しいと認めていた。古典医学の理論では、腐敗した空気にふれて体液の均衡が失われ、そのせいで疫病にかかるとされていたからである。腐った有機物が有害な臭気を発し、土中から立ち昇って一帯の空気を汚染する。病気はこのように場所と密接に関係しているので、毒気と悪疫から逃れるにはそこから脱出するのが一番だったのだ。

人びとの反応には、彼らが病気の襲来をどのようにとらえたか――最近の言葉でいうなら

――その経験を社会的にどう構築したかがあらわれている。病気が汚れた空気のせいなら、逃げるほかにも打つ手はあった。一つは、空気を汚しているものを突きとめることだ。瘴気《ミアズマ》説の立場からすれば、真っ先に疑ってしかるべきは近代初期の都市に充満していた悪臭である。人びとは屎尿を窓や扉から外に捨て、肉屋はくず肉や腐肉を通りにまき散らしていた。当時は革製品などの手工業品も悪臭のもとになった。当然、これらへの対応は街を清潔にすることであり、どの都市でも悪臭駆除を目的とした衛生政策が実行された。行政当局はごみを収集し、特定の工場や職業の操業を止め、街路を清掃し、畜殺場を閉鎖し、死者をすみやかに埋葬するよう命じた。

さらにキリスト教ヨーロッパでは、水と洗浄はそのままの意味のほかに象徴的な意味があった。洗礼で魂を清めるために使われる水は、浄化作用のある物質だった。ペストの時代にヨーロッパ中の都市が通りを洗い流すよう市民に命じたのは、衛生上の理由よりもむしろ宗教上の理由からだ。火や煙やある種の芳香剤も浄化作戦に使われ、疫病封じ込めの担当官はそういうもので直接的に空気をきれいにしようとした。そのために、松材で焚き火をしたり硫黄を燃やしたりした。また、火薬にも同様の作用があると考えられていたので、ペスト対策に大砲が発射されることもよくあった。

自己防衛

市民は自助の方針にしたがった。神の怒りが災厄の究極の原因だとしても、近接原因は毒された空気なのである。そうであるならば、香りのよい香辛料や薬草の小瓶か酢を入れた小瓶を首にかけてときどき匂いを嗅ぐのがよいだろう。タバコが流行ったのも同じ理由で、人びとは健康を守ろうとしてタバコを求めた。家にいるときは窓や扉を閉め、分厚いカーテンをかけて屋内に瘴気が漂い入るのを防ぐのが有効だと考えられた。病人の衣服も注意が必要だった。香水の匂いが移るように、悪い空気も衣類についてしまうかもしれないからだ。

　こうしたことから、人びとはペスト専用の衣服を着用して疫病から身を守ろうとするようになった。とくにペスト患者に接触せざるをえない医師や聖職者や看護人などである（図5－1）。蠟引きした革のズボンとガウンなら危険な微粒子が付着しないと考えられた。つばの広い帽子は頭を守り、くちばし状に突き出したマスクは内部に薬草を入れることができるので、命を奪う瘴気の臭いを嗅がずにすむ。防護服に身を包んだ医者は主教杖に似た長い棒を持ち歩くこともよくあった。これには二つの目的があった。一つは近づく者を突いて風下に追いやるため、もう一つは患者にふれることなく腫れものなどのペストの兆候を探し、伝染病病院に収容するかどうかを判定するためである。石炭を入れた火鉢を持って、体にふれてくる空気を浄化すればいっそう完璧だった。

図5-1　医師のペスト防護服。フランス、マルセイユ（1720年）［ウェルカム・コレクション、ロンドン、CC BY 4.0.］

瘴気が渦を巻いて漂う危険な外部環境から身を守るのは大切だが、体内の守りをしっかりするのも必須だった。何世紀ものあいだに大衆文化に根づいた古典医学は、体液のバランスで決定される内臓の配置が乱れたときに病気にかかりやすくなると教えていた。このような危険に満ちた環境では、不安や心痛や気ふさぎなどで気持ちをすり減らさないようにし、飲食は質素にし、運動や性交も控えめにし、突然の冷気とすきま風に注意するのが肝要だった。

医学の教えにお墨付きをもらったこうした自己防衛の手段とは別に、ペストが流行した時代には迷信も流布された。ある種の金属と貴石——ルビーやダイヤモンドなど——は魔除けになるという、占星術から生まれた俗信が広まった。また前章で見たとおり、健康の決定要素がことごとく四つで一組のようだったので——四体液、四気質、四福音書記者、四方、四元素、四季——数字の四に人気が集まった。

罪の浄化と暴力

近代初期のヨーロッパでは、浄化といえば儀式と災いを思わせ、とくに罪と神罰を連想させるものだった。言い換えれば、都市が不潔なのはごみや屎尿だらけだという事実のほかに、道徳的に堕落しているせいでもあり、疫病を逃れられるかどうかは自然療法に頼るよりも神の怒りを鎮められるかどうかにかかっていた。不安にとらわれた人びとは、道徳に反して災難を招きよせた者を捜し出そうと目を光らせた。死に値する罪は、暴飲暴食、惰眠と怠惰、淫蕩、信仰の軽視と不敬が考えられる。こうした罪を犯して神の怒りを買った者は見つけ出して罰せねばならなかった。

画家のジュール＝エリー・ドローネーは一八六九年の『ローマのペスト』にそんな恐ろしい場

面を描いている。立腹した神に使わされた天使がペストの化身に無法者の家の扉を指し示している。神の命により、ペストはその家に押し入ってそこに住む罪人を成敗する（図5－2）。

町の汚さに道徳的な罪深さを見出していた人びとは、神を手伝って非道の徒を追放するのが人として当然のことだと感じた。では、その罪深い者とは誰か？　嫌疑がかかったのは売春婦だった。頭に血をのぼらせた群衆が売春婦を駆り立て、腕ずくで街から追い出して娼館を閉じる光景がいたるところで見られた。ユダヤ人もまたも迫害の標的にされた。異教徒、異国人、魔女も襲われた。彼らはみな、神を怒らせ、信仰心篤い者に災いをもたらした罪人なのである。もとよりハンセン病患者と物乞いは大罪を犯しているとして――前者は醜さ、後者は貧しさによって――目をつけられていた。

ヨーロッパ中の町がよそ者に門を閉ざす一方、内側では嫌われ者が追いまわされ、袋だたきにされて追放された。石を投げつけられ、めった打ちにされ、火あぶりにされ、ユダヤ人ならば徹底的に捜し出されて虐殺された――今日なら民族浄化と呼ばれるだろう。二元論的な善と悪の対立を教義とするマニ教の思想がその風潮を後押しした。井戸に毒を投入したり毒物を扉になすりつけたりする者がうろうろしている、やつらは悪魔の手先だと決めつける集団ヒステリーが広まったせいだ。そう思い込んだ者にとっては、犯人を見つけて罰するしか疫病を止めることはできなかった。

ペストへの恐怖が暴力を誘い出したおぞましい例が二つある。一つは一三四九年の聖バレンタインの日にアルザス地方のシュトラスブルクで起こった。市政府は、キリスト教徒市民の水源である井戸に毒を投入して疫病を拡散しているのは当地に住む二〇〇〇人のユダヤ人の仕業だと断

図 5-2　ペストはしばしば神のくだした罰だと考えられた。ジュール＝エリー・ドローネー『ローマのペスト』（1869 年）。神の使いがペストの化身に罪人の家に入るよう扉を指し示している。ミネアポリス美術館（アサートン・ビーン夫妻からの寄贈）

定した。改宗か死かを迫られたユダヤ人のうち半数は棄教したが、残りは捕らえられてユダヤ人墓地に連行され、焚殺された。その後、市はユダヤ人がシュトラスブルクに入ることを禁じる条例を可決した。

もう一つの例は一六三〇年のミラノでのことである。このときの出来事はアレッサンドロ・マンゾーニ（一七八五～一八七三年）による有名な二作品、歴史小説の『いいなづけ』（一八二七年）とこれに併録された『汚名柱の記』（一八四三年）に詳しい。ペストに襲われたこの年、ミラノはスペインと交戦中だった。疫病拡散の犯人捜しはスペイン人に疑いが向けられた。不運な四人が大量殺人の罪を追及され、ミラノ人の家の扉に毒の粉を塗りつけたと責められた。拷問の末に彼らは罪を自白し、有罪が決定した。処罰は手を切り落とし、車輪で轢き、火あぶりにするというものだ。処刑場の跡にはこのような残忍な行いを思いとどまらせるために、柱――マンゾーニの作品タイトルはここから来ている――が建てられた。どんな犯罪にこれほど厳しい罰がくだされたのかをラテン語で記した銘板も掲げられた。また、今後その場所には建物を建ててはならないことが宣言された。

信心とカルト

虐殺ほどには酷い行為ではないが、ペストによる耐えがたい緊張に対する異様な行動はほかにもあった。自らの身を痛めつけて懺悔することで怒れる神を宥めようとする人びとがあらわれたのである。聖書は人びとの堕落のようすがだった。ヨナ書にはアッシリアの都市ニネベの物語が記されている。ニネベは人びとの堕落した行いのために滅ぼされると告げられるが、住民が悔い改めたので神は怒りを鎮めて街の破壊を取りやめた。ニネベでさえ全滅を免れられたのなら、彼らほど罪深くない者には希望があるにちがいない。

悔い改めの方法の一つは、祈願行列をして神殿で懺悔することだった。早々にはじまった奇態な行列は、鞭打苦行者のそれである。第二のパンデミックの初期には、このような行列がヨーロッパのあちこちでくり広げられ、市当局と教会に非難されて終息したのは十四世紀末になってからだった。一三四九年十月に教皇クレメンス六世が鞭打苦行を禁じる勅書を出し、パリ大学、フランス国王――やがては――異端審問所も教皇に倣った。

この極端なまでの厳しい苦行は個人の修練というよりも集団運動として、まず十三世紀のイタリアに出現した。その後、黒死病とともに広がり、中央ヨーロッパ、フランス、イベリア半島、ブリテン諸島にも達した。鞭打苦行者は神を宥めキリスト教世界を守るために、巡礼中は入浴も着替えもせず、異性に話しかけることもしないと誓った。このように厳しい戒律を課し、二列になって四〇日間（キリストの受難）もしくは三三日間（キリストの生涯）にわたって前進しつづけた。歩きながら、結び目に鉄製の棘のついた革の鞭で背中を血が出るまで打ち、そのあいだも贖罪の歌をずっと歌いつづける。キリストを偲んで木の十字架を担ぐ者、仲間にも鞭をふるってやる者もいた。多くが己を恥じて公衆の前にひざまずいた。疫病の流行がやむのを願う町の人びとは、鞭打苦行者による神へのとりなしを歓迎した。

ときには鞭打苦行者が他人の罪を罰しようとして、道すがら出合ったり捜し出したりしたユダヤ人の肉体を痛めつけることもあった。ユダヤ人はイエス・キリストを殺したのみならず、キリスト教世界を疫病で滅亡させようと企んでいると見なされたのだった。

苦しむ人間のために犠牲を厭わなかった聖人への信仰熱も静かに高まった。ペストの時代にとくに際立ったのは、聖セバスティアヌスへの信仰である。セバスティアヌスは三世紀のローマの兵士で、皇帝ディオクレティアヌスのもとでキリスト教信仰を責められて迫害され、死刑に処された殉教者だった。原始教会の時代から崇敬され、おもに彼の没した地であるローマで崇められた。

その聖セバスティアヌスへの尊崇がペストを機にヨーロッパ中で熱を帯びるようになった。当時の人びとにとって意味深いのは、セバスティアヌスの殉教が象徴するものだった。キリスト教信仰を咎められたセバスティアヌスは杭に縛りつけられ、弓矢で体を射抜かれたと伝えられているが、そのことがペストへの抵抗の象徴になった。体に何本も矢が刺さったセバスティアヌスは、いつのまにかキリストと同じように人間への深い愛から衆人の贖罪のために自らを犠牲にした人物だということになった。セバスティアヌスは人間の盾となって神の報いの矢を一身に受け、ペスト禍を人びとからそらしてくれる。この愛の行為に励まされた信心深い人びとは、たとえば次のようなあまねく広まった祈りの言葉で殉教者セバスティアヌスに救いを求めた。

聖セバスティアヌスよ、朝も夕も、いついかなるときも、私をたすけ守りたまえ。殉教者よ、私を脅かす伝染病という悪い病の力をかき消したまえ。私と私の友人をこの疫病から守り救いたまえ。私たちは神を信じ、マリアを信じ、聖なる殉教者を信じます。あなたがその気になってくだされば……神の力を通じてこの疫病を止められることでしょう。[2]

こうしてルネサンス期とバロック期には、杭に縛りつけられて体中に矢の刺さった聖セバスティアヌスの姿が絵画と彫刻の主題になり、ヨーロッパ大陸中で数多く制作された。著名な画家は身もだえる聖セバスティアヌスをこぞって描き（図5-3）、信者は聖セバスティアヌスのメダイや護符を身につけた。その意味は明らかである。疫病の流行によって人と人との絆がずたずたに断ち切られたため、ひるむことなく死に立ち向かった英雄的な殉教者の例は心にやすらぎをもたらしたのである。しかもまた、怒れる神を宥めるには瑕のない完璧な犠牲が必要だったので、セバスティアヌスはたいてい肉体美をもつ眉目秀麗の若者として描かれ、その美しさによっていっそう魅力が増した。

黒死病に端を発して新しい信仰の対象になったもう一人の疫病の守護聖人は、「巡礼の聖人」として知られる聖ロクスである。ロクスの生涯についてはあまりわかっていない。伝承によれば、フランスのモンペリエで高貴な家に生まれ、熱心で禁欲的なキリスト教徒として育った。成年に達すると貧者のために財産を投げうち、托鉢僧としてローマ巡礼の旅に出た。イタリアに到着して間もなく黒死病の流行が発生し、ロクスは患者の看護にあたった。ピアチェンツァでは自身も罹患したが命を落とすことはなく、回復したのちはふたたび病人と死にゆく者の看護に戻った。

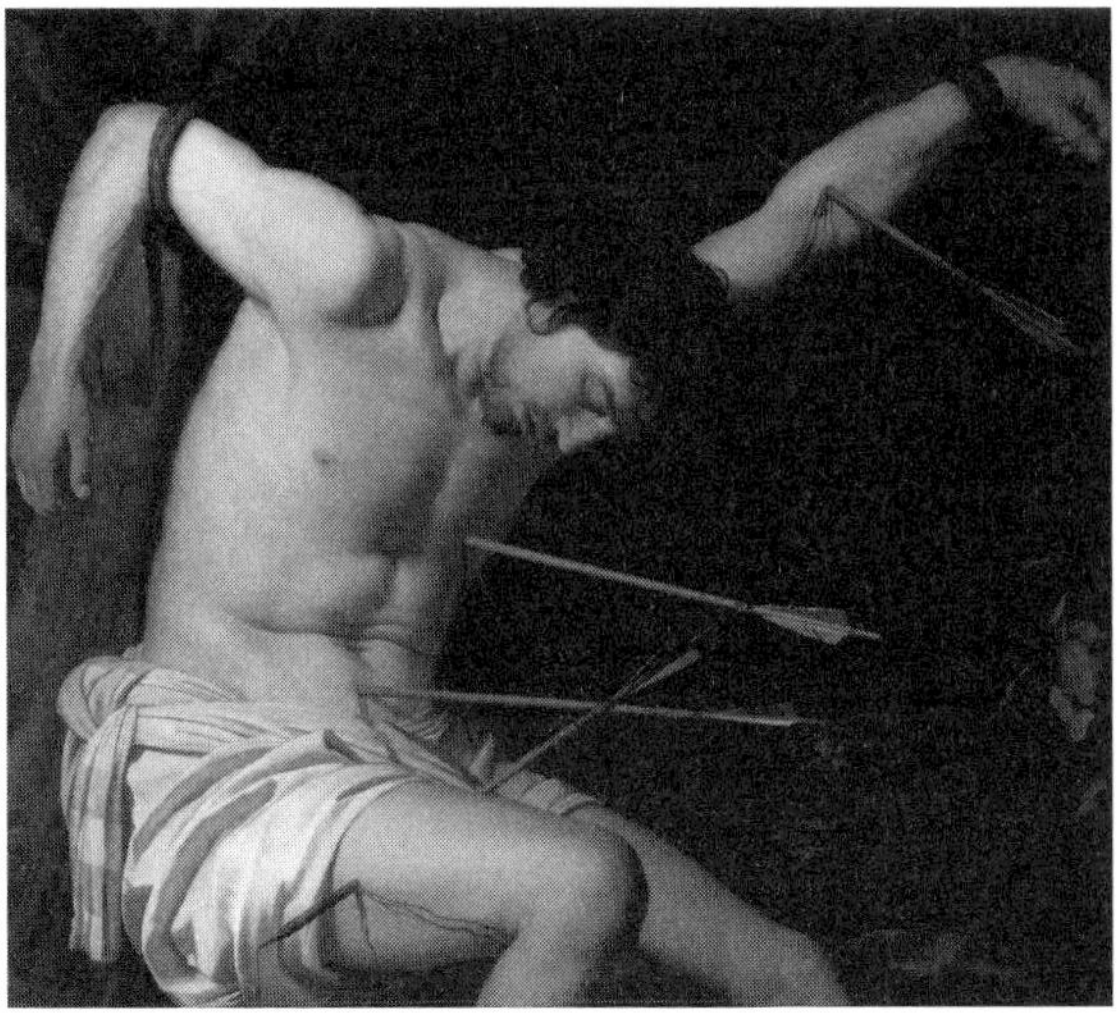
図 5-3　ヘリット・ファン・ホントホルスト『聖セバスティアヌス』（1623年ごろ）。聖セバスティアヌスはペスト患者の守護聖人として信仰を集めた。ナショナル・ギャラリー、ロンドン

ロクスの神へのとりなしがありがたがられた理由は、彼の三つの資質にある。人への愛を示したこと、ペストから生還したこと、敬神の念の深さで知られていたことだ。さらに、たすけを求めてきた人びとに奇跡を施したことを教会が立証した。一四一四年にコンスタンツ公会議

がペストの集団発生で脅威にさらされたとき、高位聖職者たちが聖ロクスに祈ると疫病は収まったのである。ラテン語と各地の言語で書かれた聖人伝がどっと出まわって彼の生涯が事細かに語られ、ロクスの名声はいっそう高まった。

聖セバスティアヌスと同様に、聖ロクスの像も絵画と彫刻のモチーフになり、メダイや護符や祈願の品に描かれた。ロクスの名を冠した教会が建てられ、信徒会が結成された。ベネツィアの信徒会は奇跡のようなことをやってのけた。どこからかロクスの遺体をもってきて、その名をつけた教会に埋葬したのだ。こうして遺骨を収容し、彼の生涯を記念してティントレットの絵を飾ったサン・ロッコ教会（イタリアではロクスはロッコと呼ばれる）は巡礼の聖地になり、この街を訪れた人の噂を通じて信仰を告げ広げることになった。

聖ロクスの像はすぐにそれとわかった。紛れもなくロクスであることを示す手がかりがかならず描かれていたからだ――頭に巡礼帽をかぶり、足元に犬がいて、片手に杖を持ち、もう一方の手で太ももの腫れものを指し示している。聖ロクスは自分自身を証拠として、ペストにかかっても回復できること、徳のある者なら患者の世話をすることを示して人びとを安心させた。また聖ロクスが神に嘆願して疫病の流行を止め、共同体を救ってくれるという希望をあたえもした。

ペストで高まった三つ目の信仰熱は聖母マリアへのものである。マリア信仰が聖セバスティアヌスおよび聖ロクスへの信仰と違うのは、新しく生まれたものではないことだ。キリスト教徒にとって、マリアは古くから神との仲立ちをし、審判の日に神が慈悲をもって怒りを鎮めてくれるようにとりなしてくれると信じられていた。ペスト禍に襲われたいま、疫病に苦しむ罪深い人間たちのために仲介者となるマリアの役割は差し迫ったものになった。絵画には、人間にかわって主に懇願するマリアの姿が聖セバスティアヌスおよび聖ロクスとともに描かれているものがよくある。

マリア信仰は一六二九年から一六三〇年にペストの大流行に見舞われたベネツィアでとくに重要だった。このとき、一四万の人口のうち四万六〇〇〇人もの住民が死亡した。ペストは一六二九年の春に到来し、信心深い人びとが聖ロクスとベネツィアの守護聖人である聖マルコの像を身につけて熱心に祈ったにもかかわらず、秋になっても終息の兆しは見えてこなかった。ジョバンニ・ティエポロ司教が三人のペストの守護聖人にちなむベネツィア中の教会に聖体礼拝を命じても無駄だった。

こうした策が失敗に終わり、ベネツィアの統領《ドージェ》と元老院《セナート》は共和国の祈禱でつねに特別な地位を占めていた聖母マリアにたすけを求めた。計算高いベネツィアの権力者たちは取り引きをもちかけた。もしもマリアがその恩寵により共和国をたすけてくれるなら、ベネツィアはマリアのために立派な教会を建立し、聖堂までの行進を未来永劫、毎年の行事にすると約束した。悪疫はようやく収まり、建築家のバルダッサーレ・ロンゲーナの設計が採用されてカナル・グランデの入り口にサンタ・マリア・デッラ・サルーテ聖堂［サルーテはイタリア語で「健康」の意］が建設された。サルーテの威容は神の配慮によりペスト禍から救われたことを人びとに思い出させ、マリアの慈悲の行為でベネツィアが健やかさを取り戻したことを高らかに宣言している。四〇〇年後の現在も、マリアの神聖な冠を思わせるドームを戴くサルーテは年に一度、行列を迎え入れている。

公衆衛生対策

第二のパンデミックが残した重要な結果は、疫病の再流行を防ぐために行政当局が一連の対策を打ち、初めて公衆衛生策が制度化されたことである。先頭を切って施策したのはベネツィア、ジェノバ、ミラノ、フィレンツェで、これら北部イタリアの都市国家は地理的条件から疫病にさらされやすく、それまでにも疫病の壊滅的な流行を経験していた。イタリアではじめられたペスト対策を、つづいてフランス、スペイン、北ヨーロッパが見習った。これらの対策には、当時根づいていた瘴気説に依りつつも接触伝染という新奇な考え方の影響が見てとれた。また、疾病の克服における最初の大きな前進に貢献しもした。新しい公衆衛生対策は、西ヨーロッパからペストを駆逐する基盤になったのである。

ペストに関連する制度は第二のパンデミックがはじまって流行がくり返されたころにおおよそのところが確立され、その後十五世紀から十六世紀を通じて練り直され、充実していった。当初は地域的な対策でしかないという弱点があった。飛躍的に進歩して効果を上げるようになったのは十七世紀から十八世紀に近代国家が誕生したことによる。国家と軍隊の権力が制度を支え、一都市だけでなく広域に適用範囲が広げられたからである。

興味深いことに、この病気の機序が十分に理解されていなかったにもかかわらず、行政当局は行動した。暗がりのなかを手探りで進むがごとくだったため、ときにはやりすぎたり資源を無駄に費やしたりしたし、逆効果に終わったことも少なくなかった。それでも十八世紀末には、疫病との闘いにおいてこれまでの努力が初めて大きく実を結んだ。

衛生局

最初のペスト対策は、緊急事態から共同体を守るために特別な行動をとることのできる官吏をそろえて制度の土台をつくることだった。特別に草案された「ペスト規制」の下に集められた役人は、「衛生官」と呼ばれることになった。衛生官は「民の安寧が至高の法であらねばならない」という古代の格言に則り、公衆衛生に関するあらゆることについて、立法、司法、行政の各面で権限を有した。もとは臨時の組織だったが、ペストとの闘いの前線にある都市は十六世紀末までに常設機関として委員会を立ち上げ、それが衛生局と呼ばれるようになった。

ラザレットと海上検疫

ほぼ無限の法的権限をもつ衛生官は、悪疫の侵入から共同体を保護し、すでに流行が発生している場合は拡散を防止する任を帯びていた。ベネツィアの衛生局は初期の施策の一つとして三大制度を設けた。検疫、ラザレット、防疫線である。海からの疫病の侵入を遮断しようという発想だ。十五世紀に、東地中海からの船が目ざしてくる潟の外縁の島に大規模な施設――ラザレット・ベッキオとラザレット・ヌオーボ――が建設された。疑わしい地域からやってくる船舶はそこで押しとどめられ、こすり洗いと燻蒸消毒をされた。同時に船員と乗客は監視付きで上陸し、隔離された。積み荷と乗客の荷物は降ろされたのち日光にあてられ、消毒して空気にさらされた。荷物と乗客は四〇日経ってようやく市中に入ることを許された。

検疫を意味する英語の「クウォランティン（quarantine）」は、イタリア語の四〇、「クアランタ

（quaranta）」に由来する。四〇日の隔離期間は公衆衛生対策の柱だった。この日数は聖書からきている。旧約、新約ともに浄化に関連する箇所に数字の四〇がいくつか出てくるからだ。創世記では洪水が四〇日と四〇夜つづき、イスラエル民族は荒野を四〇年間さまよい、モーセはシナイ山に四〇日間滞在して十戒をもち帰り、イエス・キリストは四〇日間悪魔の誘惑を受け、復活後のキリストは四〇日にわたって弟子たちとともに過ごした。四旬節は四〇日間である。宗教に関連していたことで、四〇日なら船体と乗客および船員の体と積み荷を清めるのに十分だと考えられた。悪疫の原因になる蒸気は消散し、街は疫病を免れられる。また宗教的な含みがあるために、行政当局は厳格に規則を適用して遵守させることができ、また怯える市民も安心感をあたえられた。

海上検疫は原理は単純だが、実施するには国家権力にそれだけの力がなくてはならなかった。ラザレットはマルセイユではジャル島、ナポリではニシダ島のような場所にあり、大勢の乗客と船員が否応なくそこに隔離され、食事を提供されながら外界との接触をすっかり断たれた。警戒しているのか抵抗する船長もいたが、そういう船を領海内に停泊させ、脱出や逃亡を防ぐには強大な海軍の力も必要だった。さらに隔離段階のまちまちな乗客をたがいに引き離し、船から降ろした荷物を風にあてて消毒するには、細かく複雑な手続きが必要だった。したがって隔離は経済的、行政的、軍事的な資源なくしては実行できなかった。

もちろん今日では、ベネツィアの制度が前提とした医学理論に欠点があるのはわかっている。消散させるべき瘴気はなく、浄化の儀式の多くは効果がない。それでも東方から到着した船舶に軍隊を動員して強制した長期隔離は有効な策だった。四〇日という期間はペストの潜伏期間よりも長く、これを終えて市中に入ることを許可された者が汚染されていないと保証するに十分な時間だった。また、四〇日あればその間に感染した蚤《のみ》とペスト菌は死に、さらに日光と空気にさらせばそれがいっそう確実になった。こうして医学理論としては的はずれでも、聖書に由来する日数と結びついていたおかげで公衆衛生対策は効力があった。船団に守られたベネツィアのラザレットは、街と街の経済を壊滅から守れることを実証しているようだった。

ラザレットの建設後、ペストはベネツィアの衛生防壁を一五七五年と一六三〇年の二度にわたって突破し、大流行した。それでも共和国が長いあいだ疫病を免れたのは明らかであり、この事実――そして自己防衛のためになんらかのことをせねばならないという他国の決意――から、ベネツィア式の封じ込め作戦がペストとの闘いにおける公衆衛生対策の標準になった。マルセイユ、コルフ、バレンシア、ジェノバ、ナポリ、アムステルダム、ロッテルダムなど、ヨーロッパの港湾都市はベネツィアをまねてラザレットを設営した。

ラザレットには、緊急事態に対応するために臨時に木造の建物を建てるか、既存の建物を接収もしくは転用したものが多かった。だが、そうでないものは恒久の施設として継続して使用された。十六世紀半ばには、西ヨーロッパ諸国が海からもち込まれるペストの挑戦を受けて立ち、東部地中海沿岸のレバントからくる船をかならずこうした施設に寄港させた。病気は到来しつづけたが、大方のところは防止されて大きな混乱は減っていった。十七世紀末には、西ヨーロッパの黒死病はほぼ終息していた。一七〇〇年以降、防衛に失敗したのはわずか二度である。このことは十八世紀になっても、防衛体制にたまに穴があいたことを示している。

一七二〇年、ペストはマルセイユに上陸した。この街にペスト禍をもたらした犯人は、ペスト流行地のイズミルとトリポリから高価な織物を積んで入港した商船グラン＝サン＝タントワーヌ号だと考えられている。このフリュート船は、航海中に船員と乗客と船医の八名を失いながら五月二五日にマルセイユ沖に錨を下ろし、隔離された。ところが衛生局の役人が地元の商人の圧力で隔離期間を早く切り上げ、六月四日に積み荷と乗員を解放してしまったのだ。最近では異論もあるが、従来の説明では、この措置によって病気がラザレットから市中に広まり、一〇万のマルセイユ市民のうち六万人が死亡したとされている。後背地のプロバンス、さらにラングドックでも五万人が命を落とした。

第二のパンデミックは欧州各地をめぐったのちに、一七四三年に最後にシチリア島のメッシーナに帰ってきた。一三四七年に黒死病が初めて発生した地である。一七二〇年のマルセイユと同様に、レバント貿易の船が災厄の原因だったと考えられている。メッシーナにはラザレットがなく、商船が無防備な都市の港に停泊を許されたからだった。

陸上検疫と防疫線

海の危険はペスト対策によって大きく減じたが、貿易や巡礼や労働移住などで人や物が行き交う陸はまだ防備がうすかった。黒死病を経験した市町村は、衛生観念よりも恐怖から自衛策の必要に迫られ、自警団を組織した。自警団は武装して街の城壁を巡視し、よそ者を追い払った。この自衛策はのちに正規の策になり、市や町の境界付近に軍隊が配置されるようになった。近づく者を銃剣と小銃の台尻で威嚇して追い払うか、なんとなれば撃ち殺すのが彼らの任務だった。

一定間隔で設置された軍の哨舎は、防疫線として市の境界にも国の境界にも置かれるようになった。防疫線はすなわち軍事境界線であり、検疫で安全が確認されるまで陸上の人と物、ひいては病気の動きを止めて領土を守るのを目的とした。また一七二〇年のマルセイユがそうだったように、こっそり境界を越えようとする者は破門するとの命令を教会も出し、防疫線の物理的な防壁を強化することがあった。

最も目に明らかで確固とした防疫線は、オスマン帝国からバルカン半島を通ってくる陸上貿易による危難に対抗するためにハプスブルク帝国が設置したものである。一七一〇年から一八七一年まで継続して運用されたオーストリアのこの防疫線は、近代初期の最も驚くべき公衆衛生対策だろう。バルカン半島を横切って延びる長い国境防衛線を「軍事境界」の名で疾病の防衛にも利用する新奇な計画である。ペストの時代に強化され、アドリア海からトランシルバニアの山地まで数千キロメートルにわたることになったこの線上に、要塞、望楼、哨舎、指定交差路の検疫施設が点在し、幅はおよそ一五キロから三〇キロにおよんだ。巡視隊は基地から基地へ移動しながら越境者を捜索した。

軍事境界の内側では、農民が徴用されて境界の監視に就き、帝国は正規の軍隊を常時配備する経費をかけずに一五万の人員を配置できた。農民は戦闘員ではなく、よく知る地域を監視するのを目的とする予備員だったので、訓練する必要も武器を携帯させる必要もなかった。監視には三段階あり、それにしたがって動員と配備が決まっていた。通常態勢は帝国の諜報機関によるもので、オスマン帝国に駐在する外交官と衛生情報官が現地を直接観察したり旅行者に審問したり情報提供者を雇ったりして情報を集めた。非常警戒態勢では部隊の数を増やし、検疫期間を二八日からほぼ二倍の四八日に延長した。非常事態がつづくときの第三段階は、密輸商人や検疫施設からの脱走者を捕らえて軍事裁判官が裁き、即刻銃殺の有罪判決をくだした。防疫線は最終的に廃止されたが、それはこうした抑圧政策に抗議する自由主義者や、農民徴用による境界地域の農業への打撃を懸念する経済学者と農民、ペストは一八七〇年までに防疫線のはるか向こうのオスマン帝国からも去っていると指摘する医療従事者の反対に遭ったことによる。だが、ヨーロッパ列強の一つであるオーストリアは、海上のラザレットが海からくるペストを防いだように、病巣地のオスマン帝国から陸路で侵攻してくるペストを中央ヨーロッパと西ヨーロッパの手前で食い止める難業を一世紀半にわたってつづけたのである。

国内の危険に対応する

軍隊、軍艦、それに破門の脅しによって街は外敵から守られたが、防御努力をしてもペストが市内で発生したときはどうするかという問題が残っていた。そこでヨーロッパ中で「ペスト規制」が設けられ、衛生当局は苛酷なまでの抑制策を実施して危機に立ち向かった。手はじめの仕事はペスト患者を一人残らず確認することだった。ペスト流行時の死者数が恐ろしく多いとすれば、家のなかにも通りにも無数の遺体が放置されるのは目に見えていた。当時の瘴気説にもとづけば、放置された死体は腐敗して有毒な臭気を発散し、手のつけられないほど病人が増える原因になる。したがって遺体を早急に回収して処分するのが公衆衛生策の第一歩だった。衛生局は防衛策の一環として、捜索人、監視人、運搬人、墓掘り人を雇い、それとわかるようにバッジとたすきを着けさせた。これらの下級官吏はペスト患者を見つける任務を負い、ペストの明らかな特徴、すなわち赤黒い腫れものから患者を判別してラザレットへ運んだ。ラザレットは感染の疑いのある旅行者を隔離して観察する場所としてのほか、伝染病病院としての働きもあったのである。患者がすでに死んでいる場合は運搬人が呼ばれる。運搬人は死体を荷車に積み、通行人に道をあけるようベルを鳴らしながらペスト犠牲者の埋葬場所までガタゴトと運んでいった。

ラザレットには悪い噂しかなかった。大勢が入っていくが、出てくる者はほとんどいない。最近の研究によると、ベネツィアのラザレット・ベッキオとラザレット・ヌオーボに収容された患者の三分の二は院内で死亡した。ラザレットに収容されるのは、すなわち家族や友人と無理やり引き離されて死刑に処されるに等しいと見なされた。

市民がばたばたと死んでいき、伝染病病院はとどまるところを知らない死亡者数に対応するために窮余の策を講じた。墓掘り人に急場しのぎの穴を掘らせ、死体をそこに放り込んで大量の積み薪でまとめて焼いたのである。炎は夜間も絶えず、昼間はもうもうと煙が立ち込め、強烈な臭いの漂う病院とその周辺はおぞましい場所になった。逃げ出そうとする者への施設の厳しい規則と懲罰が恐怖をさらに煽った。監禁期間を無事に終えた者には経済的な破綻も待っていた。長い入所期間中の生活費を負担させられることが多かったからである。あるいは当局がペストとの闘いで背負いこんだ経費を埋めあわせようとしたために、増税と特別課税を負わされることになった。病院側も、規則にしたがわないと見なした者に罰をあたえる場として使用されたせいで忌み嫌われ、スティグマを負わされることがあった。

死体を探して片づける者が家にやってくることも人びとの恐怖を募らせた。こうした小役人は感染リスクにさらされながら大衆に敵視されるという割に合わない仕事に従事していた。罵声を浴びせられるとわかっている場所へ出かける前に、酒をひっかけてから赴くこともあった。嫌われ仕事を投資と割り切り、見返りを手にしようとする者も少なくなかった――健康な人を収容すると脅し、家族といっしょにいたい病人から賄賂をとり、空き家を略奪し、金持ちの患者から金品を巻き上げたのである。

このような状況だったとすれば、現代の解説者がラザレットをおもに社会統制の手段として矯正や懲罰のための監獄や感化院と併設されたと書いているのも驚くにはあたらないだろう。歴史学者もこの論調にのっている。だが最近になって、いくつかの施設の詳細な研究から、ラザレットはペストに対してもっと複合的な取り組みをし、回復を目ざして看病するための宗教的な慈善施設だったことがわかってきた。たとえばベネツィアでは修道院長の指示のもとでラザレットの医療体制を整え、医療従事者――外科医や内科医から、薬剤師、床屋、付添人まで――を雇うことに経費を惜しまなかった。

医療従事者は心身両面をケアし、患者の精神的な求めにも応対した。恐怖や怒りといった強い感情は体液の均衡に影響し、回復の見込みを閉ざしてしまう「非自然要素」と考えられていたからである。心の平静と安心感を育むために、修道院長は僧侶を雇って患者に慰めをあたえ、大勢が死んでいくような状況のなかでもできるかぎり秩序ある平穏な雰囲気を保つようにした。聖職者のなかにはその功績を広く認められた者もいた。たとえばミラノの大司教カルロ・ボッロメーオは悪疫につづいて起こった一五七八年の飢饉のときに、大司教区の数千の人びとに穀物を配って援助し、ペスト患者の世話をした。こうした功労などから、カトリック教会は一六一〇年にボッローメオを列聖した。

秩序を保つにはほかの方法もあった。一つは細かに記録をつけることで、これによって患者と患者の私物をたどれるようにし、また食料の供給にごまかしが起こらないようにした。ベネツィアでは修道院長に既婚の聖職者が任命され、妻が副院長として夫を補佐した。修道院長は大人の世話を、副院長は子供の面倒をそれぞれ監督した。おかげでラザレットが一つの大家族であるかのような温かい雰囲気が生まれた。

第二のパンデミックにおける治療計画は、体液理論にもとづいていた。この理論によると、ペストは温と湿の性質をもつ血液の過剰に起因する。したがっておもな治療方法は、病気の原因である毒素を血液とともに体外に排出することだった。体は嘔吐や下痢や発汗で毒素を外に出そうとしているので、医師と理容師は瀉血でそれをたすけてやることができる。だが、いつそれをするのがよいか、どの血管を切開すればよいか、どのくらいの血液を排出させるのがよいかについては熟慮が重ねられた。

瀉血による治療では血管の切開に加えて、毒素を効果的に放出させるために嘔吐と下痢を促すことも行われた。発熱している患者には毛布を何枚もかけたり熱い湯を入れた豚の膀胱を脇の下や足裏にあてたりして、どんどん汗をかかせた。同様に、病気の原因になっている過剰な体液が体外に出るように、切開、焼灼、吸い玉、温湿布などでリンパ節の腫れを破裂させようとした。

体液の排出とは別に、ペスト医師は内科治療も施した。最もよく知られているのはテリアカである。当時の万能薬といってよい。阿片、肉桂皮、アラビアゴム、原茸、あやめ、ラベンダー、薬種、茴香《ういきょう》、柏槇《びゃくしん》など多種の薬草を調合したもので、これらの粉末に蜂蜜と、できれば蛇の肉を加えて練る。ここまで準備ができたら、あとは発酵させて寝かせる。テリアカはあらゆる種類の毒に有効な解毒剤と考えられていたので、腐敗した体液による病気にも処方された。ペストに対しても治療法の一つとされたが、製法が複雑で製造するのにも時間がかかったため、裕福な者にしか手に入れられない高価な貴重薬だった。これが最も用いられたのは、この薬の製造と売買の中心であるベネツィアだった。

ほかにも体液理論を基礎にした治療法でもっと広く実践されていたものがある。体液の均衡を取り戻すために、温と湿の悪い血液を冷と乾の性質をもつ薬剤で打ち消すのである。さまざまな療法、幅広い治療薬と材料が用いられた。たとえば萵苣《ちしゃ》、胡麻の葉草、牛蒡《ごぼう》、薔薇、加密列《かみつれ》、ラッパ水仙、大黄、亜麻、酢などだ。これらの有効成分を含んだ軟膏や湿布薬も腫れや膿瘍から毒素を排出させる外用薬として使われた。

近代初期のペスト医師が用いた治療方法は、残念ながら延命にも苦痛緩和にも効果がなく、ましてや回復にはほとんど役に立たなかった。ヨーロッパの伝染病病院における致死率は通常六〇〜七〇パーセントで、これは何も手あてしなかった場合の致死率と変わらなかった。だからといって、ラザレットでの死者数の多さが治療効果の低さのあらわれだというわけではない。伝染病病院がそのようなありさまだったのは、病状の進行した大勢の患者を受け入れ、スタッフよりも患者のほうがはるかに多いということがよくあったからだった。多くの場合、患者は手あても看病もされないまま、死ぬか運よく生き延びるかだったのである。

それでもラザレットは、中世のハンセン病療養所と同様だったわけではない。先述したとおり、ハンセン病療養所は治療を目的とせず、ただ死を待つだけの施設だった。宗教と慈善のうえに設立された伝染病病院は、ぎりぎりの厳しい状況下でもわずかな手段をできるかぎり講じようとした。そこでの世話は重篤な患者になにがしかの希望をあたえ、不安をやわらげただろう——医療の質、人員の配置、組織の効率はまちまちであっても。必然的に、常設のラザレットはペスト流行中に臨時に設けられた急ごしらえの施設よりも効率的にその役割を果たした。

どの都市どの街でも、大流行は当局の不意を襲い、混乱と無秩序、付け焼刃の対処を招いた。うまく運営できているラザレットでも、緊急時にどっと増える患者を収容できるだけの態勢は整っていなかった。対応しきれないほどの病人と危篤者に、衛生局は予防策を打つのが精いっぱいで、治療を施してやりたくても断念せざるをえない場合がしばしばあった。そこでよく用いられた対策は、患者および感染の疑われる者とその同居家族を隔離することだった。捜索人がペスト患者の家に赤いペンキでバツ印をつけて立ち入り禁止とし、見張りを置いて誰もその家に出入りさせないようにした。この厳しい措置は、家族と同居者を病人や死にかけた者や死者もろとも強制的に幽閉するものだった。このような状況では、それ以上のたすけや医療は望めなかった。

厳しい制限は遺体にも適用された。死体は瘴気を放出すると考えられていたので、できるだけ早急に処理しなければ生きている者に害がおよぶ。そこで葬儀も葬送も納棺も死体の検分も禁じられた。市中で見つかった死体は、伝染病病院でそうだったように、墓地ではない場所に掘られたペスト穴に積み重ねられていった。その上にわずかばかりの土がかぶせられ、分解が進むように、また悪臭のする蒸気が発散して空気を汚染しないように、灰汁が撒かれた。

このような規制のために共同体の絆は断ち切られた。家族や友人の死を悼み、死者に敬意を示し、慰めあって心の穴を埋めることもできなくなったからである。そのうえ近代初期の世界では、死を示す唯一の確かなしるしは肉体の腐敗だったため、遺体の納棺を禁じて急いで埋めてしまうと、もしや早すぎたのではないかという強い不安が残った。また、公衆衛生規定の厳しさはカトリック教会の最後の儀式の遂行を妨げもした。ペスト穴が聖別されていない場所だったこともあり、人びとは死後の魂の行方を思い煩った。

最終的に、各都市はペスト規制のもとにこまごました禁制と義務を課した。たとえばバルセロナでは、猫と犬を飼っている者はそれを殺すこと、家の前の通りを水で流してよく清掃すること、キリスト教徒は罪をすっかり告白することが定められた。布くずを通りに投げ捨てること、衣類を売ること、大勢で集まることも禁じられた。不快な臭いを出す仕事は空気を汚染するおそれがあるとして細かく規制された。これにより皮なめしは多くの都市で即刻禁止され、食肉解体にもさまざまな規則が課された。肉をつるしてはならない、動物と処理済みの肉を同時に台の上に載せてはならない、検査と認可を経ずに屠畜してはならない、皮を剝いだ動物の死体を畜舎に置いてはならない、肉は屠畜したその日のうちに売らなくてはならない等々である。したがわなかった者は厳しく処罰された。

ペストに猛襲された都市はこうしてまったくのディストピアになった。共同体と家族の絆はずたずたに切り裂かれた。教会は閉ざされ、秘跡は行われず、鐘も鳴らなかった。一方、経済活動は止まり、商店は閉められ、働き口は失われ、飢えと経済崩壊の脅威が増した。役人が病気になったり死んだり逃げ出したりしたために、日常の行政機能は麻痺した。何より恐ろしかったのは、通りの強烈な悪臭から逃れられず、衆人環視のなかで悶え苦しみながら死んでいく病人を目にすることだった。苦悶の死が突如として降りかかる恐怖をまざまざと見せつけられたからである。

評価

疫病は十八世紀に西ヨーロッパと中央ヨーロッパを去り、二度と戻らなかった。これまで述べてきたペスト対策は、この勝利にどれくらい貢献したのだろうか。決定的な答えはなく、いまもさかんな議論がつづいている。ここで考えなくてはいけないのは、ペストの防衛策がある面で逆効果だったことだ。当局の対策は非常に厳しく、人びとを恐れさせた。抜け道を見つけようとする者、したがわない者があらわれ、暴動が起こりもした。病気を隠し、当局の目を逃れ、拒否する者を多く出したために――対策が打たれると噂されただけでも――かえって疫病を広める原因になりさえした。人びとが病人をかくまうせいで、当局は直面している緊急事態に関する正しい情報を適時に把握することができなかった。

第三のパンデミックで最大の被害があったボンベイ（現ムンバイ）の例には、第二のパンデミックの轍を踏んだと考えられる負の効果がまさしくあらわれている。疫病は一八九六年九月にインド西岸の首都ボンベイとその八〇万人の住民を襲った。その年の十二月までに人口の半数以上がこの都市を見捨てた。人びとを追い立てたのはペストそのものへの恐怖ではなく、ペスト撃退を目的とした強硬な措置だったことを市当局は慎重に認めた。ペスト規制は功罪相半ばだったのだ。実際、それは病巣を丁寧に取り除く鋭いメスというよりも、なまくらな大鉈《おおなた》だった。ボンベイをペストから救ったと市評議会は主張したが、逃げ出した住民がペストを市外へもち出して病気を広めたために、蒸気船による高速輸送の時代にあって、貿易港を擁するボンベイをインド全域どころか全港湾都市にとっての凶器にしてしまったのである。

ペスト禍の終焉には、ペスト対策のほかにも別の要素が働いていたにちがいない。一つは「ネズミの種による公衆衛生」とも呼ぶべきものである。十八世紀前半、ドブネズミが東方からヨーロッパに侵入した。大型で気性が荒く、繁殖力の旺盛なドブネズミは、在来種のクマネズミを生態的地位から追い落として駆逐した。食べものが豊富で天敵もいなかったため、ドブネズミは進出したどの国でもはびこった。船にもすぐさま棲みつき、あっという間に生息地を世界中に広げた。ドブネズミの拡散はペスト史において決定的な意味をもった。クマネズミと違って、ドブネズミはこそこそと隠れて活動し、人が近づくとさっと逃げる。したがって病気の媒介という点では効率が劣る。事実、インドでの第三のパンデミックに関する報告が明らかにしているとおり、この二種の鼠に対する人間の態度の違いがその後の変化をもたらした。よく目にする毛の長めのクマネズミは、人になつきやすいのでペットになった。餌をあたえてかわいがる人も多く、そのことが疫病流行の再発という悲劇的な結果につながりもした。それにくらべると、性質の荒いドブネズミは人になつかない。ドブネズミがクマネズミを猛然と追い払っていくにつれて、ペスト菌がヒトとネズミの種の壁を越えにくくなった。ドブネズミが中央ヨーロッパと西ヨーロッパに到達した時期とペスト沈静の時期が一致していたこと、第三のパンデミックでアウトブレイクが起こる地域がまだクマネズミの多い地域であったことは偶然ではないにちがいない。疫病の発生の中心地ボンベイ管区もそれに該当したのである。

第二の要素は気候である。十七世紀にペストの波が引きはじめたころ、ヨーロッパは冬の気温がぐんと下がる「小氷期」でもあった。ピーテル・ブリューゲル（父）にはじまり、その息子のピーテル・ブリューゲル（子）、ヘンドリック・アーフェルカンプにつづく当時のオランダの画家たちは、アムステルダムとロッテルダムの凍った運河でスケートを楽しむ人びとや降り積もった雪景色などの冬の風景画で知られている。同時期のイングランドでも毎年テムズ川に氷が張り、スケートばかりでなく氷祭りや氷上縁日が催された。バルト海までもが凍りつき、ポーランドからそりでスウェーデンへ渡れた。小氷期は北ヨーロッパで一三五〇年代から一八五〇年代までつづき、その間に気温の大きく落ち込む谷が三度あった。一六五〇年からの二度目の谷にあたる冬が最も寒く、これが北ヨーロッパでペストの流行が収まった時期と一致しているのである。これまでにない寒さのために、蚤とペスト菌の不活発な時期が長くなった。小氷期の終わったあと、一八五〇年にふたたび温暖期が到来した時期と第三のパンデミックの発生が重なっているのは意味深い。

第三の可能性は衛生状態が変わったことである。住居環境が向上したことで鼠が侵入しにくくなった。茅葺屋根が瓦屋根になったのが一例で、これにより鼠が屋根裏に巣をつくることが少なくなった。土がむき出しだった床がコンクリート材にかわって床下の鼠の巣と住人とを隔て、穀物の貯蔵庫が住居から離れたところにつくられるようになったことで鼠と人間との距離がさらに遠くなった。都市部の人口密度が低下したことも害虫を減らした。居住密度が低くなったことにより、家屋や寝床、住人の体に蚤がつきにくくなった。人が清潔を心がけるようになったことも大きい。十八世紀になって石鹼や洗剤の質がよくなり使用が増えたこと、また入浴の習慣が根づいたことから、外部寄生生物である蚤と虱《しらみ》が各段に減ったのである。

衛生状態に関する俗信にさえ、実際の効果があったと考える余地がある。たとえば一六六六年九月に発生したロンドン大火は、イングランドの首都を浄化したと広く信じられていた。この火災によって前年からのロンドン大疫病は思いがけなくも沈静化し、貧民街が広い建物に建てかえられて密集が解消し、通気、採光、衛生設備の面も改善された。ロンドン大火をこのように記憶していたことが、二世紀後の英領インドにおける対ペスト計画のヒントになった。ボンベイのチョールやカルカッタのバスティといった不潔で過密な集合住宅や居住区は悪疫の根城として焼き払われた。住民を立ち退かせ、ロンドンの先例に倣って建物に火を放ち、炎が不潔さをなめ尽くしたあとに新しい住宅が再建されたことが街をペストから救ったのである。

最後に、考えられることはまだいくつかある。ペスト菌が変異し、鼠と蚤の菌耐性が高くなったのか。森林ペストの病原保有体に生態的な要因が働いて、穴居性の齧歯動物の動きに影響したのか。栄養状態の改善が人間の耐性を高めたのか。ペスト菌の媒介生物としては非効率的な他種の蚤と比較して、危険なネズミノミの分布が変わったのか。

これらの要因がどう働いたにせよ、第二のパンデミックが去ったのには、検疫による厳しい隔離策を実行する近代初期の国家の権力が重要な、おそらくは決定的な役割を果たしたのだろう。それを疑う理由はほとんどなさそうだ。またペスト対策は疫病に対する確固たる防壁になったように見えたために、影響力も非常に大きかった。したがってのちの政府と公衆衛生当局の対応は、当然といえば当然だった。コレラやＨＩＶ／エイズといった正体不明の新しい悪性感染症が出現したとき、まず講じられた策はペスト流行時に有効に見えた防衛策だったのである。しかしそれがペストをどんなにうまく抑え込もうと、伝播の仕方が根本的に異なる感染症に対しては役に立たず、逆効果でさえあった。それでもペスト規制がこのように公衆衛生対策として確立され、後世までつづけられることになったのは、過去に効果があったと見なされ、恐怖と不安の時代に何かしらのことができるという安心感をもたらしたからだ。しかも当局は、先例と経験を踏まえて断固とした態度で根拠ある対応をしているように見えもした。のちの章でその結果を見ていこう。

ペスト規制は政治史にも長い影を落とした。国家権力がそれまで対象外だった人間の生活の領域にまで伸張したのである。のちの時代にも為政者がペスト規制を施行しようとしたのは、まさに権力の拡大を正当化するものだったからだ。経済と人の動きを支配する正当な理由であり、監視と強制的な監禁を許すものであり、家庭への侵害と市民の自由の剝奪を是認するものだったのである。緊急事態において疫病対策はどうあるべきかの答えが出ないこともあって、権力拡大は教会に迎え入れられ、政治と医療に関して発言力の強い者に歓迎された。対ペスト戦略は絶対主義の出現した瞬間であり、総じていえば、近代国家の権力と正当性の増大を促したのである。

第6章　エドワード・ジェンナー以前の天然痘

感染症を比較する

この章では感染症を比較するために、ペストに次いで大きな影響をもたらした天然痘（疱瘡）に焦点をあてたい。なぜ天然痘なのか。そしてなぜ本書ではここで天然痘を取り上げるのか。第二の問いへの答えは、天然痘は十八世紀のヨーロッパにおいてペストに次いで恐れられた病気だからである。そして第一の問いに対しては、天然痘がペストとはまったく異なる病気であり、本書の目的の一つは、タイプの違う感染症がもたらした影響を探ることだからだと答えよう。ペストも天然痘も固有の機序をもつ独特な病気であり、歴史への影響も異なる。したがって、この二つを比較して考えるのは重要な意義がある。

しかし、比較するには体系的で明快な方法が必要だ。流行性疾患について学びはじめたばかりの読者のために、ここでは感染症が社会におよぼす影響の性質と程度を決定する条件を知ることを目ざそう。そのためにいくつかの問いを列挙する。これに沿って考えることが疫病の歴史を学ぶうえで理解のたすけになるだろう。

初めに断っておくが、これらの問いは完全なものではなく、これだけで感染症を理解するに事足りるというつもりはない。私たちが新しい病気に遭遇したときに、それを知るための手がかりになるというだけにすぎず、さらにつぎつぎと疑問をもってもらいたい。

1　病原体は何か

前章までで知ったとおり、ペストはペスト菌を原因とする。この先を読み進めていくと、微生物病原体は、細菌、ウイルス、原虫の三つのカテゴリーに分けられることがわかるだろう。感染症の医学に関する講義では、これらに加えてプリオンも考えていく必要がある。プリオンは「狂牛病」やクールーなどの病気の原因になる。だが本書で取り上げる病気は、細菌、ウイルス、原虫によるもののみとする。

2　総死亡数と総罹患数はどれくらいか

「死亡数」とはその病気で死亡した者の総数、「罹患数」とは死亡したか否かにかかわらず、その病気に罹患した者の総数である。死亡数と罹患数はまちがいなく感染症の影響を測る指標の一つになる。これらの数字をもとにすれば、たとえば一九一八年から一九一九年に五〇〇〇万人といわれる死者を出したスペイン風邪が、一九九五年にコンゴ民主共和国のキクウィトで発生したエボラウイルス病のアウトブレイクよりも重大な出来事だというこことができる。エボラは当時、世界的に高い関心を集めたが、死者は「わずか」二五〇人、罹患者は三一五人で、スペイン風邪にくらべれば被害の規模は大きくなかった。

だが死亡数と罹患数は、疾病の歴史的な重要性を知る最初の目安にすぎない。歴史的な評価は、事例ごとに詳しく分析しなければ確立されたといえず、分析には量的なものにとどまらず質的な面も見る必要がある。たとえば総死亡数だけにもとづいて、ペストやスペイン風邪がもたらした災厄が重大な事件だったと結論するのは、倫理的な観点が抜け落ちているし、歴史の見方としてもまちがっている。実際、たとえばアジアコレラのように犠牲者が「わずか」数千人にとどまった小規模な感染症のアウトブレイクも、歴史に長い影を落とす重大な出来事だったと強く主張することができる。歴史への影響を評価するという難しい問題に、「手っとり早い解決策」はない。それでも罹患数と死亡数は感染症の規模と考察の必要性を判断するうえでは意味がある。

3 致死率はどれくらいか

この問いには、病原体の病毒性が関連する。致死率は罹患者数に占める死亡数の割合で決定される。つまり罹患した者のうち何パーセントが死亡したかだ。その病気の「殺傷率」ともいえる。ペストがあれほどの恐怖と被害をもたらした理由の一つは、五〇〜八〇パーセントという致死率の並はずれた高さにある。一方、第一次世界大戦の末期に流行がはじまったスペイン風邪は未曽有の罹患数を記録したが、致死率は低かった。この差が二つの疫病に対する人びとの対応の違いに大きく影響する。

4 症状はどのようなものか

罹患者に多大な苦痛をあたえる症状、あるいはそのために人びとが良識を失って世の中がおかしくなってしまうような症状――ペスト、天然痘、コレラなどの場合――は、その病気がどのように経験され、どう見なされるかを左右する。たとえば天然痘の患者は命がたすかっても、体に障害や醜い痕が残り、失明することも少なくなかった。対照的に、結核は苦しい病気であっても、結核患者は知的でロマンチックで、心をときめかせる人というイメージが社会にあった。十九世紀のヨーロッパで最大の死因だった肺結核がほとんど恐れられず、発生地域の広くないコレラが恐怖の対象だったのはこうした要素で説明できる。

5

新しい病気か、それともよく知られた病気か

よく知られている病気は、突然あらわれた未知の侵入者にくらべればあまり怖くない。さらに、くり返される病気には流行地域の住民にある程度の免疫ができている場合があるし、また病気そのものが変異し、致死性が弱まって人間の宿主に適応していることもある。例として、流行性耳下腺炎（おたふくかぜ）や麻疹など、いわゆる子供の病気が挙げられる。現在のヨーロッパ社会では、おたふくかぜや麻疹は日常的にたびたび発生する比較的軽い病気だが、初めて接した人びとには破壊的な災禍をもたらした。これは「処女地の疫病」と呼ばれる現象で、アメリカ大陸の先住民やニュージーランドのマオリ族が初めて麻疹や天然痘に遭遇したときに起こった短期間の悲惨な大量死は、その典型的な例である。HIV／エイズのような「新興感染症」が、マラリアやインフルエンザのようなよく知る病気よりも激しい恐怖をもたらしたのはここに理由があった。

6 罹患者の年齢構成はどうか。多いのは子供と老人か、それとも壮年の人か

年齢構成は、ある感染症の広まりが「自然」と見なされるかどうかを決定する要素である。疫病の流行が終わったあとに孤児や未亡人が増え、社会への影響が大きければ、病気はいっそう脅威になる。コレラは家庭や社会の経済を支える人びとをねらい撃ちしているように見えたため、とくに恐れられた。

7 罹患者の社会階層の構成はどうか。貧困層に偏っているか、それとも「平等な」病気か

すでに見たとおり、ペストの第二のパンデミックの特徴は、年齢や階級に関係なく社会全体を襲ったことである。その点で、貧困層の病気と見なされたコレラとは社会における履歴がまったく異なる。疫病と階級のこのような関係は、たとえばインフルエンザのように偏りのない病気では生じない階級間の社会対立を発生させる。同様にアメリカでの初期のエイズの歴史も、罹患者が同性愛の男性に明らかに偏って見えたことを反映していた。

8 感染経路は何か――人から人への接触感染か、飲食物の汚染か、媒介生物《ベクター》か、性的接触か、空気中の飛沫か

この問いの重要性は、梅毒とエイズを例にとればわかりやすい。誰もが知っているとおり、梅毒とエイズが社会におよぼした影響や発生させた問題は、これらが性行為で感染する病気であることを踏まえて考えなければ理解できない。インフルエンザのように感染した人の咳やくしゃみの飛沫を吸い込んで感染する病気では、感染者にスティグマを負わせるようなことは起こりにくい。

9

感染した場合、どのくらいの速さで病状が進行するか。ゆっくり進行するか、それとも劇症（急激に悪化する）か

結核、梅毒、エイズは症状が長期的につづく病気であるのに対し、ペスト、コレラ、インフルエンザの症状は急速に進行し、罹患者の死か回復で終わる。マラリアはどちらの経過もありうる。進行の速さは、それだけでは感染症の歴史的な重要性を解き明かす魔法の鍵にはならないが、一定の重要度がある。

10

感染が広がった社会にどのように認識されているか。つまりどのように「社会的に構築されて」いるか

ペストがそうだったが、その時代の人びとに天罰と見なされたり、悪意ある者が毒を撒いたせいだと思われたりするか、それとも純粋に生物による自然災害と考えられるかで大きな違いがある。一般大衆、公衆衛生当局、医療従事者の考え方しだいで、流行発生による危機的状態がどう進展するかが大きく変わる。

11

標準的な流行期間はどれくらいか

この点は病気によって大きく異なる。インフルエンザの流行は、通常は数週間つづく。コレラやペストの場合は何か月にもなる。結核の流行は長期にわたり、一度発生すると数世代から数世紀も終息しないため、地域流行病ととらえるかどうかが問題になる。

ウイルス性疾患

これらの問いを念頭において、「まだらの怪物」と呼ばれた天然痘に話を進めよう。天然痘はオルソポックスウイルス属に属する天然痘ウイルス（*variola virus*）によって引き起こされる。天然痘ウイルスには致死率の異なる二つのタイプ――大痘瘡（*variola major*）と小痘瘡（*variola minor*）がある。歴史学者の関心の的である「古典的天然痘」の病原体は大痘瘡のほうで、二〇世紀初めに顕微鏡で初めて観察された（小痘瘡は大痘瘡よりも致死率がはるかに低く、社会におよぼす影響は限定的であるため、本書ではこれ以上取り上げない）。

オルソポックスウイルス属に属するもう一つのウイルスに起因する牛痘は、天然痘とは別の牛の病気で、基本的に重症化せず、自然治癒が期待できる。人間が感染すると軽いインフルエンザのような症状があらわれる。牛痘が歴史的に重要なのは、牛痘にかかった人が天然痘に対する強固で永続的な交差免疫を獲得するからだ。このことは十八世紀末にエドワード・ジェンナーが発見し、それによってワクチン接種への道が開かれた（第7章参照）。したがって牛痘は、公衆衛生政策の発展に重要な役割を果たした。

天然痘は本書で取り上げる最初のウイルス性疾患である。そこで言葉の定義と生物学的な区別を明確にしておきたい。「微生物」は微小な生物をさす一般的な言葉で、ペスト菌などの細菌と天然痘ウイルスなどのウイルスの両方が含まれる。細菌は単細胞生物であり、疑問の余地なく生命体である。DNAがあり、その情報を読みとって複製に必要なタンパク質をつくるために不可欠な細胞の仕組みをすべて備えている。

ウイルスは細菌とはまったく違うものだが、医学史を学ぶ者には混乱の種になりやすい。「ウイルス」という言葉は古代からあった。すでに見たとおり、体液理論では、病気は体が外界から攻撃されて生じるものだと考えられた。病気の原因になる主要な環境要因の一つと信じられていたのは、腐敗した空気、すなわち瘴気である。もう一つの重要な原因が毒だった。「瘴気《ミアズマ》」と同じように、毒の正体も明らかではなかったが、ラテン語で「毒」を意味する言葉（virus）から「ウイルス」と名づけられた。そのため十九世紀末に初めて発見された細菌も、当時はウイルスの一種だと考えられた。現代の用語でいう「ウイルス」が細菌とは別個に分類されうる微生物だとわかったとき、細菌を通さないフィルターを通過する病原体という意味で「濾過性病原体」という呼称があたえられた。

本書ではこれ以降、「ウイルス」という言葉を細菌の一〇分の一から五〇〇分の一の大きさしかなく、フィルターを通過し、宿主に寄生する微小粒子である微生物をさして使うことにする。ウイルスの存在は簡にして要を得た科学実験によって一九〇三年までに確実になったが、実際に観察されたのは電子顕微鏡が発明された一九三〇年代、そして生物学的な機能が理解されたのはＤＮＡ研究で革命的な発見がなされた一九五〇年代のことである。

ウイルスは生物の要素を極限まで剝ぎ取った残りの要素で構成されている。タンパク質の殻に包まれた遺伝物質でしかない。ノーベル賞を受賞した生物学者のピーター・メダワーの言葉を借りれば、「悪い情報に包まれた核酸」にすぎないのだ［メダワーは「タンパク質に包まれた悪い情報」と表現したが、その言葉が誤って引用された］。ウイルスは生きた細胞ではなく、運動能力をもたない細胞粒子である。遺伝子の数は少なく、人間の細胞に含まれる遺伝子が二万〜二万五〇〇〇個なのに対して、たとえば天然痘ウイルスでは約二〇〇〜

四〇〇個とされている。構造は非常に簡単で、DNA情報を読む機構はなく、タンパク質の合成も代謝もしない。単独では何もできず、遺伝子をもっていながら自己増殖はできない。

ウイルスは小寄生体として他の生物の細胞に侵入して生存しつづける。細胞のなかに入ると、タンパク質の殻を壊して核酸を放出する。宿主細胞の機構を乗っとって自分の遺伝子情報（ウイルスはそれがすべてである）を読みとらせ、複製を大量につくらせる。こうしてウイルスは細胞をウイルス生産工場に変えるのだ。また、その過程で宿主の細胞を破壊していく。新しくつくられた完全なウイルス粒子は宿主細胞から放出され、他の細胞に吸着して侵入する。ウイルスが増殖し、破壊される細胞の数が増えるにしたがって、宿主の体に深刻な、ときには壊滅的な影響があらわれ、その影響の大きさはウイルスの侵入を阻止するか、侵入したウイルスを攻撃する免疫系の能力によって決まる。これはある意味でヒポクラテスとガレノスの説とは逆である。体は外から攻撃されて病気になるのではなく、体内に侵入した寄生病原体になかから攻撃されるのだ。感染力がきわめて強く、歴史に重大な影響をおよぼした病気のいくつか、たとえば天然痘、麻疹、破傷風、黄熱、ポリオ、ＨＩＶ／エイズなどはウイルス性疾患である。

ウイルスの仕組みが解明されると、ウイルスは生物か否かという新しい論争の幕が開いた。ウイルスは生物であると主張する人びとは、ウイルスは自分の複製をつくる能力があるので、生物を定義する条件の一つを満たしていると指摘する。一方、ウイルスは生物ではないという人びとは、ウイルスが単独では代謝能力がないことを理由に挙げている。代謝できないという点で、ウイルスは完全に寄生体である。ウイルスが生物かそうでないかの判断は、学問的な観点の問題、あるいは個人的な好みの問題だろう。神学論争ではそうはいかないかもしれないが、ウイルスが生物かどうかは、さいわいほとんど重要ではない。

天然痘ウイルスに関して重要なのは、このウイルスに感染するのが人間だけだという点である。このことは、天然痘ワクチンの接種運動が功を奏し、一九八〇年についに天然痘の根絶が宣言されるにいたった過程で重大な意味があった。天然痘はこれまでに根絶できた唯一の人間の感染症である。成功の理由の一つは、天然痘ウイルスを保有する動物がほかにいなかったからなのだ。もしも病原保有体《リザーバー》動物がいたら、なんらかのきっかけで動物から人に感染し、ふたたび流行を引き起こしたかもしれない。

伝播

天然痘の感染力は非常に強い。感染した者は、発疹や咽頭にできた潰瘍から感染力のある数百万個のウイルスを周囲にまき散らす。発疹が出る直前から数週間後に最後のかさぶたがはがれ落ちるまで、他者を感染させる力がある。もちろん、ウイルスにさらされた人の全員が感染するわけではない。免疫のある人を別として、感受性のある人が家庭内の感染者から感染する確率はおよそ五分五分である。

天然痘には三通りの感染経路がある。第一は飛沫感染で、罹患者の吐く息や咳やくしゃみで飛び散った飛沫を近くにいる人が吸い込んで感染する。天然痘は通常、一定期間以上の密接な接触のある環境——家庭、病院、職場、教室、兵舎、難民キャンプなど——で、とくに気温の低い乾燥した冬季に感染拡大する。一九七〇年代に天然痘根絶に向けた努力が行われていたころ、アメリカ疾病予防管理センター（CDC）の所長ウィリアム・フェイギーは、天然痘ウイルスのおもな弱点は感染者からおよそ半径一メートル以内にいる人にしか感染しないことだと慎重に指摘した。さらにこの範囲内でもウイルスは壊れやすく、しかも人間にしか感染しない。そのため外界では長く生存できず、病原保有体動物もいない。ただし感染範囲としては水平感染ばかりでなく、「垂直」感染もある。感染した女性から胎盤を通じて胎児にウイルスが感染すると、子供は「先天性天然痘」に罹患して生まれてくる。

天然痘が広い範囲に伝播する原因として唯一考えられるのは、患者の身のまわりのものがウイルスを運ぶ「無生物媒介物」になることである。寝具、食器、衣類などがその典型的な例だ。こうしたものに患者の病変からはがれ落ちたかさぶたが付着した場合、かさぶたに含まれる天然痘ウイルスは気温と湿度の条件がそろえば二か月から四か月のあいだ生存できる。

このような経路で広がる感染症では、さまざまな社会的要因が伝播の好条件をつくりだす。たとえば都市化や過密な住環境、人の多い職場、戦場など、大勢の人が密集しているような環境はすべてあてはまる。十八世紀から十九世紀の西ヨーロッパの都市には、まさにこのような状況がいくらでもあった。産業の発達、都市への大量の人口流入、自由放任主義の資本主義、戦争、そして植民地化がそれに寄与した。ヨーロッパの主要都市では、天然痘はとくに子供がかかりやすい病気で、十七世紀にはこれ一つだけで子供の死因の三分の一を占めていた。

症状

天然痘の恐ろしさのなかでもとくに際立っていたのは、その惨たらしい経過と、生涯残る瘢痕や容貌の醜さである。これらのことは、死そのものと並んで天然痘への恐怖が広まった原因になった。今日でも、「天然痘」という言葉には強烈な嫌悪感が結びついている。

本書で取り上げる病気のうち、患者にとって最も苦痛なのはどれだろうかという疑問が浮かぶかもしれない。この問いに経験や観察から答えることはできない。さいわいにも、このすべてにかかったことのある人はいないからだ。それでも天然痘が数多くの人びとを苦しめた時代の証言を記録しておくのは意義がある。天然痘患者を治療した医師らは、「人類がかかる最悪の病気」だと固く信じていた。ある医師は一九八三年に、「いつ急に襲いかかってくるかわからず、かかれば患者を責め苛み、挙げ句に命を奪うか、さもなければ醜い痕を残し、恐怖に震え上がらせる。およそ人間の病気のなかでこれに肩を並べるものはない」[2]と記している。

天然痘がバイオテロの道具として恐れられている理由の一つがここにある。大規模なアウトブレイクが起これば、多数の死者が出て被害が拡大し、パニックと逃亡と社会の混乱が広がるのは目に見えている。天然痘の症状はこの病気の歴史と社会的影響の重要な一部をなしているのである。現在でも、他の病気とは一線を画す恐ろしいイメージが消えていない。それは天然痘の症状の惨さを誰もが知っているからにほかならない。

前駆期

天然痘の潜伏期間は通常およそ十二日間で、この間はなんの症状もない。感染者が病に倒れる前に移動したり人と接触したりする時間が十分にあるため、このこと自体が感染拡大を助長する疫学的に重要な要素である。症状があらわれはじめるのは、体内に侵入したウイルスが血流に入って全身に拡散し、最終的に表皮のすぐ下の真皮の血管に集中する段階になったときだ。ウイルスの量と罹患者の免疫反応の強さが症状の重さと経過を決定する。

最初の症状は四〇度前後の発熱である。罹患者は急に倦怠感に襲われ、それとともに一か月におよぶ激しい苦痛がはじまり、他者への伝染の危険が生じる。初期症状には、吐き気、背部痛、頭が割れるような激しい頭痛がある。子供はひきつけを起こすこともある。

急激に重症化するケースもあり、目に見える症状があらわれないまま三六時間以内に死亡する。この場合、死後の検査で呼吸器系や消化器系、または心筋に出血が認められる。こうした「劇症天然痘」の一例が次のように記録されている。

三日から四日たつと、この患者はずっと肉体を酷使してきた人のような状態を示した。顔は仮面のごとく無表情になり、筋肉という筋肉から正常な張りが失われた。この状態は、口をきこうとしたときにいっそう明白になった。患者は言葉を発するのに苦労し、声は低く抑揚がない。いかにも気だるそうで、まわりのものに少しも関心を示さない。

精神状態も同様である。ぼんやりし、反応に時間がかかり、まとまった思考ができない。最も重い症例では、患者は重度のショック状態に陥ったか大量に失血した人と似た状態になる。顔はやつれて血の気がない。ため息をつくようにやっと呼吸し、あえぐような場合もある。ひっきりなしに寝返りを打ち、叫び声をやたらに上げる。注意を集中するのが困難になり、胸が痛いといったかと思うと、背中だ、頭だ、腹だと、ひたすら苦痛を訴えつづける。[3]

発疹期

天然痘はあっという間に死んでしまう劇症型もあったが、通常は前駆期から「発疹期」に移行し、そこで典型的な症状があらわれはじめた（図6－1）。患者は発症から三日目ぐらいに一時的に状態が楽になり、症状が軽い場合はふだんの生活に戻ることも多かった。だが、それが病気の伝播という不幸な結果につながった。

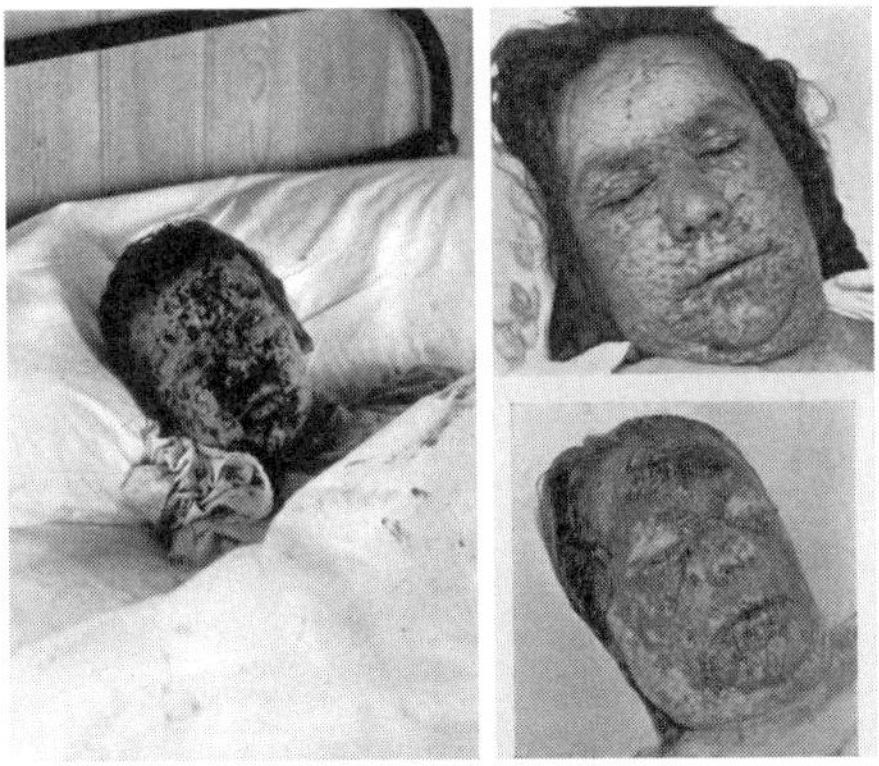

図 6-1（左）イギリスのグロスターで流行した天然痘、1896年。患者は 10 歳の J.R. エヴァンズ。［H.C.F. 撮影、ウェルカム・コレクション、ロンドン、CC BY 4.0.］（右）女性の顔の化膿した膿疱。T.F. リケッツ『天然痘の診断』、1908 年。［ウェルカム・コレクション、ロンドン、CC BY 4.0.］

一見して回復したように見えても、間もなく円形ないし楕円形の小さい発疹ができる。赤い色をしているために「紅斑」と呼ばれ、大きさは直径六ミリ程度である。紅斑はまず舌や口腔内にできたが、二四時間以内に全身に広がり、手のひらや足の裏にまであらわれた。頬や額にできたものはひどい日焼けのように見え、実際に患者はひりひりするような、ときには焼けつくような熱さを感じた。

発疹は二日目になると見た目が変わってくる。紅斑の中心が硬くなってしだいに盛り上がり、扁平か中央が凹んだ「丘疹」になる。触ると皮膚の下に散弾が埋め込まれているようだといわれた。

三日目には丘疹が「水疱」になって、直径も大きくなる。色は赤から紫に変わり、固くなくなり、水分が溜まって水膨れのようになる。「水疱化」するまでに三日かかり、この状態がさらに三日つづく。この段階になると、特徴のある独特の外見から診断は確定的になった。喉や口蓋の粘膜に多数できた水疱が痛むために、ものを飲み込むのも話すのもいっそう困難になる。

発疹期の六日目になると、水疱に黄色い膿が溜まりはじめる。水疱の真ん中にあったくぼみは消失し、丸く硬い膿疱になる。この膿疱が完全に成熟するまでに四八時間かかり、この段階に達すると、患者の容体はますます悪化している。高熱を発し、まぶた、唇、鼻、舌がひどく腫れ上がる。嚥下できなくなり、だんだん衰弱していき、ほぼずっと朦朧としているが、夜になると騒々しくなった。しばしば譫妄《せんもう》があらわれ、手足をばたつかせ、ベッドから飛び出そうとすることさえあった。このような精神的な異常は高熱のせいだけでなく、感染によって中枢神経系が冒された結果でもある。患者はたすかったとしても神経系に後遺症が残り、生涯消えないことも多かった。

発疹期の九日目ごろ、膿疱は皮下に深く埋没した硬いかさぶたになる。かさぶたが脱落したあとには、体のいたるところに凹み傷、すなわち瘢痕が残った。天然痘の発疹はやわらかく平らでつるりとしていて、ふれると痛みがあり、熱をもっていたといわれる。女性の場合は子宮出血が多く見られ、妊婦ならば流産した。

発疹に加えて天然痘が忌み嫌われたもう一つの理由は、吐き気を催すような悪臭である。医師によれば、膿疱の臭いはたとえようもなく強烈で不快だったという。この段階になると、患者は喉に焼けつくような痛みを感じ、牛乳さえ飲めなくなった。痩せ衰え、飢餓状態になっていたかもしれない。筋肉の張りは完全に失われ、まだ生きている人の顔が死人のように変わり果てた。頭皮全体が毛髪を生やしたまま一つの大きな病変になることもあった。手や足の爪の下にできた膿疱は格別な苦痛をもたらした。目はとくにやられやすく、目に膿疱ができると命がたすかっても永久に失明する場合も多かった。

最初に発疹があらわれてから一〇日から一四日ほどでかさぶたができはじめる。かさぶたに含まれる生きた天然痘ウイルスは感染力が非常に強く、これが病気の伝播に大きな役割を果たした。皮膚が広い範囲ではがれ落ち、深部の組織がむき出しになって凄まじく痛み、その見た目の醜さが患者をいっそう苦しませる。死亡するのはこの段階が最も多かった。上皮の剝落が全身に広がった結果、全身的な毒血症や連鎖球菌とブドウ球菌の二次感染症を起こしやすくなるためだ。こうした合併症も、細やかな看護と良好な衛生状態、十分な栄養があたえられれば死亡するリスクを軽減でき、したがって手厚い看護を受けられた裕福な患者は回復する確率が高かった。

患者の外見は「壊死」と表現された。口が開いたままデスマスクのような状態で固まってしまい、生きながらにしてミイラのような形相になったのである。病変部がかさぶたになっていくのは予後の観点からいえば望ましいのだが、その過程で患者は耐えがたい痒みという最後の責め苦を味わう。実際、天然痘の後遺症として残る瘢痕の一部は、患者がかさぶたをかきむしった結果だったにちがいない。それでも一命をとりとめた患者は、最後には膿疱が乾き、かさぶたが脱落して、長い回復期がはじまった。

天然痘の重症度は、膿疱の見た目、大きさ、分布の度合いと一致していた。医師はその特徴によって四つの型に分けている。第一は「孤立性痘瘡」で、発疹は皮膚の損傷のない部分にたがいに離れてできる。この型の致死率は一〇パーセント未満である。第二は「準融合性痘瘡」で、病変が融合していき、とくに顔面と前腕部でそれが顕著に見られる。この型の致死率は四〇パーセントに達する。第三は「融合性痘瘡」で、発疹が重なりあい、わずかに残る健康な皮膚を病変が大きく広がって取り囲む。この型の予後は悪く、致死率は六〇パーセントにもなる。最後の最も症状の重い「出血性痘瘡」は、非常に稀な型だ。血液の凝固機能が働かなくなり、患者は腸、子宮、肺などに大量の内出血を起こして死亡することから、出血性と呼ばれる。致死率は一〇〇パーセント近くに達する。全型を平均すると、天然痘の致死率は三〇〜四〇パーセントである。

このように天然痘は皮膚と咽頭を冒し、その部分にできる病変は、患者個人にも社会全体にも災いをなす根源だった。皮膚、喉、目に生じた病変は二次感染による合併症で死亡する危険をもたらすだけでなく、筆舌に尽くしがたい苦痛の原因になり、脱水症を引き起こし、回復しても外見の醜さや失明といった障害を残した。また、喉の病変はウイルスを含んだ飛沫を空気中にまき散らし、はがれ落ちた皮膚のかさぶたもウイルスを拡散させて病気を広めた。そして、天然痘ウイルスが襲うのは体表面ばかりでなかった。肺や腸、心臓、中枢神経系などの内臓をも攻撃して病変を形成し、それによる重度の出血、気管支肺炎、精神錯乱、恒常的な神経障害が患者を死にいたらしめることもあった。

治療

天然痘の猛威が頂点に達した十八世紀から十九世紀に、医師はこの恐ろしい疫病をどのように治療したのだろうか。一〇世紀ごろからと思われるが、医師は赤い色が天然痘患者の治療に効果があると考えていた（「赤色療法」として知られていた）。病室に赤いカーテンをかけ、赤い家具を置き、患者を赤い毛布で包むことが重要だとされた。医学誌は、赤い光は目の痛みを沈静させ、皮膚の化膿を抑えて瘢痕を減らす働きがあるとして推奨した。

体液理論にもとづく思い切った処置もさまざまに試みられた。その一つは金の針で膿疱から膿を出すか、焼灼する療法である。効果のほどはともかく、これは患者にとってたいへんな苦痛だった。

もう一つは「熱療法」で、患者の体に毛布を何枚もかけて大量に発汗させ、過剰な体液を排出させる。患者を熱い湯に浸ける方法もあった。この療法では光と新鮮な空気は害をなすとされたので、患者は風の通らない暗い場所に閉じ込められた。内服薬も処方され、とくに毒の排出を促進するために発汗剤が用いられた。また、下剤や瀉血も頻繁に試みられた。

同じ熱の論理にしたがいながら逆のやり方がよいと考えた医師は、寒冷療法を勧めた。病室はできるだけ涼しく保たれ、患者は冷水を含ませた海綿でたびたび体をぬぐわれたり、顔と手足の先に氷嚢をあてられたりした。

容貌が醜くなることが患者の不安の一つだったため、あばたや瘢痕をうすくするためにさまざまな工夫が凝らされた。その一つが、体のどこかの皮膚に瘢痕よりも激しい刺激をあたえれば、顔にできる瘢痕を減らせるという説である。そのためにマスタードの膏薬や水銀や腐食性のある液体が背中や手足の先にぬられたほか、硝酸銀、水銀、ヨウ素、弱酸などを体のどこかに塗布するのも流行した。思いつくかぎりの物質が軟膏や湿布に使われたといっても過言ではない。創意に富んだ医師は患者の顔にグリセリンをぬり、目と鼻と口の部分に穴をあけたマスクをかぶせたり、オイルを染み込ませた絹で顔と手を覆ったりした。また、末期に近づいた患者が顔をかきむしるのを防ぐために、添え木で拘束するのを奨励する医師もいた。同じ理由から、錯乱した患者をベッドに縛りつけるのもよくあることだった。

　このようにさまざまな治療法があったことを知ったあとでは、イギリスの医師トマス・シデナム（一六二四〜一六八九年）の考えはきわめてまっとうなものに思えるだろう。シデナムはまともに取りあってもらえない貧しい患者よりも、手厚い治療を受けた裕福な患者や身分の高い患者のほうが死亡する数が多いと見て、医師たる者はできるだけ余計なことをすべきでないと忠告した。そしてシデナム自身も、新鮮な空気と軽い寝具を患者にあたえた以外は手を出さずにいたのである。

第7章　天然痘の歴史への影響

本章では、「まだらの怪物」と呼ばれた天然痘の歴史への影響と重要性について三つの観点から考察していこう。第一にヨーロッパにおける天然痘の意味、第二に南北アメリカでの天然痘の影響、第三に天然痘が新しい公衆衛生計画の発達——集団ワクチン接種による予防——に果たした役割について論じる。

ヨーロッパの天然痘

原発地は不明

アメリカ疾病管理予防センター（CDC）によれば、天然痘の原発地は不明だが、四世紀から一〇世紀にかけてヨーロッパ以外の地域（中国、インド、小アジア）でこれに似た疾病の記述が見つかっている。ヨーロッパではおそらく十一世紀から十二世紀の十字軍遠征時にレバント地方から帰還した大勢の兵士が各地へ散り、それとともに新しい病気がもち込まれて定着したのだろう。先述したとおり、戦争は病気を拡散させるのである。

本章の目的からすると、近代の天然痘が正確にどこからきたのかはあまり重要ではない。それよりも、十七世紀から十八世紀に天然痘の感染が拡大しつづけ、最も恐ろしい殺し屋としてペストに取ってかわったことに注目するほうが重要だ。ヨーロッパに定着した天然痘は、急激な社会の変転、都市開発、密集、人口増加といった状況下で蔓延した。

感染者

近代初期のヨーロッパにおける天然痘の発生や感染の状況を知るには、免疫に関する事実が理解のたすけになる。決定的に重要なのは、病苦を耐え抜いた患者がその後は強力な終生免疫を獲得したことである。二度感染する者はいなかったのだ。このような場合にありがちだが、天然痘はヨーロッパ中の都市や町でごくありふれた病になったため、成人のほとんどはその危険にさらされ、多数の人に感染した経験があった。したがってヨーロッパの都市部では実質的に「集団免疫」ができ、感染するおそれがあったのは子供のほか、免疫のない地方からの移住者と子供のころにかからなかった者だけだった。

こうした状況では、天然痘はおもに子供のかかる病気だった。それでも一世代に一度ほどの頻度で大流行が発生した。ここにも免疫の仕組みがあらわれている。子供でも全員が感染したわけではないので、やがて免疫のない若者と大人の割合が増えていくからだ。さらに近代初期ヨーロッパの都市は長寿ではなかったから、人口の維持もしくは増加を支えたのは外から流入する大勢の人――農地を追われて働き口を求めてきた小作人や、凶作や戦禍から逃れてきた者や季節労働者――であり、こうした人びとは感染しやすかった。そういうわけで天然痘は絶えることのない地域流行病になり、換気の悪い家や作業場が密集する都市部で蔓延した。「引火しやすい」

条件が重なったところに火花が散ると、燃え上がって大流行になったのである。

十八世紀のヨーロッパの天然痘による死者数は確実なものではない。それでもこの病気だけで、この世紀のヨーロッパの総死者数の一〇分の一、一〇歳未満の子供の場合は三分の一を占めていたと考えられている。また、成人の半数は瘢痕が残ったり容貌が変わったりしたと推定され、失明のおもな原因も天然痘だった。全体では、年間に約五〇万人のヨーロッパ人がこのたった一つの原因で命を落とした。これはヨーロッパの最大級の都市が十八世紀を通じて天然痘で毎年一つずつ消えていくのを目のあたりにするに等しかった。

そうであればこそ、十九世紀のイギリスの政治家で歴史家のトマス・マコーリーが天然痘は「死神の使いのなかで最も恐ろしい」と述べたのである。マコーリーは次のようにつづけている。

> 疫病の騒乱はますます勢いを増している。だが、この疫病がわが国に襲来したのは、思い出せるかぎりたかだか一、二度なのである。天然痘はいつもいて、教会の墓地を屍で埋め尽くし、かかったことのないすべての者をびくびくさせ、命だけはたすけてやった者にその猛威の醜い痕跡を残し、赤ん坊を母親さえ身震いするような変わり果てた姿にし、うら若い許嫁の目と頬を見た恋人をおぞましさに戦慄させるのだ。[1]

天然痘は空気感染するため、インフルエンザと同じく貧しい者や特定の集団を選んで襲うわけではなかった。裕福な貴族や王族も苦しめられ、たとえばフランス王のルイ十四世（一七一五年）とルイ十五世（一七七四年）、オラニエ公ヴィレム二世（一六五〇年）、ロシアのピョートル二世（一七三〇年)、神聖ローマ帝国のヨーゼフ一世(一七一一年)も天然痘で没した。

まったくのところ、天然痘はスチュアート家を途絶えさせ、イギリス王朝が交代する直接の原因にさえなった。スチュアート家の最後の後継ぎだったウィリアム王子が、一七〇〇年に天然痘によって十一歳で命を落としたのである。国体は危機に陥ったが、一七〇一年に王位継承法が制定されてカトリック信徒の即位をふたたび阻止し、ハノーバー朝を成立させた。

天然痘はいつどこでかかってもおかしくない恐ろしい病気だったにもかかわらず、人びとの態度はペストのときとはまったく違っていた。集団ヒステリーや暴動、生贄探しや信仰熱の高まりなどはなかった。理由は明白である。天然痘はペストのように突然にやってきて気づかぬうちに人びとを襲う侵入者ではなく、また家庭や共同体の経済を支える青年層と壮年層をおもな標的にして猛威をふるうわけでもなかったからだ。つねに身近にあったこと、とくにほかのよくある病気と同じように乳児と幼児がかかりやすかったことから、ほぼ「普通の」病気と考えられていた。誰でも自分自身か家族が罹患して天然痘をある程度はわかっていたし、町行く人の半数はあばたがあって感染歴をうかがわせた。誰もがいつかは経験する、いわば通過儀礼のようなものだと思わせるほどありふれた病気だったのである。このような状態に慣れてしまうと、いつかかかったときに重症にならないようにと考えて、元気な自分の子をわざと軽症者に接させる親まであらわれた。

人びとの天然痘への態度はイギリス文学に見てとれる。十八世紀の小説家、あるいは十九世紀の作家でも、わざとらしいと思われずに自然に筋を急展開させたいときには、天然痘を小道具にするのが便利だった。ヘンリー・フィールディングは『トム・ジョーンズ』(一七四九年)でそのような細工をし、『ジョゼフ・アンドルーズ』（一七四二年）では、ヒロインにあばたがあるのはあたり前のことのようだった。ウィリアム・サッカレイも十八世紀を舞台にした小説『ヘンリ・エズモンド』（一八五二年）で物語を進める道具に天然痘を選んでいる。

チャールズ・ディケンズの小説『荒涼館』（一八五二〜一八五三年）も、物語の中心に天然痘がある。主人公のエスター・サマソンは孤児のジョーの面倒を見てやったために天然痘に感染してしまう。ディケンズはエスターの病の重要な特徴を数多く丁寧に描いている——悪寒と高熱、かすれて痛々しい声、衰弱。目も患って一時的に失明し、意識混濁や精神錯乱を起こし、何週間も苦しんで死の淵をさまよい、すっかり回復するまでに長い時間がかかる。だが、エスターが何よりも心を痛めたのは、容姿が一変してしまったことだった。エスターはそのせいで友が離れていき、意中の人にも愛されなくなるにちがいないと思う。彼女が語っているように、看病してくれている人たちはエスターが驚かないように、伏していた部屋の鏡をすっかり片づけてしまった。こうしてエスターは、勇気を奮い起こしておそるおそる初めて鏡をのぞく。

それからわたしは髪をかきよせて鏡に映る姿を見ました……たいそうな変わりようでした——ああ、たいそうな、たいそうな……わたしは美しかったわけではないし、美しいと思ったこともありませんでしたが、それでもこんな顔ではありませんでした。面影の一つもないのです。悲しい涙をさほど流さずに昔の姿を忘れることができたのは、神さまの思し召しでしょう。これ以上ないほどつらい思いをしましたから、もう落ち着いていられたのです。[2]

エスターの容貌は変わり果て、生涯瘢痕が消えなかった。だが何よりも興味深いのは、エスターも作者ディケンズも彼女がなんの病を患ったのかをことさら書くまでもないと思っていたことだ。それくらい天然痘はあたり前の病気だった。『荒涼館』では、あらゆる社会階級の人びとを苦しめた天然痘が、総じて強欲で思いやりの欠如していたヴィクトリア朝の病理の象徴として描かれている。要するに、天然痘は特別なものではなかったので、わざわざ説明する必要もなかったのだ——人が生きているかぎり日常的についてまわるものだったのである。

当時の生活を描いた文学作品では、天然痘に左右されたのは個人の運命であり、社会の様相ではなかった。世の中に災禍をもたらしたペストの時代にダニエル・デフォーが記したような社会の変容は、十八世紀のヨーロッパでは起こらなかった。天然痘はロンドンなどの大都市から住民を追い立てず、人びとは日常的な出来事を誰かのせいにしようと頭に血をのぼらせはしなかったのである。

それでもなお、天然痘は一人ひとりの心のなかで不安や恐怖と切り離すことができなかった。たとえばサッカレイの『ヘンリ・エズモンド』は、物語の根底にこの病気への恐怖がある。ヒロインのカスルウッド子爵夫人は天然痘に感染する。戦場では勇敢な兵士だった夫も相手が病気とあれば剣を交えるわけにいかず、命の危険ばかりか醜い姿に変わることも恐ろしくて、毅然として立ち向かうことができない。美しい肌と豊かな髪を失いたくないカスルウッド子爵は、家族を放り出して屋敷から逃げ出してしまうのである。子爵家の小姓ヘンリ・エズモンドは「この世の恐ろしい天罰」、「容赦なき破滅」、「村に入り込めば住民の半数の命を奪う」「悪疫」[3]だと言い切る。それでもカルスウッド子爵は、大勢の市民とともに街を捨てて出て行くことまではしなかった。

　また、カスルウッド子爵夫人の美貌もエスターと同じように「ひどく傷つけられて」しまい、戻ってきた紳士たる夫は以前のように妻を愛さなくなった。天然痘は結婚の市場にも多大な影響をおよぼし、容色が損なわれた人は結婚相手としての価値が大きく目減りしたのである。サッカレイはこうつづけている。「病の症状はすっかりなくなったが……彼女の肌は明るさもつややかさも消え、瞳は輝きを失い、髪は抜け落ち、顔は老けて見えた。あたかも優美な絵画の得もいわれぬ美しい色味が荒々しい手でかき消され……死人のような色に塗りかえられたようだった。また、子爵夫人の鼻は腫れ上がって以前より赤みを帯びていたといわねばならないだろう」[4]。このように顔色から生彩が失われ、瘢痕やあばたが残り、ところどころ髪が抜け落ちた人は、つねならぬ悲しみと不幸に苦しめられた。サッカレイの物語はこうした状況を背景に進むのである。

アメリカの天然痘

　ヨーロッパの天然痘の歴史を特徴づけたのは病苦と死と苦悩だったが、この病気にはもっと劇的な歴史もある。天然痘が外からの侵入者として襲来した地域で、免疫も惨禍を阻止する手段ももたなかった人びとに降りかかった歴史である。天然痘は「処女地の疫病」として猛威をふるった。その災禍はヨーロッパでの拡大を経て、南北アメリカ、オーストラリア、ニュージーランドへと移っていった。天然痘はこれらの地の先住民を消滅させ、免疫に守られたヨーロッパ人の定住を促すことで歴史を変えたのである。一説には、感染症の流行はヨーロッパの拡大に火薬よりも大きく影響したといわれている。

コロンブス交換とイスパニョーラ島

「コロンブス交換」とは、ヨーロッパ人が南北アメリカ大陸に到達したことによって、大西洋の両岸間で植物、動物、文化、人間が大規模に移動したことをあらわす言葉である。じゃがいも、とうもろこし、キニーネの原料になる樹皮などの植物がアメリカ大陸からヨーロッパへ渡り、逆にヨーロッパからアメリカに渡ったのが病原体だった。要するに、ヨーロッパ人が天然痘と麻疹をアメリカ大陸にもち込んだのである。

病原体のコロンブス交換がどれだけ甚大な衝撃をもたらしたかは、イスパニョーラ島で起こったことによくあらわれている。衝撃はまずそこからはじまった。現在はハイチ共和国とドミニカ共和国に分かれているカリブ海のこの山がちな島は、一四九二年にクリストファー・コロンブスが上陸した場所の一つとして知られていた。

島の先住民はアラワク族というインディオの部族で、コロンブスの船が到着したときの人口は一〇〇万人と推定されている。コロンブスはこの島を自然が美しい地上の楽園と表現し、先住民は温厚かつ友好的な人びとで、スペイン人を温かく親切に迎えてくれたと報告した。

だが、親切は片方だけのものだった。相手方のスペイン人は利益の獲得と武力による制圧にしか関心がなかったのである。イスパニョーラ島は戦略的に好立地だったうえ、肥沃な土壌と温暖な気候に恵まれていたため、スペイン国王はその土地の開拓を強く望んだ。スペイン人はアラワク族から武力で土地を奪い、彼らを奴隷にした。このときヨーロッパ人は、二つの強力な力から決定的な援護を受けた。火薬と疫病である。疫病とは天然痘と麻疹で、先住民はこれらに対する免疫がまったくなかった。

病原体がもたらした事態は意図したことではなかった。スペイン人が大量殺戮をもくろんでいたとか、住民を根絶やしにして植民する計画を進めようとして病気をばらまいたといったことを示すものはない。にもかかわらず、イスパニョーラ島では先住民族の未曽有の大量死という恐ろしい出来事が起こった。一四九二年から一五二〇年のあいだに、先住民の人口は一〇〇万人から一万五〇〇〇人に激減した。農業も、防備も、社会そのものも崩壊し、生き残った先住民は恐怖におののいてヨーロッパ人を神と畏れるか、あるいは彼らの神よりも強い神を崇拝しているのだと考えた。コロンブス交換でアメリカ大陸にもち込まれた疫病は、銃が撃たれるよりも先にヨーロッパによる植民地化とキリスト教への改宗の下地をイスパニョーラ島につくったのである。

ヨーロッパ人は天然痘と麻疹のおかげで島の支配に成功したが、皮肉にもこれらの疫病は、先住民を奴隷にしてプランテーションと鉱山の労働に従事させようとした侵略者らの当初のもくろみを失敗に終わらせもした。先住民がほぼ絶滅してしまい、かわりの労働力を探さなくてはならなくなったからだ。こうして目を向けた先がアフリカだったが、それを後押ししたのはアフリカ人にヨーロッパ人と共通の免疫があり、アメリカ先住民を滅ぼした疫病に対する抵抗力を彼らが備えていたことだった。むろん当時は、このような社会経済的な発展の裏に免疫学の要素が隠れているとはわかっていなかったが、それまでの経験から、効果とリスクは目に見えていた。アメリカ大陸で奴隷制度が発達し、悪名高い中間航路が確立されたことには、感染症が大きな要因になっていたのである。

そのプロセスはほぼ滞りなくはじまった。一五一七年に初めてアフリカからイスパニョーラ島に奴隷が連れてこられ、島はそれから二〇〇年にわたって富を蓄積していき、世界の注目を集めた。やがて安定したプランテーション経済が確立され、一六五九年にフランスに割譲されてサン・ドマングと呼ばれるようになった島の西側半分は、フランス帝国で最も利益を生む領土になった。

歴史の大きな流れ

サン・ドマングの先住民の激減、植民、開発の物語は、「大局的な」歴史の変動に天然痘があたえた衝撃を浮かび上がらせるが、それはヨーロッパ社会の受けた衝撃とはある意味で根本的に違っていた。一四九二年にはじまったコロンブス交換について深く考えなくてはならない理由は、サン・ドマングで起こったことそのものにある。そしてそれは南北アメリカ全体にかかわるずっと大きなプロセスの一部にすぎないのだ。アラワク族が「処女地の疫病」で大量死してしまったように、メキシコのアステカ文明とペルーのインカ文明もそれぞれエルナン・コルテスとフランシスコ・ピサロが到着したのちに天然痘と麻疹の流行で滅亡し、また北アメリカの文明も絶たれて征服と植民がはじまったのである。

より大きなこの歴史の流れはほかでも語られている。興味のある読者なら、イギリスがオーストラリアとニュージーランドの植民地化でアボリジニにしたことを扱った書物や文献を読めばこれに類することがあったのを知るだろう。それでもヨーロッパ人による南北アメリカと海外領土の征服を疫病が手伝った事実は、イスパニョーラ島の開発というレンズを通すことで明確に見えてくるのである。

ここで付け加えておかねばならないのは、アメリカ先住民の大量死は計画的なものではないとされているものの、集団虐殺が意図されていた場合も一部にあったことだ。イギリス軍将校のジェフリー・アマーストがアメリカ先住民の数を「減らす」ために天然痘ウイルスに汚染された毛布を贈りものにすることを策謀し、北アメリカで大量殺戮を実行したのがその例である。この事実は忘れてはならない。生物兵器テロの恐怖がつきまとう今日、十八世紀に天然痘ウイルスを用いた戦略が成功していた事実を見れば、公衆衛生当局が恐ろしい生物剤リストの上位に天然痘を載せている理由がわかる。

天然痘と公衆衛生

天然痘接種

文化と社会におよぼした影響のほかに、天然痘の歴史をたどってみるもう一つの重要な理由は、この感染症によってそれまでなかった特別な公衆衛生対策が生まれたことだ——最初は天然痘接種、次に牛痘接種による天然痘の予防である。これら二つの予防法のうち、天然痘接種は歴史の古い民間継承の技術で、ごく単純な二つの現象が見られたことから世界各地で実践されていた。天然痘が正統の医学哲学に反して、どう見ても伝染するようだったことが一つ、また一度かかって回復すると二度とかからないことがもう一つである。天然痘患者は数が非常に多く、その大半の人の体に罹患した経験を示す特徴が残っていたので、この二つのことはわりあい容易に見てとることができた。そしてそこから、かかったときに重症になったり命を落としたりしないように、わざと前もって軽症の天然痘にかかっておくという考えが生まれた。この予防方法は「天然痘接種」「人痘種痘」あるいは庭仕事にたとえて「植えつけ」など、さまざまな名で知られた。

天然痘接種は文明によって、また施術者によってやり方が違ったが、病変が融合するほどでない軽度の患者の膿疱から膿みをとる方法が多かった。糸を膿疱に挿入して黄色い物質を染み込ませる。被接種者の腕の皮膚をメスで切開して糸を埋め、固定して二四時間経過させる。成功した場合は十二日後に軽症の天然痘を発症し、一か月ほど一連の経過をたどり、さらに一か月かけて治癒し、終生免疫を獲得する。この予防方法は十八世紀の中東とアジアではめずらしいものではなかったが、ヨーロッパでは行われていなかった。

天然痘接種をイギリスにもちこみ、イギリスから西ヨーロッパに広めた果断な人物は、トルコ駐在イギリス大使の妻で貴族出身のメアリ・ウォートリー・モンタギュー（一六八九〜一七六二年）である。モンタギューは重症の天然痘にかかったことがあり、美貌をひどく傷つけられていた。イスタンブールに滞在しているときに天然痘接種の習慣があることを知り、予防のために自分の子供たちに接種を受けさせることにした。そして十八世紀の手強い殺し屋に対して免疫をつけるという考え方に触発され、一七二一年にイギリスに帰国すると、トルコで学んだ異郷の手法を洗練されたイギリス社交界に伝授しようと決意した。

モンタギューの社会的地位と知性と熱心な活動によって、人びとは彼女の話に耳を傾けるようになった。王太子妃キャロラインは彼女の訴えに得心し、娘たちに接種を受けさせた——天然痘接種が認められた決定的な出来事だった。十八世紀の最も無慈悲な殺し屋から身を守る現実的な手段であることが瞬く間に明白になったため、天然痘の接種はルネサンス期のペスト対策以来、初めて成功した疫病対策として脚光を浴びたのである。イギリスは天然痘の流行の中心地だったため、天然痘接種に最初に熱狂したのがイギリスだったのは当然のことだった。だが、この方法はすぐにフランス、イタリア、スウェーデン、オランダでも進歩的な人びとに歓迎された。フランスの哲学者は理性と進歩の勝利と見なし、人びとへの教えに取り入れた。ヨーロッパ大陸ではヴォルテールとシャルル＝マリー・ド・ラ・コンダミンが、アメリカ合衆国ではベンジャミン・フランクリンとトマス・ジェファソンが熱心な提唱者になった。ジョージ・ワシントン司令官も、慎重に検討したのちに意を決して兵士への接種を命じ、これがおそらくアメリカ独立革命の勝利につながった。ロシアではエカテリーナ二世がロンドンからイギリス人医師を呼び寄せて接種し、貴族もすぐさま皇帝に倣った。こうして十八世紀を絶頂とする天然痘の流行は、初めての実効的な公衆衛生対策によってヨーロッパとアメリカから急速に姿を消していったのである。

それでも天然痘の予防策としての天然痘接種には一利一害があった。この方法のメリットは、恐ろしい病気に対する強い免疫が得られることである。この免疫獲得を成功させられたのは、いくつかの点で慎重に対応したからだ。まず、膿疱の内容物を採取する軽症患者を厳しく選別した。この判断を誤れば、被接種者が重症化してしまうおそれがあった。次に、健康状態にまったく問題のない者のみに接種した。さらに接種するまでの数週間を準備期間とし、その間は被接種者の抵抗力を高めるために休息と運動と食事を厳しく管理した。最後に、感染が軽度ですんだのには幸運な偶然による要素もあった。接種時にウイルスが体内に入る侵入門が皮膚だったことである。メスと糸を用いて致死率の高い天然痘ウイルスを皮膚から体内に入れるのは自然には起こりえず、現在ではこれによって病原体の病毒性が弱くなると考えられているのである。おかげで被接種者の大半は不快な症状が出ても軽症ですみ、容貌が損なわれることもほとんどなく終生免疫が得られ、将来の感染の不安から解放された。

その一方で、天然痘接種は接種を受けた者にとっても共同体にとっても、大きいリスクをともなう不備のある方法だった。まず経費がかかり、しかも完了までに三か月を要した――準備期間に一か月、感染期間が一か月、回復期間が一か月で、いずれの段階も慎重な管理が義務づけられた。このような手のかかる方法を受けられるのは経済的にも時間的にも余裕がある者にかぎられた。そのうえ被接種者には危険がついてまわった。ウイルスの病毒性の強さはつねに完璧に予測できるわけでなく、重症化したり、悪くすれば落命したり醜くなったりするかもしれなかった。人痘種痘の場合、被接種者が死亡する率は一、二パーセント、それに対して自然感染者の致死率は二五パーセントから三〇パーセントだったと推定されている。

さらに、天然痘接種は実際に天然痘に感染するため、感染が拡大したり流行したりするおそれもつきまとった。ロンドンに天然痘・予防接種病院が開設されたのはまさにこの理由からだ。目的の一つは接種した人を看護するため、もう一つは感染力がなくなって共同体に感染被害をおよぼす危険が消えるまで隔離するためだった。天然痘接種については、結局のところ死なせた者よりも救った者のほうが多いのかどうかが絶えず厳しく問われたのである。

牛痘接種

十八世紀のイギリスの天然痘大流行、そして天然痘接種への失望と不安を背景に、医学史におけるきわめて重大な発見があった。医師のエドワード・ジェンナー（一七四九〜一八二三年）が開発した牛痘接種法である。この技術革新がどんなものかを理解するには、天然痘（大痘瘡）ウイルスがオルソポックスウイルス属に属し、牛痘ウイルスも同じ属のウイルスであることを思い出してほしい。天然痘は人間しか感染せず、牛痘ウイルスはおもに牛が犠牲になる。だが条件がそろえば、牛痘ウイルスは種の壁を越えて牛から人間にうつる。人間が感染しても症状は軽くすみ、しかも生涯つづく天然痘の交差免疫を獲得できる。

十八世紀のイギリスでは、牛痘にかかるのはほとんどが乳絞りの女性だった。グロスターシャー州のバークリーという町で開業医をしていたジェンナーは、天然痘が流行していた時代に酪農の村の医師にしか気づけないごく単純な現象に気がついた。牛痘にかかった乳絞りの女性は天然痘にかからないようなのだ。このことを察したのはジェンナーが初めてではなかったが、乳絞りの女性たちから病歴を聞きとり、実験という次の段階に進んで裏づけたのは彼が最初だった。ジェンナーは一七九六年に実験した。使用人の庭師を説き伏せてその八歳の息子に乳絞りの女性から採取した牛痘ウイルスを植えつけ、次に天然痘の生ウイルスを接種したのである。ジェンナーはこの手法を、「雌牛から」という意味のラテン語「ワキヌス（vaccinus）」から「ワクチン接種」と名づけた。

現代の倫理基準で考えれば、このような実験に子供を使うのは許されないだろう。だが、牛痘にかかった少年はさいわい軽症で、その後に本物の天然痘ウイルスを接種したあともまったく異状がなかった。ジェンナーが最初の実験では被験者を一人にとどめ、二年待ってから一五人の有志にもう一度試したのは慎重さのなせる業である。彼はこの結果をもとに、ワクチン接種の将来性を分析した短いが歴史的な『牛痘の原因および作用に関する研究』を一七九八年に発表した。

ジェンナーの偉大さは彼が実験の意義を正確に理解していたことにある――天然痘を地球上から消滅させる可能性がこの実験から開かれたのである。ジェンナーは一八〇一年に、まるで予見するようにこう述べている。「人類の最大の苦しみである天然痘の撲滅がこの予防法の最終結果でなければならない」[5]。イギリス議会がほどなくワクチン接種を医学史上の偉大な発見の一つと宣言したのもこの理由からだった。ワクチン接種は新しい公衆衛生対策の基礎になり、天然痘のみならずポリオや破傷風、狂犬病、インフルエンザ、ジフテリア、帯状疱疹など、その他数多くの疾病に対しても効果があることが証明された。現在は、マラリア、ＨＩＶ／エイズなどの感染症のワクチン開発を目ざして研究が進められている。

ジェンナーは一七九八年の論文発表後も、天然痘のワクチン接種の普及に人生を捧げた。そしてその間に影響力のある人物をつぎつぎと支持者にしていった。ローマ教皇ピウス七世、イタリアの医師ルイジ・サッコ、フランスのナポレオン・ボナパルト、アメリカのトマス・ジェファソンらは重要な公衆衛生策としてワクチン接種を確立させた。

天然痘ではなく牛痘のウイルスを利用するワクチン接種は合併症の危険が小さく、共同体へのリスクも皆無だった。ところが天然痘の撲滅運動を妨げ、長引かせる問題が生じた。ジェンナーの当初の技術は生ウイルスを人の腕から腕へと植え継いでいくものだったため、ほかの感染症、なかでも梅毒を広めてしまう危険があることが心配されたのである。さらに、ジェンナーはワクチン接種で獲得した免疫は生涯つづくと頑なに唱え、それを否定するデータを検討しようとしなかったが、実際には免疫の持続期間には限界があった。接種したのに感染した者が出たことが動かぬ証拠になり、この手法への不信感と懐疑的な意見が広がりはじめた（のちにワクチン接種による天然痘の免疫の持続期間は二〇年であること、終生免疫を確実に得るには再接種が必要なことがわかった）。

接種の失敗、安全性への不安、そこにジェンナー自身が意地を張りすぎたことも手伝って、社会ではワクチン接種への反対意見が勢いづき、天然痘の撲滅運動はいっそう減速した。ヨーロッパとアメリカでは反ワクチン運動が十九世紀最大の民衆運動の一つになり、ワクチン接種は激しい論争を巻き起こした。国家による明らかな侵害だと訴える自由論者の抵抗、雌牛から採取した成分を人体に移植するのは神の定めた秩序に背く不自然な行為だとする宗教観、科学と科学がおよぼすかもしれない危険へのなんとはなしの不安などが波のように押し寄せ、反対論は絶頂に達した。人びとの不安をあらわした風刺画まで出まわった。驚愕する見物人と不運な医者の目の前で、接種を受けた人が頭から角を生やして牛に変わっていくというものだ。当時の医師ベンジャミン・モーズリーが、ジェンナーの手法でワクチン接種した貴婦人たちは「牧草地を歩きまわって雄牛に求愛されるだろう」[6]と述べたことで、反ワクチン運動からとうとうモラルも倫理も消え失せた。ジェンナーはフランス革命にひそかに憧れていて、自分の国でも社会秩序を覆そうと企んでいるなどという中傷さえささやかれた。また人痘接種を施す医者のなかには、牛痘接種のせいで仕事がなくなるのを心配して反対運動に参加する者もいた。

チャールズ・ディケンズが『荒涼館』を執筆したのは、こうした馬鹿げた反対運動のせいでワクチン接種の普及が遅れている状況に警鐘を鳴らすためでもあった。エスター・サマソンが死の淵をさまよった挙げ句に美貌を失ったのは、簡単で誰でも受けられるジェンナーの予防法に背を向けているとこうなってしまうという警告なのである。予防しなければ、エスターの不幸は誰の身にも起こりえた。

　だが、最終的にジェンナーの主張は正しいことが立証された。ジェンナーが初めてワクチン接種をしてから二〇〇年が経ち、冷凍、凍結乾燥ワクチン、空気圧を利用した針なし注射器といった技術の進歩によって方法は簡便になり、交差感染のリスクは事実上なくなった。また、熱帯の環境や材料の乏しい環境にもワクチンが行き届くようにもなった。一九五九年に世界機関によるこれまでにない撲滅計画のもとでワクチン接種運動が開始され、自然感染の天然痘は地球上から消滅した。一九七七年にソマリアで発生した患者を最後として、それから三年を経過した一九八〇年に世界保健機関（ＷＨＯ）は勝利を宣言した。

　アメリカ上院の労働・保健・社会事業関連機関小委員会の委員長デイル・バンパーズ上院議員は一九九八年の連邦議会での報告で、この撲滅運動の経済的負担と利益について総括している。バンパーズの評価では、国際的な根絶計画に費やされた経費は総額三億ドル、そのうちアメリカが拠出したのは三二〇〇万ドルだった。「この投資額は何倍にもなって戻ってきた。あの狂暴な殺し屋を排除したことは人道的恩恵のみならず、われわれに巨額の経済利益をもたらした。天然痘を根絶して以降、アメリカだけで二六日ごとに総投資と同等の額を取り戻している[7]」。

　同様に、アメリカ会計検査院は天然痘関連のワクチン接種、医療、隔離に関するその他の直接的、間接的経費を一七〇億ドル節約できたとしている。会計検査院の算出したところでは、アメリカが天然痘を撲滅し、ワクチンの定期接種を廃止した一九七一年から一九八八年までの経済利益は、年平均で世界規模の運動に投資した額の四六パーセントに相当する。このような国際的な努力の結果、天然痘は初めてにして唯一、根絶に成功したヒト感染症になったのである。

第8章　戦争と疾病1——ナポレオンと黄熱とハイチ革命

世界の歴史において非常に重要な奴隷反乱と十三年におよぶ戦乱を経て、革命指導者ジャン＝ジャック・デサリーヌは一八〇四年初めに、独立国家ハイチの成立を宣言した。史上初の自由黒人による共和国誕生を導き、脱植民地化の口火を切った革命だった。デサリーヌは「ハイチ独立宣言」で新国家の市民に次のように語りかけた。

二〇〇年にわたってわれわれの土地を血で汚してきた野蛮人を追放しただけでは十分ではない。諸君の目の前に自由という亡霊をちらつかせながら、その約束をことごとく鼻であしらってきたフランスを抑え込んだだけではまだ足りない。最後にもう一度だけ国家権力を行使させ、われわれが生を受けたこの地が自由の帝国であることを永遠に約束させようではないか。長きにわたりわれわれに屈辱的な無気力を強いてきた冷酷な政府に、ふたたびわれわれを奴隷にしようと思わせてはならない。そして最後に独立を勝ちとらねばならない。さもなくば死を。[1]

マサチューセッツ州と同じ面積、今日のケンタッキー州ルイビルと同じ人口のハイチが、人口二〇〇〇万人の強国フランスに勝利したのである（図8-1）。

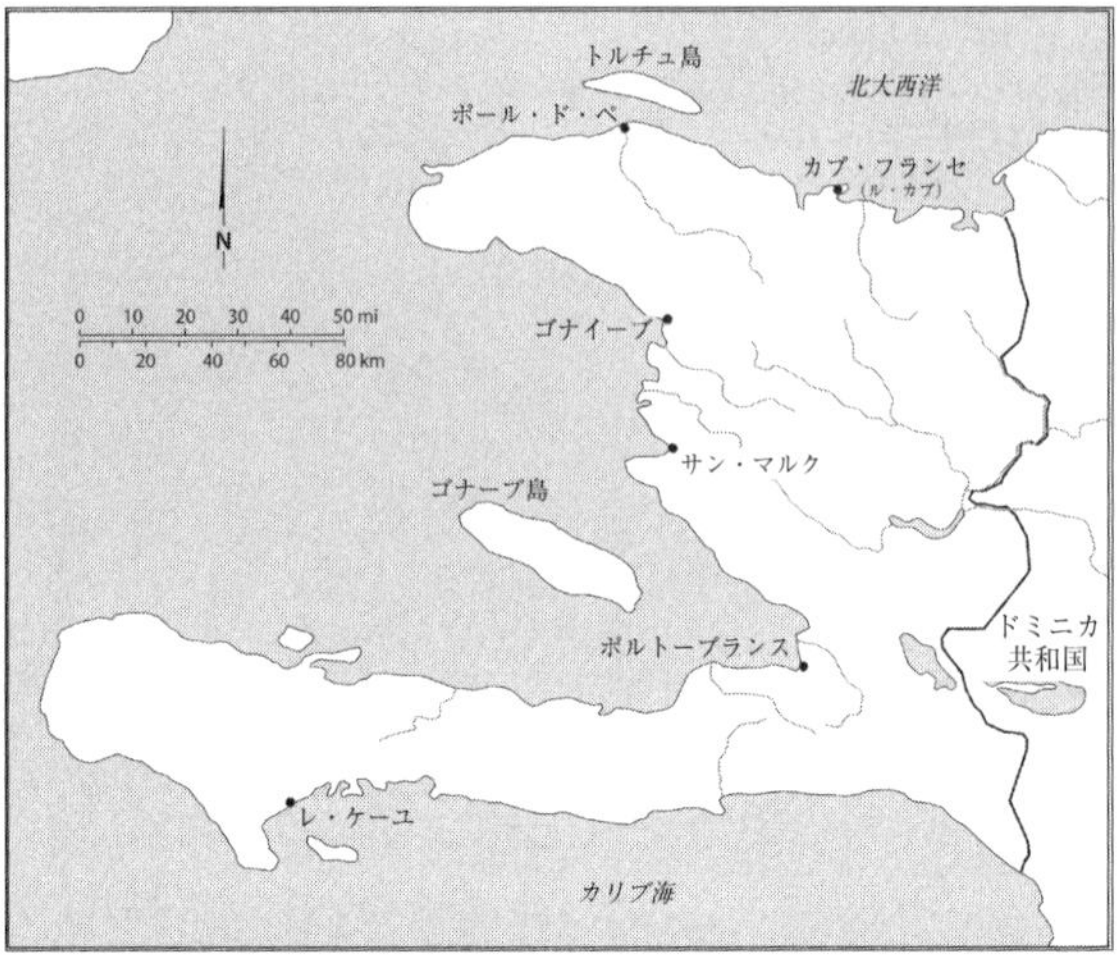

図 8-1　サン・ドマング［のちのハイチ］。1802 年から 1803 年の黄熱の流行でナポレオン軍は大打撃を受けた。［Bill Nelson 作画］

ナポレオンはそれまでサン・ドマングと呼ばれていたハイチを失うと、南北アメリカに強大なフランス帝政を敷く夢をあきらめた。北アメリカに勢力を拡大するための前哨基地と目した島を奪われ、熱帯環境での戦争の難しさに目を開かされたナポレオンは、ルイジアナ領土を守り切れないと判断し、ルイジアナ購入として知られる取り決めをアメリカ合衆国と交わした。この一八〇三年の取り引きにより、アメリカは約二一四万平方キロメートルの土地を獲得し、領土は二倍になって、のちに十五の新しい州が生まれることになった。

一八〇三年の時点では、いわゆるルイジアナ［当時のフランス王ルイ十四世にちなみ、「ルイのもの」を意味する「ラ・ルイジアーヌ」と呼ばれたことに由来する］はフランスにとって絵に描いた餅も同然だった——地図上の地名でしかなく、現実にはフランスの管理のおよんでいない領土だったからである。ナポレオンはよくわかっていたが、実質的な支配を確立して植民を進め、イギリス、アメリカ、アメリカ先住民の部族を敵にまわすことになった場合に撃退するための経済基盤を築くには巨額の投資が必要だった。ハイチが独立すれば、この事業は急激にリスクを増し、経費もかさむ。損失を抑え、トマス・ジェファソンの提示した金額を受け入れて、ほかの土地への進出に目を向けるほうが得策だとナポレオンは結論した。つまりアメリカを世界の強国にのし上がらせ、アメリカ先住民の多くの運命を決定づけたのは、この奴隷反乱の成功だったのである。

本章では、一八〇二年から一八〇三年にかけての恐ろしい黄熱の流行がどんな影響を残したかを考察する。ハイチの黄熱は、感染症が奴隷制度と帝政、戦争と国家形成の歴史に大きくかかわったことを明確に示している。

サン・ドマング

一七八九年、カリブ海の植民地サン・ドマングは、宗主国フランスの富と経済成長の欠かせない基盤になっていた。イスパニョーラ島の西側三分の一を占めるサン・ドマングは、一六九七年のレイスウェイク条約で成立した。この条約は現在のドミニカ共和国にあたる東側をスペインに、西側をサン・ドマングとしてフランスに割譲するものだった。サン・ドマングにある八〇〇〇余のプランテーションは労働力としてアフリカ人奴隷を使い、砂糖、コーヒー、綿、タバコ、藍、カカオを生産していた。これらの産物はハイチの港町、とくにカプ・フランセとポルトープランスを中心に、そこからマルセイユ、ナント、ボルドーへ船で運ばれた。こうしてノルマンディーの織物工場に原料が供給され、フランスの造船業がさかんになり、ヨーロッパの消費者の半数の旺盛な食欲が甘味とカフェインで満たされた。

フランス革命前の五〇年のあいだにサン・ドマングは世界一豊かな植民地になり、ル・カプ［カプ・フランセの現地での略称］は「アンティル諸島のパリ」としてその名が知られた。一七八〇年から一七八九年までだけを見ても、未加工品の出荷量は二倍に増え、年間一六〇〇隻の船が本国に向けてサン・ドマングを出港した。同時に、奴隷の輸入も一七六四年に一万人だったのが、一七七一年は一万五〇〇〇人、一七八六年は二万七〇〇〇人、一七八七年は四万人と急増した。とりわけ注目すべきは十八世紀の砂糖とコーヒーの大ブームで、これが連鎖的に土地価格の上昇に拍車をかけた。こうした目のくらむほどの経済成長の中心地はル・カプ東部の平地にある、一か所二〇〇人もの奴隷が働かされていた砂糖の大プランテーションと、そこから丘陵地帯を上ったところにある、それよりも小規模のコーヒー農園だった。

問題は、島がいつ爆発してもおかしくない矛盾をはらんでいたことだ。サン・ドマングのプランテーションが生み出す一エーカーあたりの富は世界一といわれていたが、それと同時に人間の惨苦が凝縮しているかのような場所もまさにここだったのである。サン・ドマングのプランテーションの奴隷は、鞭打ち、手枷、足枷、監禁、レイプ、焼き印といったきわめて苛酷な扱いに耐えていた。農園主にしてみれば、彼らのために人間らしい生活環境を整えるよりも奴隷を使い捨てて補充するほうが安く上がった。こうした非人道的な扱いは、農園主の大半が現地にいないという実情のあらわれでもあった。彼らは熱帯の気候と黄熱にかかる危険にさらされるよりも、パリでの快適な暮らしを選んだのである。黄熱は、西インド諸島の病原体による脅威のなかでも死亡率のとくに高い病気だった。そこで農園の経営は、長期的に安定した収益を上げるよりも手っとり早く儲けようとする管理人に委ねられた。こうしてフランス革命前夜には、アフリカから連れてこられた奴隷の大多数がル・カプに上陸して五年以内に命を落とし、彼らと西インド諸島の大農園経営者との関係は恐怖とたがいへの敵意のもとに成り立っていた。

プランテーションでは死亡数が出生数をつねに上まわっていたため、十八世紀の奴隷人口の伸びはアフリカから奴隷船が途絶えることなく到着するかどうかにかかっていた。黒人奴隷の高い死亡率は、過度の労働、作業中の事故、粗末な食事、過密、不衛生、疾病、なかでも赤痢と腸チフスと破傷風が原因だった。ところが黒人は、ヨーロッパ人を最も脅かした病気で死ぬことはめったになかった。その病気とは、アンティル諸島は白人の墓場だという、寒気を催すような噂の根拠になった黄熱である。

「苦い砂糖」

黄熱はさまざまな呼び方をされた。黄疸があらわれることから「黄褐色《ブロンズ》のジョン」、とくに恐れられた症状をあらわして「黒吐病」、ひどい高熱を発することから「悪性熱」、植民地世界に起源をもつと考えられたことから「シャム病」、診断がくだると強制隔離を示す黄色い旗が掲げられたことから「イエロー・ジャック」などである。黄熱という最も定着した病名は、黄疸と隔離の旗の色に由来する。この病気は、雌の成虫が媒介生物《ベクター》になるネッタイシマカとともに西アフリカと中部アフリカから奴隷船に乗って初めて運ばれてきた。奴隷も蚊も黄熱ウイルスの病原保有体《リザーバー》だった。まさに奴隷船は、西インド諸島の歴史を変えた熱病の強力な媒介生物のようなものだったのだ。

砂糖の生産はサン・ドマングの自然環境を一変させた。その結果として、サン・ドマングは奴隷にとってエデンの園にならず、病原体とネッタイシマカにとってのこの世の楽園になった。さとうきび栽培に要するさまざまな作業は、恐ろしい黄熱の媒介昆虫の拡散に好都合だったのだ。まず森林伐採である。これによって、昆虫を捕食して蚊の増殖を抑制していた鳥類の生息地が破壊された。密航者としてやってきたネッタイシマカは、土地が切り開かれたおかげで生き残るために必要な生息数をカリブ海域諸島で確保したのである。次に森林破壊は土壌を侵食して沈泥を堆積させ、洪水の原因となり、海岸沿いに低湿地を出現させた。まさに飛翔昆虫にとって格好の条件である。

森林が開墾されたあと、さとうきびの植えつけと栽培がネッタイシマカにさらなる好機をあたえた。蚊は繁殖に広い水面を必要とせず、水の入った容器の水面か水面よりわずか上の側面に卵を産みつける。水槽、樽、壺、割れた陶器は理想の場所だった。作業の第一段階である糖蜜の分離と砂糖の精製で使用される多数の粘土の瓶も申し分なかったし、甘い液体は孵化したばかりの幼虫にとってこのうえない栄養源になった。バケツもそこら中にあった。奴隷や役畜の飲み水や野菜畑にまく水を運ぶために使われていたからだ。

同じく重要だったのは、媒介昆虫の農園での生息環境である。雌の蚊は卵を成熟させるために血を吸わなければならない。しかもネッタイシマカの場合、人間以外の哺乳動物の血をあまり喜ばない。プランテーションでの奴隷の密集状態は蚊の繁殖を促し、その一方で蚊は絶えず黄熱ウイルスを奴隷の血液に注入し、病気を運んだ。

アフリカ生まれの奴隷は黄熱に免疫のある者が多かったが、慌ただしいほどの経済成長が免疫のないヨーロッパ人をいくらでも連れてきた。船員、貿易商、役人、軍人、職人、密売人、商店主が、急成長中の砂糖・奴隷経済に必要なものを提供しにヨーロッパからひっきりなしにやってきた。経済の中心地は人口二万人の最大の街ル・カプだったが、蚊が飛んで移動できる距離に海岸線沿いの小さな港町がつぎつぎとできていた。おまけにネッタイシマカは都市環境に容易に適応する。そのため街でも田舎でも、高温多雨の夏になると、免疫のない白人が黄熱の集団発生に火をつけた。その規模はふだんはたいしたものではなかったが、ヨーロッパから大勢の水夫と軍人がどっとやってくるたびに火に油が注がれ、大火のように拡大した。

プランテーション経済にはウイルス伝播の維持に必要な条件がほぼそろっていたが、西インド諸島の熱帯気候もまたウイルスに味方した。気温と湿度が高くなる五月から十月の雨季は、媒介生物の生活環にもウイルスの生活環にも適した気候だった。さらに小氷期として知られる寒冷化傾向を終わらせ、その後長期におよんだ温暖化傾向を指摘する研究者もいる。小氷期のはじまりと終わりは正確にいつと特定できないが、寒冷な気候は十七世紀初めにはじまり、十九世紀初めに終わったと考えられている。つづく温暖化傾向は気温と降雨量の上昇をもたらした。この気候変動によって、黄熱とそれを媒介する蚊の蛮行がはじまったのである。

黄熱が地域流行病だったアフリカ各地からきた奴隷には、通常、獲得免疫と交差免疫と遺伝子による免疫のいずれかが備わっていた。子供のころにこの病気にかかり、それによって得たのが生涯にわたる獲得免疫である。また、同じくアフリカ広域の風土病であるデング熱にかかったことのある者は、交差反応による抵抗力をつけた。デング熱ウイルスは黄熱ウイルスと同じフラビウイルス属であるため、デング熱にかかると黄熱に対しても強力な交差免疫が獲得されるのだ。牛痘で天然痘の交差免疫が得られるというエドワード・ジェンナーの有名な発見と似た仕組みである。最後に、アフリカ人は進化の選択圧によって遺伝的に免疫を獲得していると多くの研究者は考えている。マラリアの発生しやすい環境にさらされているアフリカ人種と地中海人種に、遺伝的に鎌状赤血球形質や地中海貧血が見られるのと似ている。

アフリカ人の免疫と抵抗力の高さと対照的に、白人はそれらがほとんどなかった。ヨーロッパ人のあいだでは、イスパニョーラ島をはじめとするカリブ海域諸島は健康を害する場所として知られており、島のおよぼす危険のなかでも黄熱はとくに恐れられていた。したがってヨーロッパ人とアフリカ人奴隷とでは、病歴も正反対だった。この顕著な違いは世界的にも知られており、一八五〇年にイギリスの作家ロバート・サウジーはこう述べている。「病気はまるで植物のごとく自らの土壌を選ぶ。泥土を好む植物もあれば、砂を好む植物もあり、また石灰岩を好む植物もあるように、黄熱は黒人に根を下ろさず、フランベジアは白人に根を下ろさない[2]」。

この免疫の違いがサン・ドマングの歴史に途轍もない影響をおよぼした。まずプランテーションの労働力として貧困白人と先住民をあてにできないため、アフリカから黒人を輸入する必要が生じた。また社会的緊張が極度に高まり、暴動が起こる原因になった。さらにヨーロッパ人住民ばかりを襲う黄熱の爆発的な流行が周期的に起こった。そしてこのあと見ていくとおり、このような状況にヨーロッパ艦隊の到来が重なって、一八〇二年には南北アメリカ史上最悪の黄熱流行が起こる。そしてこの大流行が、ナポレオンのアメリカ進出の野望が打ち砕かれたことをはじめとする一連の重大な結果を生むのである。

社会の緊張

サン・ドマングに奴隷による抵抗運動の歴史が生まれたのは、砂糖プランテーションの苛酷な環境があればこそだった。フランスの啓蒙思想家で著述家のギョーム・レナールのような非当事者は「新しいスパルタクス」のもとに大蜂起が起こると予言し、奴隷制廃止論者のミラボー伯爵はサン・ドマングをベズビオ火山になぞらえた。奴隷の抵抗運動は、個々の不服従、暴力による報復、日曜ミサでの体制転覆思想の流布、「マルーン」の形成といったさまざまなかたちをとった。マルーンとは、山中や森林に身を隠しながら暮らし、自由を追求した逃亡奴隷の集団である。また、数は多くなかったとはいえ、もっと直接的にプランテーション経営を脅かした集団行動もあった。彼らは過剰に暴力をふるう監督や監視人に対抗しようとし、徒党して農園を脱走し、戻るかわりに条件を交渉した。

農園経営者がとくに恐れたのは大規模な烈しい反乱がときどき起こることで、そのたびにサン・ドマングの砂糖プランテーションは日常作業が中断した。こうした暴動のなかで最も有名な一七五八年のマッカンダルの陰謀では、怒り狂った奴隷が農園主を毒殺したり監視人を相手に恨みを晴らしたりした。ブードゥー教の司祭でもあった首謀者のフランソワ・マッカンダルは火あぶりの刑に処せられたが、彼は炎のなかから奇跡的に生還していて、みなを自由へ導くために戻ってくるはずだと長いこと信じられていた。マッカンダルの記憶は、一七九一年から一八〇三年のハイチ革命でフランソワ＝ドミニク・トゥーサン・ルヴェルテュールをはじめとする反乱指導者を奮い立たせた。

彼らをさらに駆り立てたのは、植民地の人口構成だった。サン・ドマングはアメリカ南部とは事情が違い、プランテーションの奴隷が人口の圧倒的多数を占めていた。奴隷の数は五〇万人を数えてカリブ海域諸島で最大数となり、すぐ隣のライバル植民地ジャマイカの奴隷人口二〇万が少なく思えるほどだった。残りのサン・ドマング人はムラート（有色人《ジャン・ド・クルール》）が三万人、白人が四万人である。さらにサン・ドマングのアフリカ系奴隷は世界で最も人口密度が高かった。アメリカと異なるのはこの点である。バスティーユ牢獄が陥落してフランス革命が勃発した一七八九年の時点で、アメリカの黒人奴隷数は合衆国全土で七〇万人だったが、サン・ドマングではわずかマサチューセッツ州ほどの面積に五〇万人の奴隷がひしめいていたのである。

この黒いサン・ドマング人の集中は、さらに別の側面があった。砂糖プランテーションは労働集約型の産業で、数百人もの男女が働いていることもあった。こうした状況では、反体制的な政治思想や宗教思想がプランテーション内にあっという間に広がり、近隣のプランテーションにも伝わることがあった。このように、サン・ドマングの人口構成と労働形態は他の奴隷社会とは比較にならないほど反乱成功の可能性を高めた。

さらに、植民地の黒人は重大な局面でしばしばムラートを味方につけた。そのころの人種区分では、「有色人」であるムラートは中間的で複雑な立場にあった。彼らは法的には自由市民で、白人は彼らを白人側の労働者として奴隷監督や監視人や民兵に使った。だが一方で、混血人種は人種隔離政策のもとで屈辱的な扱いを受けてもいた。武器を所有することや公職に就くことは法律で禁じられ、経済の梯子の下段に縛りつけられているのが普通だった。ムラートのあいだには不満がくすぶり、そのことが社会構造の長年の弱点になっていた。

人種のヒエラルキーが永遠につづいてほしい者にはおもしろくないことだったが、白人は数のうえで大きく不利だったため、ろくに武器をもたない黒人でさえ白人社会の転覆は夢ではないと感じていた。白人のあいだには、身分、階級、教育、世襲財産による根深い線引きがあり、それゆえに勢力としてのまとまりに欠けていたため、黒人はいっそうその夢に心を奪われた。多数の小白人《プティ・ブラン》――身分の低い白人の職人、水夫、小商店主、露天商人などを、黒人は馬鹿にしてそう呼んだ――は、島の社会階層の頂点にある裕福なプランテーション経営者や貿易商とは利害が一致せず、支配階級である農園経営者どうしでも関心事が異なり、低地の砂糖プランテーションの経営者と丘陵地帯のそれよりずっと小規模なコーヒー農園の経営者は対立していた。

アンシャンレジームの末期にサン・ドマングを揺るがしたもう一つの要因は、奴隷の大多数が「疲弊」することなく、惨めな境遇に慣らされてあたり前に感じてなどいなかったことだ。プランテーションでは奴隷がつぎつぎと死んでいくので、一七八九年当時の島の奴隷は大半がアフリカ生まれで、したがって奴隷にさせられる前の生活の記憶があった。鎖につながれて到着したばかりの人びとは、奴隷状態を当然のものとも永続するものとも思わなかった。彼らは自由だったころの記憶と同国人とのつながりを絶やさず、母国語や習慣や信仰を捨てなかった。多くは兵士としての経験もあった。こうしたことから、彼ら「アフリカの古参兵」は反抗的で逃亡しやすいと思われており、騎馬警察隊《マレショーセ》――白人の管理下でムラートを配置して田園地帯を警備させる警察部隊――の厳しい監視下に置かれた。マレショーセの任務は彼らに労働規律を守らせること、反抗者を処罰すること、マルーンを捕らえることだった。

一七八〇年代半ばの社会情勢の不穏さに気づいたのは、皮肉にもフランス本国の植民地局だった。サン・ドマングでの暴動の報告に不安を感じた植民地局は、社会の安定を強化する目的で砂糖プランテーションの奴隷に対する虐待を禁止し、生活を改善する法令を発布した。奴隷を殺したプランテーション経営者に対する刑罰を導入すること、週一日の休日と労働時間の制限を設けること、生命維持に必要な食事を奴隷にあたえることが必要だと王政国家の政府が考えたのは驚きである。プランテーション経営者がこの新規定にやかましく抗議したこと、またル・カプの裁判所が規定を承認しなかったことも意味深い。ある研究者の言葉を借りれば、「類のない極端かつ集中的な奴隷制度」[3]が敷かれたサン・ドマングは不満の頂点にあった。

アンシャンレジーム下のサン・ドマングをとくに脅かしていたのは、奴隷がマルーンになることだった。プランテーションを脱走した奴隷たちが、当局の手のおよばない集団を組織するのである。山中にひそんだマルーンはたびたびプランテーションを襲撃し、略奪したり火を放ったり農園管理者らを虐殺したりした。ところが経済成長にともなってさとうきび畑の用地が仮借なく増やされていき、山中という安全地帯がしだいに侵された。さとうきびとコーヒーの栽培が拡大するほど広野と森林が消えていき、マルーンの活動はだんだんと困難になりはじめた。こうして奴隷は服従か反乱かの厳しい選択を迫られるようになっていった。

奴隷反乱と黒いスパルタクス

フランス革命は、「自由、平等、博愛」とは真逆だったサン・ドマング社会の一触即発状態に火をつけた。植民地は本国での出来事を固唾を呑んで見守った。一七八九年にバスティーユ牢獄が襲撃されると、ル・カプ、ポルトープランス、サン・マルクはプティ・ブランを中心にお祭り騒ぎになった。宴のあと、彼らはパリに倣って政治結社を組織した。思想、海外の情報、地元の不満が街の人びとの耳から耳へ、口から口へ伝わった。黒人奴隷と有色人が週に一度の休日を過ごす専用の酒場や教会や市場は、意見交換の場になった。また、有色人のみならず黒人奴隷にも読み書きのできる者がいて、白人向けに発行されていた植民地新聞の情報を多くの人に伝え、ひいては各プランテーションに広めるパイプ役を果たした。

一方、フランスで国民議会が成立すると、サン・ドマングでもサン・マルクに植民地議会が設立された。そこで交わされる人種の特権についての議論、また本国と植民地のあいだの利害の不一致についての議論は、カリブ海域諸島全域に波及した。実際のところ、国民議会が封建制と貴族制を廃止したのを受けて、サン・ドマングではそれに関する疑問が提起され、熱い議論が交わされた。封建制が時代にそぐわないなら奴隷制も同じではないか、サン・ドマングの「肌の色による特権階級」はフランスの「法衣による特権階級」および「武力による特権階級」と同じ運命をたどるべきではないか。

とくに議論を煽ったのは、植民地の現状と両立しえない「人権宣言」である。サン・ドマングのムラート代表のヴァンサン・オジェは、人権の普遍性はパリと同様にル・カプでも有効であると国民議会で主張して、植民地と本国の関係を明確にしようとした。すでに一七八八年に、パリの急進派であるジロンド派の指導者ジャック゠ピエール・ブリソが奴隷制に反対する「黒人の友の会」を組織し、ムラートの平等な権利を求める運動を支持していたが、「黒人の友」はその名称からすると皮肉なことに、黒人奴隷解放の問題を避けていたのだった。国民議会は人間を所有物とする考えを問題視し、またジロンド派と友の会からの圧力もあって、一七九二年に植民地の混血人種に参政権をあたえた。当然、ならば肌の色のもっと黒い者にも参政権を、ということになる。友の会よりも急進的な対立党派のジャコバン派は、植民地の奴隷制を非合法とする立場を明らかにした。

一七九二年から一七九四年まで、フランス第一共和政は着実に奴隷制廃止の方向へ進んだ。その結果、白人にしてみればもってのほかの本国の思想がサン・ドマングにもおよぶと同時に、プランテーションの奴隷制はフランス政府による無条件の擁護を失った。それまで本国政府は社会階級を強化する手段――総督、裁判所、駐屯部隊、警察――を絶えず植民地に送り込んでいた。それがいま、国民議会は五〇万人もの奴隷を支配する入植者の権力を重視しなくなった。パリからサン・ドマングへ戻ったオジェは一七九〇年に反乱を先導し、人種差別の撤廃を求めた。反乱は失敗に終わり、オジェは捕らえられて処刑されたが、彼もフランソワ・マッカンダルと同じように自由を求める運動の象徴に、また社会の序列に抗う者の模範になった。

このように政治的な緊迫が高まるなかで、砂糖生産の行われている平地で反乱の火が燃え上がった。一七九一年八月、黒人奴隷とマルーンがカイマンの森で有名な会合を開き、蜂起を計画した。間もなく彼らは計画を実行に移し、プランテーションからプランテーションへ移動して必需品を略奪しながらさとうきび畑に火を放ち、加工機械を破壊した。奴隷の反逆行為はサン・ドマングの苛酷な日常においてめずらしいものではなかったが、規模も場所もかぎられたものだった。一七九一年のこの蜂起はあらゆる点でそれまでの反乱の比ではなかった。暴動勃発の知らせは広がり、それを引き金に北部州全体が蜂起し、やがて植民地全土を巻き込んでいき、農業労働者、都市奴隷、家事奴隷、また自由なムラートまでもが一致団結して戦った。ブードゥー教もキリスト教も、奴隷のあいだに連帯感を生み、共通の目標という言葉を浸透させて、年長者にしたがおうとする意識を高めるという重要な役割を果たした。

カイマンの森での会合をとりしきり、初期の暴動を主導したのは、農園で御者をしていたデュティ・ブクマンだった。ブードゥー教の司祭でもあったブクマンは、奴隷仲間のあいだに多大な影響力があった。しかし、この反乱と最も深いかかわりがあるのは、最初の蜂起から参加していた「黒いスパルタクス」ことフランソワ＝ドミニク・トゥーサン・ルヴェルテュールである。反乱者らは彼の指揮の下で全面解放とフランスからの独立という、より大きい夢を目ざすようになった。それを物語るのは、革命歌を歌い、三色旗を掲げ、自由を守ろうというトゥーサン・ルヴェルテュールの呼びかけに反乱戦士らが応えたことだ。彼いわく、自由こそ「人間がもちうる最も貴重な財産」[4]なのである。

いったんついた反乱の火は瞬く間に広がった。南北アメリカでこのときほど奴隷制度が脅かされたことはなかった。歴史学者のローレント・ドゥボイスは次のように述べている。

反乱者は非常に多様だった——男に女、アフリカ生まれの黒人に植民地生まれの黒人、監督に農業労働者、山のコーヒー農園の奴隷に砂糖プランテーションの奴隷……彼らは暴虐な制度に暴虐をもって臨み、世界一豊かな地域の経済を壊滅させた。反乱がはじまって八日のうちに一八四か所のプランテーションを破壊し、九月下旬までに二〇〇か所以上を襲撃し、ル・カプから半径八〇キロメートル以内のプランテーションは残らず灰と煙に化した。さらに平地を上がった山のコーヒー農園は一二〇〇か所近くが襲撃された。反乱者の数はさまざまに推算されているが、九月末には……野営地に八万人がいた。[5]

この反乱を象徴するのが暴力と破壊行為であるのは、奴隷たちがプランテーションの消滅を求めていたからである。彼らは建物と畑に火を放ち、民兵の巡視隊を待ち伏せ攻撃し、地主と奴隷監督を虐殺した。反逆者のリーダーのなかには節度を守る者もいたが、一日で何人の白人を吊るしたかを自慢する者もいた。

サン・ドマングの白人はフランス政府から届く知らせに動揺し、意見は真っ二つに分かれた。北部一帯が炎に包まれているあいだ、ル・カプでは白人議員が対策について激しく議論を戦わせたが、あまりに時間をかけすぎた。反逆者らはその間に作戦を立て、参加者を集め、武装することができた。白人のこの出遅れが反乱を成功に導いた重要な要因なのである。

だが、奴隷所有者と奴隷制支持者が立ち上がったときには、彼らも同じくらいの暴力と固い決意で応戦した。植民地議会は「反逆黒人」との交渉を拒否し、彼らに無条件降伏を求めた。この最後通告が暴動を革命に変えた。

奴隷制回復をねらうナポレオンの戦い

大きな鍵をにぎるのは、本国の当局の姿勢だった。トゥーサン・ルヴェルテュールの指揮のもとで着々と武装化を進め、団結し、組織化していく奴隷の大集団を撃破するには、「肌の色による特権階級」がいくら妥協を許さない構えでいても、数が少なすぎた。農園主が国民議会に心底から望んでいたのは、大軍をル・カプによこして暴動を鎮圧し、奴隷制度を回復させることのみだった。

農園主らにとって不運だったのは、一七八九年から一七九二年にフランス革命がしだいに急進的になり、国民議会でジロンド派とジャコバン派の二党派が勢力を伸ばしたことだった。両派とも、本国で貴族制が廃止されれば、サン・ドマングの「肌の色による特権階級」も消滅して当然と考えていた。一七九二年、国民議会はプランテーションの奴隷制に関する立場を表明した。奴隷制廃止を支持するレジェ＝フェリシテ・ソントナと改革推進者のエティエンヌ・ポルヴェレを代表委員として送ってきたのである。二人は植民地政策をあらためた。

ソントナとポルヴェレのこの行為には、彼らが奴隷制を倫理的に憎んでいたことのほかに、便宜的な動機もあった。反乱が自国の植民地に波及するのを恐れたスペインとイギリスがサン・ドマングに武力干渉しようとするのを、なんとしても阻止したかったのである。植民地政策でフランスと張りあってきた両国は、奴隷解放と黒人政府の成立という危険な先例をつぶそうと躍起になっていた。サン・ドマングは比類のない裕福な植民地であり、この地が落ちれば革命フランスも大きく揺らぐと考えた反革命の二大強国は、ますます態度を強固にした。

スペインとイギリスの脅威に対抗するため、二人の代表委員はフランス共和制を支持する奴隷を呼び集めるという思い切った行動に出た。一七九三年に、二人は自らの権限で奴隷を合法的に解放し、フランスの完全な市民権をあたえると布告したのである。こうしてトゥーサン・ルヴェルテュールと反乱軍は、黒人を解放してくれた共和制フランスに忠誠を誓った。代表委員の二人

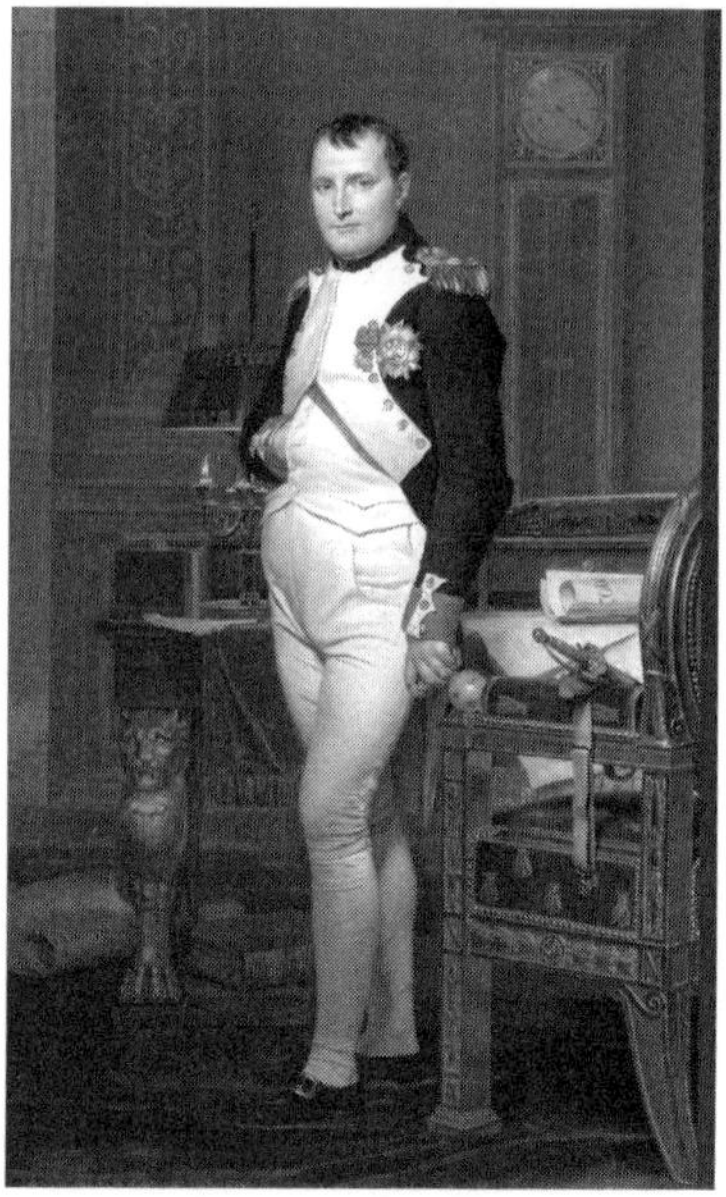

図 8-2　ジャック＝ルイ・ダヴィド『書斎のナポレオン』（1812 年）。ワシントン・ナショナル・ギャラリー

はその引き換えに彼らに武器を供与した。

ソントナとポルヴェレは植民地での新しい政策についてフランス政府から正式に承認を得るために、白人一名、ムラート一名、そして元奴隷のジャン＝バティスト・ベレーの三人からなる代表団を国民公会（国民議会の後身）に送り込んだ。当時、ジャコバン派左派が主導権をにぎっていた国民公会は、サン・ドマングが人種平等であることを告げるベレーの声明を大喝采で受け入れた。直後の一七九四年二月四日、国民公会はフランス革命におけるきわめて重要な文書を発行した。かの有名な奴隷制廃止宣言である。内容は簡潔だった。「国民公会はすべての植民地の黒人奴隷制廃止を宣言する。よって肌の色の違いに関係なく、植民地に居住する者すべてがフランス市民であり、憲法で保障されたあらゆる権利を有することを定める」[6]。奴隷所有者の損失を補償する条項はなかった。

ところが、奴隷解放はその後一〇年にわたって先行き知れずになった。一七九四年夏に、革命の振り子が右に振れたのである。七月二七日、フランスでは恐怖政治に対する反動でクーデターが起こり、マクシミリアン・ロベスピエールの率いるジャコバン派は崩壊した。ロベスピエールとその一派は処刑され、奴隷廃止論者は勢力を失った。つづく三つの体制は、革命の成果を後退させようとしたわけではない。その意味では反革命ではなかったが、安定と秩序を優先させ、革命を停止しようとしたのである。さらに、革命フランスはつねに戦乱状態だったため、しだいに軍隊とその有力な人物、すなわちコルシカ島生まれのナポレオン・ボナパルト将軍への依存を強めていった（図8－2）。

第一統領になったナポレオンがサン・ドマングの情勢を見る目は穏やかではなかった。ナポレオンは身分の低い者の解放と異人種間の結婚を嫌悪し、また黒人に統治能力はないと考えていた。スペインおよびイギリスと同様に、彼もまたサン・ドマングの奴隷反乱の先例がグアドループやマルティニク、ギアナなど、アメリカ地域のほかのフランス領での奴隷制を揺るがせるのを憂慮した。人種の垣根を維持しようと決めたナポレオンは、反乱の武力鎮圧と奴隷制の復活を考えはじめた。トゥーサン・ルヴェルテュールと親交のある白人、また有色人か黒人と懇ろな関係にある白人女性を追放する命令をくだしたことに、ナポレオンの意向があらわれていた。トゥーサン・ルヴェルテュールはこれまでの流れからサン・ドマングの総督に就任していたが、ナポレオンは彼を身分をわきまえるべき生意気な成り上がり黒人と見なしていた。

さらにナポレオンは、この手強い相手の政治手法もひどく嫌っていた。自分のやり方と似すぎていたからだ。トゥーサン・ルヴェルテュールはたかがしれた領土のなかで才気ある軍事指導者としてえらそうにふるまう独裁者であり、しかも「黒いスパルタクス」のみならず「黒いナポレオン」とさえ呼ばれていた。一〇年におよぶ反乱ののちも正式にはなおフランス植民地であるにもかかわらず、彼の統治下のサン・ドマングは独立国家のようにふるまっていた。憲法を起草し、フランスの利害にほとんど配慮しない外交政策を推し進め、終身総督を宣言し、その憲法にはフランス領と明記されていたものの、同時にサン・ドマングは独自の「特別法」にしたがうとも表明していた。

こうした服従拒否は反逆罪すれすれだった。島はフランス経済で非常に重要な役割を果たしていたため、この姿勢はなおさら受け入れられなかった。ナポレオンは、富を生むプランテーション農業を復活させるべきだと判断した。そこで忠実な支持者に報酬として土地を分配し、荒廃した農園を回復させて生産を再開させるための経済的手段をあたえようと考えた。そして海軍と植民地局に信頼できる奴隷制支持者を数多く配置すると、大規模な遠征軍を送る計画を立ててはじめた。ナポレオンは「サン・ドマングに住む紳士の頼もしい助言」[7]に喜んでしたがおうと記している。

第一統領はさらに壮大な領土的野心も抱いていた。いっそうの支配力拡大と未来永劫の栄誉を手にしようと、北アメリカのフランス植民地の役割を生き返らせることを思い描いていたのである。サン・ドマングの煩わしい黒人の抵抗を抑え込めば、そこを拠点にルイジアナから北のミシシッピにまでフランスの勢力を拡大できるにちがいない。その過程でイギリスとの勢力争いに勝利すれば、フランスは富を得られる。綿密な計画よりも自らの非凡な才能と直感を信じるほうを選んだナポレオンは、具体策を後まわしにした。それでも、フランスが北アメリカで勢力を得るための第一歩は明らかだった。自分と自分の野望とのあいだに立ちはだかる黒人を全滅させるのである。トゥーサン・ルヴェルチュールとの戦いが迫ってきた。

二人の衝突を、たんに奴隷制と自由の闘い、あるいは白人主権と人種平等の闘いといってしまうのは語弊があるだろう。トゥーサン・ルヴェルテュールは、半自由的な折衷方式のプランテーション経営を構想する実利主義者だった。つまり彼の描いていた将来像は、裕福な白人と資産のある有色人とエリート黒人が共同でさとうきびに投資し、従順な労働者を管理するというものだったのである。この新しい仕組みでは、農場労働者は雇用主を自由に変えることができ、体罰に怯えずに暮らすことができる。だがその一方で、法的に自由になっても、黒人と有色人が厳しい規律のもとで低賃金の重労働をときに力ずくで強いられるのは変わらず、また都市部への移住も許されない。農園の働き手が農場での労働を奴隷状態と見なすことを覚えてしまったり、自由になったとたんに怠惰になったりされては困るからだった。

トゥーサン・ルヴェルテュールが第一に考えたのは、事実上の奴隷制の復活と人種隔離、フランスの支配なしに、生産性をなんとしても回復させることだった。彼がプランテーションを見る目は複雑だった。トゥーサン・ルヴェルテュールは元奴隷だっただけでなく、強制労働をさせていた裕福な農園主として彼自身が奴隷を所有していたことがあったからである。側近の相談役にも元奴隷所有者がいた。彼の目標は社会的平等と政治的自由ではなく、戦乱と破壊の時代を経たいま、強い経済を回復させるために必要な規律を課すことのできる厳しい専制政治だったのだ。トゥーサン・ルヴェルテュールには、総督として被統治者の生死を決するだけの権力があった。事実、彼の支配は非常に冷酷だったため、ナポレオンはそれを逆手にとる戦略で対抗した。独裁専制の黒いスパルタクスは支持者とのあいだに距離があったので、フランスが奴隷制の復活をもくろんでいることさえ伏せておけば、彼らの多くを味方に引き入れられると踏んだのである。

トゥーサン・ルヴェルテュールが心配していたのは、サン・ドマングの領土が小さく分割されて自由民に分配され、砂糖ではなく自給作物の生産に充てられてしまうことだった。それでは島の経済はつぶれてしまう。一七九四年に奴隷が解放されたときに黒人反乱者が思い描いたような自由の身分を認めるのは性急だと判断したのは、そのためだった。黒いナポレオンが目ざしたのは、部分的に自由な賃金労働者に部分的な自由を許す緩い統治、肌の色の別のない法的平等、国家としての独立だった。

一八〇一年の春、ナポレオンはイギリスとアメリカの支持を得て、決定的な打撃をあたえようと決意した。外務大臣に目的は「黒人政府打倒」だと伝え、義弟のシャルル・ヴィクトワール・エマニュエル・ルクレールに「あの金ぴかアフリカ人らを排除せよ。さもなければ、われわれに望みはない[8]」と書き送った。そして金に糸目をつけずに、七つの港から出帆させる六五隻の艦隊を編制し、トゥーサン・ルヴェルテュールの支配から逃れてきた農園主多数と三万人あまりの兵士と、それに見合う数の船員を集めた。指揮官ルクレールに率いられたこの艦隊は一八〇一年十二月に第一陣が出発し、翌春には二万人の援兵がつづいた。

したたかな日和見主義者だったナポレオンは、司令官であるルクレールとロシャンボー子爵に植民地の奴隷解放を無効にする時期と方法の決定権をあたえた。第一の目的は、いうことを聞かない植民地をふたたびフランスの直接統治下に置くことだった。ルクレールは反発の大きさを見きわめつつ、時間をかけて奴隷制の復活を目ざすことができた。ゴールは定まっていたが、ペースは現実に沿って決めるつもりだった。

兵士が船に乗り込むと、船内は活気にあふれた。勝利はすでに約束されたようなもので、目的が達成されれば、昇進したり商機を得たり大金持ちになったりする道が開けると兵士らは信じていた。遠征の軍医長ニコラ・ピエール・ジルベールは、侵攻計画が発表されるや戦争省は新しいエルドラドを目ざして漕ぎ出だしたくてうずうずしている男たちに取り囲まれたと回顧している。しかし、ことはそう都合よく運ばなかった。確信していた勝利と成功の前に、革命勢力とはまた別のものが立ちはだかったのである。

フランス軍の壊滅

待ち受けていたのは、予期せぬ敗北の衝撃だった。ナポレオンのサン・ドマング侵攻はさまざまな理由で失敗した。その一つは、元奴隷の斬新な戦闘方法である。フランスはヨーロッパでの従来の戦闘と同じ訓練を受けて同じ装備をした正規軍で乗り込んだが、いきなり直面したのは熱帯の民衆との戦闘だった。ナポレオンと将校らが相手にしたのは政治的理想と信仰に燃え、敵を全滅させてこそ勝利であるという考えに奮い立つ大衆だったのだ。サン・ドマングの戦いは容赦ない残忍さで進行した。両軍ともに、皆殺しの戦争を闘う覚悟だったからである。

ルクレールの遠征軍が敗北した二つ目の原因は、敵軍が一七九一年に農園主を制圧したときのように山刀《マチェテ》一つで武装した反抗的な奴隷ではもはやないことだった。一八〇二年二月にルクレールがル・カプに上陸したときのサン・ドマング軍は、よく訓練されて戦い慣れした完全武装の兵士だった。さらにトゥーサン・ルヴェルテュールその人をはじめ、ジャン＝ジャック・デサリーヌ、アンリ・クリストフといった司令官らは頭の切れる戦術家だった。起伏の多い島の地勢を熟知し、それを利用して奇襲したあと森へ身を隠す術も心得ていた。

トゥーサン・ルヴェルテュールの炯眼は、ルクレール軍の上陸から夏の雨季がはじまるまでの二、三か月のあいだ、フランス軍との全面衝突を避けられるかどうかが勝敗の分かれ目だと考えたことにある。反乱軍には十分な火器がなく、ナポレオン軍とまともにぶつかりあって撃破するような訓練をしていなかったため、サン・ドマングの夏がヨーロッパからきた軍隊の前に立ちはだかるまでは、奇襲で苦しめるほうがはるかに有利だった。トゥーサン・ルヴェルテュールは戦略を立てるときに、サン・ドマングの医学気候学ともいうべき経験的な知識を生かした。彼は正式な教育をほとんど受けていなかったが、アフリカの療治法についていくらか知っており、イエズス会の病院で働いていたときに病気への関心を深めていた。

そんなわけでトゥーサン・ルヴェルテュールは、到着したヨーロッパ人が毎年の夏に黄熱で命を落とす一方で、黒人はびくともしないことをよく知っていた。また、この病気の原因は瘴気《ミアズマ》――自然環境から発生する毒――だと考えていた。そうであれば夏がくるまで時間を稼ぎ、空気中に漂う毒でフランス軍を壊滅させるのが最善の作戦だった。その意味で、彼はマッカンダルのやり方に忠実にしたがった。フランス軍を倒してサン・ドマングを解放するために、毒――政治学者のジェイムズ・スコットが同名の著作で「弱き者の武器」と呼んだものの典型的な例――を使おうとしたのである。最近の研究で論じられているとおり、トゥーサン・ルヴェルテュールは「黄熱がヨーロッパ人をいつ、どこで襲うかよく知っていた……雨季のあいだに白人を港と低地に追い込めば、彼らはばたばたと死んでいくとわかっていたのだ。デサリーヌに宛てた手紙にこう記している。『敵を撃退してくれる雨季を待つあいだ、われわれの武器は破壊行為と火のみであることを忘れるな』」[9]。

トゥーサン・ルヴェルテュールはフランス軍を混乱させるために、二つの重要な情報源を最大限に活用した。一つは病気にかかわる島の地形と気候の具体的な知識、もう一つは侵略者の動きを追跡するために張りめぐらせていた広範な情報網である。フランス軍も夏季は低地や街よりも山にいるほうがずっと病気になりにくいことを知らないわけではなかったが、黄熱の危険を甘く見て、一八〇二年から一八〇三年に発生したような大流行を予想していなかった。さらにトゥーサン・ルヴェルテュールが気づいていたとおり、ルクレールは港町を、なかでもまずはル・カプを守らなければならなかった。港は支配と補給と兵站の重要拠点だったからである。港を失えば植民地をまるごと失うことになる。当然のこととして、ルクレールは街の守りをしっかり固めると同時に内陸に掃討作戦を展開する戦略を立て、早い段階で敵と向かいあって決戦、決着にもち込むことを目ざした。

　対するトゥーサン・ルヴェルテュールの策は全面衝突を完全に避けることで、それには時間と病気を最大の味方につけるのが正しかった。奇襲をくり返し、低地とル・カプでルクレールに熱帯の夏を経験させれば、マスケット銃よりも確実にフランス軍を壊滅させられるだろう。

　トゥーサン・ルヴェルテュール自身は、フランスとの停戦交渉の席に着いたことで身の破滅を招いた。交渉相手とされた人物に裏切られ、捕縛されてフランスに強制移送させられたのである。彼が殉教者になるのを恐れたナポレオンはただちに処刑せずに、ジュラ山脈の牢獄に監禁した。トゥーサン・ルヴェルテュールはわずかな食事と暖と光をあたえられ、数か月たった一八〇三年の春に獄死した。さいわい、あとを継いだデサリーヌが瘴気を武器にして戦うという考え方をよく理解していた。一八〇二年三月にフランス軍との初の対戦のために兵士に装備させたデサリーヌは、彼らに向かってこういった。「勇気を奮い起こせ、勇気を奮い起こせよ。フランスの白人は、ここサン・ドマングではわれらに対抗できまい。最初は威勢よく戦うかもしれないが、すぐに病に倒れ、蝿のように死ぬだろう」[10]。

一方のフランスは、ルクレールこそが遠征軍の弱点だった。経験に乏しいくせにうぬぼればかりが強く、指揮官の地位に就いたのも才覚からではなく、ナポレオンの妹と結婚したからにすぎなかった。政略の面でも、人種間対立と愛国心の激流が島を揺さぶるかのごとく押し寄せるなかで作戦を成功に導くのは、彼には荷が重すぎた。もっと重要なのは、ルクレールのせいで軍事作戦が行き詰まったことだ。植民地経験のなかったルクレールは、ネグレと呼んで蔑んでいた黒人になどたやすく勝利できると高をくくり、救いがたいほど彼らを見くびっていた。トゥーサン・ルヴェルテュールとその兵は生まれの卑しい暴徒の群れにすぎず、そのうちに武器を捨てて部隊から逃げ出すにちがいない。そう決めつけていたため、ルクレールはサン・ドマングの掌握には三万ではなく一〇万の兵が必要だとした明達な部下の警告を聞き入れなかった。

九か月におよんだ軍事作戦の当初から、ルクレールは前進するたびに想像だにしなかった困難に遭遇した。まず、到着したフランス軍がル・カプ近くの浜に上がる直前まで暴徒が街を占拠し、火を放って内陸に引き揚げていた。港町は灰の山がくすぶり、石造りの建物と要塞が残るばかりになっていた。街の再建には余分に資源を投じなくてはならず、また時間との戦いというときに軍の再編を迫られて、フランス軍は出遅れた。このやり方は心理戦としてもきわめて有効だった。

春が近づくなか、出だしから大きくつまずいたルクレールは反乱軍を包囲して壊滅させる戦略をとった。五つの師団がそれぞれ別の場所から内陸に向かって進軍し、島の中心で合流する。フランス軍はそれに向けて二月十七日に各陣営を出発し、島の内陸部という慣れない土地を目ざした。どういうことか、彼らは呑気にも地図さえ携行していなかった。

フランス軍を苦しめたもう一つの予想外の困難は、島のありがたくない地勢を敵が巧妙に利用したことである。急峻な峡谷が丘陵を切り裂いている内陸の地形はまるで迷路のように方向感覚を狂わせ、ありとあらゆる昆虫がいて人を刺してきた。歩を進めるルクレールの兵を、豪雨と長靴不足と場違いな毛織りの軍服が苦しめた。日中は高温で汗だくになり、夜は泥まみれで野営して、濡れたままの体が急激に冷えた。ルクレールからするともっと厄介だったのは、反乱軍がヨーロッパ人の戦場での戦い方と一騎打ちの習わしを知らなかったことだった。とくに騎士道の観点から見れば、女が戦場にいるのは考えられないことだった。だが、奴隷として酷使されてきた黒人の女たちは、農園での屈辱的な境遇に戻されるくらいなら死も厭わないと覚悟して、恨みを晴らすべく戦闘に加わっていたのである。

侵略者の動きを注意深く追っていた反乱軍は、前例のない残忍さで待ち伏せ攻撃をした。「ゲリラ戦」という言葉はそのわずか一〇年後のスペインで生まれているが、反乱の年月を経たサン・ドマングの反逆者はすでに優れた戦闘技術を身につけていた。

熱帯での戦闘を前にルクレールの準備がお粗末だったのには、もちろんナポレオンにも責任の一端があった。コルシカ島生まれの第一統領は、温暖な気候の土地では昆虫の媒介する病気が危険であることを知っていた。近隣のサルデーニャ島とシチリア島と同様に、十九世紀のコルシカ島もまた蚊と、蚊の媒介する寄生生物による大被害を受けていたのである。西インド諸島の黄熱の危険について具体的にナポレオンに警告する者もいたが、ナポレオンはこうした情報を一部しか考慮せずに遠征軍を準備させたため、出発は冬になった——決着に手間どることはないと楽観的に考えていたからだ。ルクレールもナポレオンも、戦いが夏の熱病の季節にまでずれ込むとは思いもせず、そうなった場合の健康障害にまったく備えをしなかった。第一統領と義弟の高をくくった見込み違いが、その後の惨事に大きく影響したのである。

のろのろと進む歩兵縦隊——装備に加えて大砲を運搬しなくてはならず、その重さに疲弊して意気が上がらなかった——は、電光石化のごとき襲撃には格好の標的だった。七六日にわたって血みどろの戦闘をくり返し、それでも決着のつかないまま不穏な春が訪れ、勢いも目的もすっかり失われた。気温が上昇するにつれて夏の豪雨が容赦なく降るようになり、第一陣のフランス兵は体調を崩した。ルクレールは作戦の失敗を認めてル・カプへ退いた。

対決の場に誘い出されない敵を相手に、熱帯地方では従来の戦法が通用しなかったため、ルクレールは別の戦略をとることにした。追えば逃げる獲物に対し、いまなら対反乱作戦（ＣＯＩＮ）と呼ばれる策を考えたのである。大衆を服従させることが新しい目標になった。そこで計画的な実力行使として、反乱軍の活動が活発な地域の農作物を兵士に焼き払わせた。飢えれば屈服するだろうというわけである。それに加えて、行き詰まって恐怖に苛まれていたフランス兵は、活動する反乱分子のみならず武器をもたない黒人民間人にも残虐行為を働くことに憤懣のはけ口を見つけはじめていた。戦争の手段としてのレイプが本領を発揮し、サン・ドマングの歴史にしばしば見られるとおり、性暴力はヨーロッパ人男性とアフリカ系女性のあいだのまったく不平等な力関係が生まれる一因になった。

一八〇二年六月になるころには、指揮官ルクレールは当初の二つの戦略——電撃戦と報復

――では反乱の勢いを弱められないと気づいた。そこで臨機応変に二つ目の戦略を立てた――八月までのあいだ武装解除計画を進めるというものだ。これにしたがってフランス軍は、政府に抵抗する者や武器の所持で捕らえた者を誰彼かまわず即座に処刑した。また、ルクレールは信頼に足らないと見たムラートにも目をつけ、農園から銃器が見つかった場合は監督を銃殺すると告知した。さらに、フランスに手を緩めるつもりがないことを見せつけるために、処刑の方法を変えた。一八〇二年の夏までは死刑の基本は銃殺刑だったが、ルクレールが新しく選んだのは公開絞首刑だった。黒人たちを怯えさせ、武器を捨てさせるのがねらいである。

サン・ドマングに対するフランス軍の方針が厳しさを増したのは、本国政府から発せられる過激な政治決定と疫病の流行が折り悪しく重なったせいだった。ナポレオンは一八〇二年五月から八月にかけて発表した一連の重要な政策のなかで、一七九四年に高らかに宣言された人権の普遍性を無効にした。彼は奴隷制廃止を「誤った理念」と呼んであからさまに侮辱し、さっそく措置を講じた。五月、奴隷制の廃止されていない植民地――マルティニクとレユニオン島――でのその合法性を追認し、またフランス本国の有色人に対しても制限を課した。つづいて植民地の奴隷貿易の再開と、グアドループおよびギアナの奴隷制の復活を早急に許可した。

サン・ドマングの奴隷制については、ナポレオンは言葉を濁し、現地の労働体制をどうするかは保留中であり一〇年以内に決定すると述べるにとどまった。奴隷制を性急に復活させれば反乱を激化させるだけというのが本心だったが、そこは隠しておいたのだった。

このときフランスの戦略を変更させたのが疫病である。ルクレールの春の軍事作戦は、ある意味で成功していた。彼はサン・ドマングを横断して本国による支配を宣言し、植民地全土に正式に戒厳令を敷くことができた。ただし支配をいかに現実化させるか、そしてそれをいかに維持するかが重要な問題だった。ところがどちらも間もなく意味がなくなった。黄熱が急速にはやりだし、それどころではなくなったからだ。最初の罹患者に軍医が気づいたのは三月下旬だった。四月初旬には黄熱は勢いを増し、日ごとに患者が増えた。ルクレールが武装解除計画に着手した初夏になると、植民地全土が流行に巻き込まれた。黄熱は衝突をくり返していたどちらの軍にも打撃をあたえたが、圧倒的に痛めつけられたのは免疫のまったくないフランス軍だった。病原体に対する防御力をもたずに病死する兵士の数が恐ろしい勢いで増えていき、ナポレオン軍は崩れはじめた。現在入手できるおおよその統計でさえ、差し迫った大惨事を物語っている。

ジョン・R・マクニール著『蚊の帝国——広域カリブ海の生態環境と戦争、一六二〇年〜一九一四年』によれば、ナポレオンはサン・ドマングの反乱を鎮圧するために六万五〇〇〇人の兵士をぞくぞくと送り出した。そのうち五万人から五万五〇〇〇人が命を落とし、三万五〇〇〇人から四万五〇〇〇人の死因が黄熱である。ルクレールは一八〇二年の夏の終わりに、自分の指揮下にあるのは一万人のみで、うち八〇〇〇人は入院して回復を待っているため、軍務に就けるのは二〇〇〇人しかいないと報告している。参謀将校も三分の二が死亡していた。快方に向かっている兵士が間を置かずに任務に戻ることも期待できなかった。黄熱は回復が長引いたり、こじれたり、先が見えなかったりするのである。

黄熱の途轍もなく高い殺傷率は、ナポレオン軍にきわめて大きな影響をおよぼした。サン・ドマングの非常事態下では、罹患数と死亡数の正確な統計は残されていないが、この病気の病毒性の強さは並大抵ではなく、罹患したフランス兵が回復するのはまれだった。あたかも暴徒が意図的に向けた兵器であるかのように、熱病はヨーロッパ人を標的に大量殺戮を遂行した。恐怖のなかで詳細に書きつけられた一八〇二年から一八〇三年の記録を見ると、その目立った特徴は兵士の体内で起こる黄熱の劇症経過だった。

これに先立ってカリブ海とアメリカ合衆国で集団発生していたこの病気は、通常二段階で進行した。第一段階の発症は、前駆症状もなく突然やってくる。罹患者は悪寒と高熱、前頭部の激しい痛み、吐き気、全身の倦怠感に襲われた。その後三日ほど経つと回復したように見え、症状が軽くなるにつれて友人や看護人と話ができるようになる。だが、軽症の場合でも一朝一夕には快癒せず、長い回復期がはじまった。

一方、重症の場合は二四時間以内に寛解期が終わり、その後ウイルスは猛烈な勢いで体を攻撃した。この第二段階になると、絵に描いたような、誰もが知る黄熱の臨床症状があらわれた。高熱、それにともなって一度はじまると数時間は感染者を苦しめる発作的な悪寒、コーヒー豆のような血の塊で黒くなった吐瀉物、激しい下痢、猛烈な頭痛、黄疸で黄色くなった皮膚、鼻と口と肛門からの出血、長引く激しいしゃっくり、ひどい全身衰弱、譫妄、全身の発疹。たいていは十二日間ほど苦しんだあと昏睡状態に陥り、死にいたる。一命をとりとめたとしても回復期は数週間つづき、そのあいだは強い倦怠感と、鬱、記憶障害、見当識障害といった中枢神経系に関連する後遺症があらわれる。回復期に入ってさえ、ぶり返しや脱水症、命とりになる合併症の危険があった。サン・ドマングの環境で最も多かった合併症は、肺炎とマラリアである。十九世紀初めに黄熱の流行に立ち向かった医師が推定した致死率は、全体で一五パーセントから五〇パーセントだった。

サン・ドマングでの流行の際立った特徴は、軽症者がいなかったことである。ルクレールの兵士の治療にあたっていたジルベール医師らは、黄熱患者を軽症、中等症、重症の三つの「程度」に分けようとした。ところが恐ろしいことに、患者は発症したと思うといきなり劇症中の劇症の症状を呈した。そしてあっという間に死んでしまったため、ジルベール軍医長は困惑し、苦しみをやわらげてやることすらできなかった絶望感に苛まれた。この病気はわずか二、三日のうちにフランス兵の体内ですべての経過をたどるとジルベールは報告している。軍医長と医師団はすっかり途方に暮れて、記録を残すことにまで頭がまわらなかったが、当時の情報から推し測れば、致死率は七〇パーセントを超えていたと思われる。もっともなことながら、ジルベールは兵士がどんどん死んでいくことに呆然とし、患者のほとんどが死んだと記している。

なぜ黄熱は異常なまでの凄まじさで流行し、ナポレオンの遠征軍を苦しめたのだろうか。その理由は推測するしかない。ウイルスが突然変異して病毒性を強めた可能性はある。ウイルスが不安定であることはよく知られている。ほぼ瞬間的に複製するため、突然変異が増えるのだ。しかし、これがサン・ドマングでの猛烈な流行の原因だったかどうかは推論の域を出ない。もっと確かな原因もある。その一つはいうまでもなく広い意味での環境で、このときの流行は集団免疫のまったくない人びとのなかで実質的に「処女地の疫病」としてふるまった。六万五〇〇〇人ほどの初めてやってきたフランス兵は「未経験者」で、非常に感染しやすかったのだ。

この災禍には、軍という環境に限定された要因も関係していた。生物学的な二つの要因、すなわち年齢と性別である。黄熱は犠牲者の年齢構成がほかとは違う。たいていの病気の「通常の」パターンでは子供と老人がかかりやすいが、フラビウイルスは強健な若者を選んで苦しめる。中年者もいた上官を除けば、フランス遠征軍はこの条件にぴったりあてはまった。

また、このウイルスは目立って男性を好んだ。男女で差のある理由の一つは、ネッタイシマカの触角にあるセンサーの働きである。蚊の雌の成虫は獲物を嗅ぎつける手段の一つとして、人間の汗の臭いを感知する。兵士は激しい肉体労働に携わるので、初めてやってきた大勢の兵士と水夫は、生物学的に非常に危険な状態にあった。とはいえ、遠征軍は全員が男性だったわけではない。将校の妻と召使い、料理人や補給品の調達人、娼婦といった女性も多数がいっしょにやってきた。それでもほかの土地での黄熱の大きな集団発生と比較すると、サン・ドマングでの流行は、熱帯の夏に重度の肉体労働に従事する若いヨーロッパ人男性が罹患リスク集団の圧倒的多数を占めていたせいで外れ値の状態だったのである。こうして、罹患数と死亡数は尋常ではない値になった。

当時、黄熱は自然環境から発生する毒が弱った体に作用して発症すると考えられていた。たとえばジルベール軍医長はル・カプの惨状を、空気中に含まれる有毒な瘴気を引きあいに出して説明している。事実、街は十九世紀の都市の例にもれず、悪疫を発生させそうなひどい臭いが漂っていた。この逃れられない悪臭はさまざまな要因からいっそう強くなる。まず、突然に到来した兵士のための衛生設備が用意されていない。そこで、兵士が町中の荒れ果てた建物で用を足したため、間もなく糞尿の臭いが広がった。次に、街の共同墓地の問題もあった。おびただしい数の死人が出たことから、衛生規則に定められた埋葬時の穴の深さが無視された。遺体は浅い穴に慌ただしく埋められたので、耐えがたい臭いが街に流れていた。最後は、周辺の低湿地の腐敗物から立ち昇る蒸気を海からの卓越風が街に運んだことである。こうしたことから、当時はル・カプの空気そのものが死を招くと考えられていた。

黄熱が流行するあいだ、街の住民の誰もが考えたのは脱出だった。人びとは当時いわれていた瘴気説に動揺したり医者にせつかれたりして郊外や高地に避難し、有毒な空気から逃れた。これは一七九三年に黄熱が大流行したフィラデルフィアの住民がとった行動で、そのことを知っていたサン・ドマングの人びとは慎重にこの例に倣った。フィラデルフィアの黄熱の流行では、人口の半数がただちに大脱出したのである。フィラデルフィアの教訓は、ル・カプの兵舎ですし詰めになっていたフランス軍もよく知っていた。事実、ルクレールは妻と幼い息子とともに伝統的な養生訓にしたがった。港を見下ろす、空気のきれいな丘の上の農場に居を構えたのだ。恐怖のあまり弱腰になった指揮官は、任を解いてパリに戻してほしいと、この家から幾度となく手紙を書いた。

だが、身分の低い兵士たちには、自分の身を案じるこの指揮官のあとを追う自由はなかった。ル・カプはフランス遠征軍の本営で、ルクレールの司令部と陸軍および海軍の兵舎と大きな軍病院が二か所設営され、援軍が到着する波止場と要塞があった。また、経済と政治を動かしているのもここだった。これらを考慮した結果、軍はル・カプをはじめとする港に集中して駐留し、ときおり山地に侵攻して敵陣を急襲するにとどまった。そのため黄熱の感染リスクがますます高まる結果になったのである。

ル・カプの死者数に影響したもう一つの要因は、兵士の受けた医療の水準だった。歴史をふり返ってみると、多くの疫病では、このことはさほど重大な問題にならなかった。大多数の患者が治療を受けられなかったからであり、また目がまわるほどの急激な患者の増加に対応して医療施設が収容能力を急に増やすことはできなかったからでもある。この点で、サン・ドマングで伝染病の発生に巻き込まれた兵士と水夫は例外だった。不利な戦局とヨーロッパ人の健康に関するカリブ海での嫌な噂を知ったフランス戦争省が、ル・カプに二つの大病院を建てたからである。それでも、夏のあいだに大勢の兵士がつぎつぎと黄熱に倒れていくにつれ、これらの施設も患者の数が想定していた収容人数を超え、病人であふれんばかりになった。そこで一つのベッドに患者二人を寝かせ、それでも足りなければ床に敷物を敷いて対応した。

困ったことに、現在と同じく当時も黄熱には有効な治療法がなく、医師のあいだで最適な治療基準について意見がまとまっていなかった。この時代の経験的な医学理論によれば、流行性の熱病は空気中の毒と気温上昇が原因で発症する。この二つの要因が体液を腐敗させ、血液を過多にするのだ。病床で何が起こるかは明白だった。血液は四つの性質のうち温と湿に関連しているので、黄熱の患者はふれてみるとかならず熱く、汗でぐっしょり濡れていた。吐血と下血、歯肉出血と鼻出血があったことから、余分な体液である汚れた血液を体が排出しようとしているように見えたため、「自然の治癒力」というよく知られた言葉が治療の方向性を決めた。瀉血をしたり下剤と催吐剤を用いたりして排出を促し、自然の働きをたすける治療が適していると考えられたのである。毒をもって毒を制すのたとえもあり、こうした過激な治療が求められた。

有名なアメリカ人医師のベンジャミン・ラッシュは、フィラデルフィアの流行のときに自らの治療法を検討し、「大浄化」と名づけた方法を採用していた。水銀とメキシコ産の蔓性多年草ヤラッパを配合した強力な下剤を用いる方法である。ラッシュはこの薬剤を毎日、大量に何度も投与したので、医師仲間は馬でも殺せる量だと身震いした。ラッシュはひるまず、静脈を切開して下剤を投与し、その効果を見て「胆汁性寛解型黄熱」の最高の治療法だと断言した。彼は一七九四年の著書のタイトルでこの病気をそう呼んでいた。

現代の考え方からすれば、衰弱して昏睡状態に陥っている病人を瀉血と瀉下で治療しようというやり方は信頼できない。だがジルベール軍医長は、黄熱の風土病があると聞くサン・ドマングへ遠征するにあたり、ラッシュの著書を読み、同じくフィラデルフィアでこの病気を経験した医師に助言を求めて準備した。こうしてル・カプの軍病院の医師は、ジルベールの指示でラッシュの手引書にしたがった。そう考えると、当初はフランスの軍医の治療法がこの病気の前例のない死亡率の一因だったというのもありえないことではない。実際、ジルベールは、努力もむなしく患者を救えない無力さにやりきれない思いをしていると記している。「治療しても、毎日足繁く通っても、その甲斐がない。私は打ちのめされている」[11]。

初期の段階でこそ、フランス人医師のこのような手あてが患者の死を早めたかもしれないが、流行終息までを通して見れば、その影響はさほど大きくなかったようだ。サン・ドマングの軍医は自分たちのやり方が逆効果だとわかると、ただちに方針を転換した。誠実な彼らは絶望的な状況のなかでも何度も話しあいの場をもち、わかったことを比較しあって新しい対処方法を決めた。病院の有色人の看護人が知っていたブードゥー教の療法さえ試してみた。だが、最後には治療の望みをすっかり捨て、冷やした綿布や微温浴、レモン水、少量のキニーネ剤、緩下剤といった穏やかな方法で苦痛をやわらげる方針に転じることにした。黄熱が猖獗《しょうけつ》をきわめると、病院のスタッフが全滅し、医療と看護の機能までもがまったく果たされなくなった。たとえばフォールリベルテでは介護人が一人残らず命を落とし、患者は放置された。

ルクレールは、部下を苦しめている病の強い病毒性の原因がなんであれ、奴隷制の復活計画に病気が重なって遠征軍は日一日と追い込まれていると気づき、泣きつくようにナポレオンに手紙を送った。

病は非常に恐ろしい状況になり、いつ終わるとも知れません。ル・カプの病院だけで今月は一日一〇〇人の死者が出ています。私の権威は失墜する一方です。反乱は拡大し、病は消える様子もありません。

私は市民の統領であるあなたに、準備ができるまでは反逆者らに彼らの自由について不安を抱かせるようなことはしないでいただきたいとお願いしました……（それにもかかわらず）なんの前ぶれもなく、植民地の奴隷貿易を正式に認可する法律の知らせが当地に届きました……市民の統領よ、この状況では……信念のみでは何も成しとげられません。軍事力をおいてほかに頼るものがないときに、兵がないのですから。

市民の統領よ、この手紙はあなたを驚かせるでしょう。しかし、隊の五分の四が死に、残りが使いものにならない状況で、司令官に何が画策できましょう。

計画を台なしにされた恨みを露わにしながら、ルクレールは「あなたの植民地政策が知られてしまったいま、私の精神的優越は地に堕ちてしまいました[12]」と不満を訴えている。だが彼は、病気予防に関する医師からの助言に耳を貸さなかったことをナポレオンに隠していた。医師団はこの病気に効果的な治療法はないと判断したうえで、原因は瘴気にあるのだから、多方面からの取り組みで予防できるかもしれないと進言していたのである。街から汚物を撤去する、悪臭のする風がこない山の上に軍隊を駐留させる、共同墓地を移設する、街路や公共の場所を清潔にするなどである。ルクレールがなぜ腰を上げなかったのかは不明だが、彼が背を向けたこれらの試みを実行していれば、何かが変わっていたかもしれない。この反乱の研究の第一人者である歴史学者のフィリップ・ジラールは、衛生問題に対して手をこまぬいていたことが「最高司令官としてルクレールが犯した最大の過ち[13]」だと主張している。

六月に宣言した武装解除計画を成功させられなかったルクレールは、軍事作戦をさらに暴力的な段階に進めた。まっとうな軍事的勝利はもはや望めないと悟り、一か八かでフランスの残存兵と寄せ集めの援軍に残虐な戦略を実行させたのである。そのために彼は、農園主と貿易商に民兵隊をつくらせ、艦隊の船員を歩兵にし、ムラートと黒人を誘って協力させた。軍務に就ける白人兵はもはやいなかったが、ルクレールには資金があった。援軍を金で買ったのだ。

サン・ドマングには人種間の対立があったが、黒人と白人の分断は絶対的なものではなかった。少なくともフランス政府がカリブ海域諸島の奴隷制を復活させる意向を公表するまでは、金で誘われなくても武器をとってルクレールにつく黒人もいた。フランスが勝ちそうだから敵にまわるとあとでツケを払わされると踏んだ日和見主義者もいれば、初めて奴隷制を廃止した国への敬意を忘れない元奴隷も少なくなかった。また、ナポレオンが見抜いたように、トゥーサン・ルヴェルテュールの計画は鞭打ちがないだけで奴隷制を復活させるのと変わらないと考えて断固として抵抗する農園労働者もいた。そのほか、トゥーサン・ルヴェルテュールに恨みがあって一矢報いたい者、フランス軍に家族を盾にとられて仕方なくしたがう者もいた。ルクレールはこうした種々雑多な人間をかき集めて、黒人と有色人の部隊を反革命軍に組み入れたのだった。

新しい戦略は、ルクレールの言葉で「殲滅戦」だった。それはジェノサイドに等しく、ルクレールは黒人の「耕作人」のかわりをさせるためにヨーロッパから白人の貧乏農民を連れてこようと考えはじめたほどだった。「山間の黒人を男であれ女であれ、十二歳未満の子供を除いて全滅させねばならない。平地の黒人も滅ぼさねばならない。肩章をつけたことのある有色人は一人たりとも植民地に残してはならない」[14]と彼は告げた。

新方針の成果をその目で見ずして、ルクレールは安全なはずの高地の農家で一八〇二年十一月二日に黄熱で息を引きとった。指揮権はロシャンボーに引き継がれ、前任者の苛酷な戦略も継承された。それどころか、ロシャンボーは無用に苦痛を味わわせる方法を手を変え品を変え考案したたちの悪さで知られている。ルクレールのやり方は手ぬるかったと嘆き、植民地をめちゃくちゃにしかねない「黒人びいき」だったと彼をなじった。情け無用と宣言したとおり、古代ローマのコロッセウムを彷彿させる木造の円形闘技場をル・カプに建設し、剣闘士さながらに黒人の囚人をキューバから連れてきた獰猛な番犬の群れと闘わせた。もっと残忍だったのは、農民の反逆者を怖気づかせるために溺死刑を復活させようと思いついたことだ。恐怖政治の時代に国民公会からナントに派遣された議員が数千人もの反乱者を平底荷船に詰め込み、ロワール川に沈めて溺死させるという前例があった。今回は一八〇二年から一八〇三年に、反乱に加わった疑いのある黒人を沖へ運んで手枷足枷のまま船から落とすようロシャンボーが命令をくだした。ロシャンボーはしだいに狂気じみて執念深くなり、西インド諸島に磔刑までもち込んだり、軍艦の船倉をガス室に仕立て、硫黄を燃やして囚人を窒息死させたりした。

ロシャンボーがあらゆる手を尽くしたにもかかわらず、残虐行為による威嚇戦術は一八〇三年初めに挫折した。一万二〇〇〇人の援軍がちょうど到着して恐怖戦略の着手を後押ししようとしたが、彼らは瞬く間に病に倒れ、残った白人兵士は仲間も士気も失ってしまい、ロシャンボーの大量殺戮構想の実現はかなわなかったのである。

その一方で、イギリスとフランスが戦争を再開し、イギリス海軍がフランスの港を封鎖したため、フランスから増援部隊が到着する望みは絶たれた。イギリス軍はハイチの独立を早めようとしたわけではなく、フランス経済に打撃をあたえ、ナポレオンの侵略を食い止めようとしたのである。ナポレオンは南北アメリカ大陸での勝負は終わったと見切りをつけ、別の方面へ関心を向けた。彼はこうつぶやいたという。「砂糖め！ コーヒーめ！ 植民地め！」[15]。

フランスに見捨てられたロシャンボーは、この人種戦争で自分を援助してくれる黒人とムラートはほぼいないことに気づいた。彼は反乱を鎮圧するどころか、退却して要塞で守られた港町を転々としたが、デサリーヌとデサリーヌに味方する無慈悲なネッタイシマカに包囲されるばかりだった。町は一つまた一つと反乱軍の手に落ちていき、ロシャンボーは一八〇三年十一月十八日にル・カプ近くのベルティエールの戦いで、反乱軍との最後の戦闘に敗れた。翌十九日、ロシャンボーは降伏交渉に臨み、引き換えに残存兵とともに船で引き揚げることを求めた。しかし、彼らは囚人としてイギリス戦艦に乗せられ、ロシャンボーは一八〇九年までイギリスで捕らわれることになった。

まとめ

ハイチでの一連の出来事は、疫病が戦争におよぼす影響を如実に示している。フランスはサン・ドマングでの敗北によって、兵士、水夫、貿易商、農園主の五万人を直接的に失った。その過程で、植民地での一攫千金を企んだ者たちの夢もついえた。フランス支配と奴隷制復活のためのこの戦争で利益を得たフランス人は皆無に等しかった。

このあと、地政学的に重要な事件がつぎつぎとつづく。ナポレオンがサン・ドマングにフランス支配をよみがえらせようとしたおもな目的は、この島を足掛かりにして北アメリカにフランス帝国を再建することだったが、カリブ海で屈辱を味わったナポレオンはスペインから割譲されたこれらの領土にもはや価値はないと判断した。サン・ドマングなくしては、フランスの軍事態勢は盤石ではなくなる。また、彼はカリブ海域には病気という危険があることもあらためて思い知らされた。

こうしてナポレオンは飽くなき野望を別の方面で果たすことにした。東方に目を向け、インドでイギリスの支配を覆すという漠然とした、しかし壮大な構想を描いたのである。だが、この目標を達成するには、前途に立ちはだかるロシアを破らねばならなかった。ところが、またしても疫病が彼の夢を打ち砕くのである——今度は赤痢と発疹チフスだった。

第9章　戦争と疾病2——一八一二年のロシア、ナポレオンと赤痢と発疹チフス

未曽有の大軍を組織したナポレオン・ボナパルトは、運命を決する軍事行動を開始した——一八一二年夏のロシア侵攻である。だが、ロシアでも疫病がフランス軍を襲い、ナポレオンの野望を打ち砕いた。戦いの行方を決定したのは戦略力でもなければ軍事力でもない、赤痢と発疹チフスだった。なぜそうなったのかを理解するために、惨事となったモスクワ遠征の往路と復路（図9−1）で、皇帝が兵をどのような状況に置いたのかを考察しよう。その状況こそが、病原体を繁殖させ人間を死にいたらせる理想的な環境をつくったのである。

ナポレオンはサン・ドマング遠征の惨禍は終わったものとして、関心を別の方面に向けた。そしてそれからしばらくは、フランス国内での権力の強化とヨーロッパでの帝国拡大に目覚ましい成功を収めていた。一八〇五年から一八一二年のロシア遠征までのあいだに、彼の権力は勝利につぐ勝利によって頂点に達した。一八〇七年のティルジット条約で、ナポレオンはプロシアとロシアに屈辱的な条件を課した。領土はフランス国境を越え、イタリアからオランダ、さらにはライン同盟やナポリ王国などの従属国と衛星国にまで拡大した。無敵の軍司令官として恐れられ、皇帝としてドレスデン滞在の二週間にあたかも神のごとくふるまった。ドレスデンでは一八一二年五月に、ドイツの王、王妃、大公ら多数がオーストリア皇帝とともに彼に忠誠を誓った。この

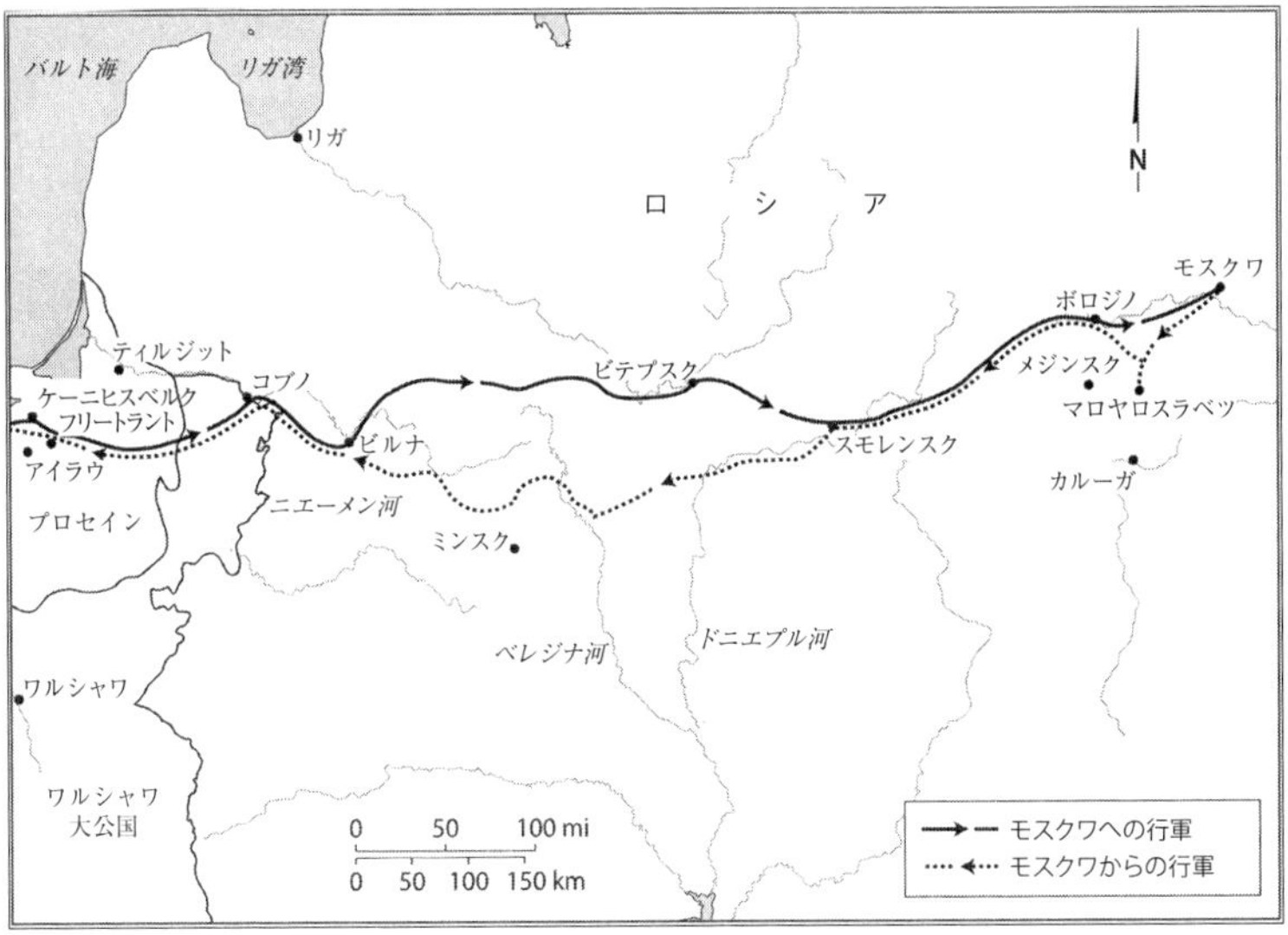

図 9-1　ナポレオンのロシア遠征（1812 年）。大陸軍は赤痢と発疹チフスで壊滅した。［Bill Nelson 作画］

ときのナポレオンが差し迫った問題として気にしていたのは、スペインで進行中の戦争と、世界の制海権をにぎるイギリスとの根深い対立、フランスの不当な要求に苦しむ支配地域、なかでもドイツが募らせている不満のみだった。

　当時のヨーロッパ諸国を、またその時代以降の研究者を悩ませたのは、あれほどの驚異的な成功を収めつづけていたナポレオンがロシア侵攻にまで手を伸ばすという重大な過ちを犯してしまった理由である。一八一二年六月のこの軍事作戦は、それまでのナポレオン戦争と違っていた。露骨な侵略行為であり、歴史学者のエフゲニー・タルレは「ほかのどのナポレオン戦争よりも、明らかに帝国主義的」[1]だったと述べている。この猛進撃には名目が二つあった。一つは、ポーランドの解放である。そのためナポレオンはこの侵略を「第二次ポーランド戦争」と呼んだ。だがサン・ドマングでの例を見ればわかるように、ナポレオンが支配下の人民を本気で解放しようとすることは決してなかった。実際、解放者として来たという口先だけの声明よりほかに、ポーランド人の解放や、あるいは新しいポーランド国家の国境などについて具体的にはまったくふれていない。ナポレオンが国家独立を約束したのは、フランスの大陸軍《グランダルメ》にポーランド人を従軍させるためのプロパガンダだったと理解してよいだろう。

二つ目の名目は、大陸封鎖令と呼ばれた対イギリス経済戦争を続行するにはロシア侵攻しか手段が残されていないというものである。大陸封鎖令は一八〇六年のベルリン勅令と一八〇七年のミラノ勅令で発令され、イギリスとヨーロッパ大陸間の通商が禁止された。イギリスの産業を機能不全に陥らせるのが目的だった。そうなれば、市場ではフランス製品がイギリス製品に取ってかわるはずだからである。ロシア皇帝がこの勅令に逆らうと、ナポレオンはロシア侵攻を防衛措置と位置づけた。ロシア人の迷いを覚まし、平和を回復させるための手段にほかならないというわけだった。

ナポレオンの大陸軍の途轍もない規模は、彼の目的がポーランド解放と大陸封鎖令の強化にとどまらないことを示していた。ナポレオンはポーランドを解放できると思っていなかったし、大陸封鎖令の強化のために武力攻撃におよぶのは明らかにやりすぎだった。ナポレオンに絶対的権力が集中する独裁国家では、政治、軍事ともに政策はすべて彼の一存で決められた。ナポレオン皇帝は目的を明確にしなかったが、前例のない数の兵士を召集したのは目ざすものが大きいからだと側近にほのめかしていた――アレクサンドル一世の軍を壊滅させ、ロシアを分割し、その後モスクワからインドへ進軍し、インドでイギリス帝国を打倒するのである。彼はナルボンヌ伯爵にこう語っている。

これからモスクワに行軍し、モスクワからインドを目ざそうではないか。モスクワからインドまでは遠いなどと、誰であろうとこのナポレオンに進言してはならぬ。マケドニアのアレクサンドロス大王はギリシャからインドまで行軍しなければならなかったが、道のりが長いからとあきらめただろうか。モスクワと同じくらい遠い場所から出発してガンジス川へ到達しているではないか。ナルボンヌ伯よ、モスクワが陥落し、ロシアがひれ伏すところを想像してみたまえ……さあ、フランス軍がガンジス川へ到達するのはそんなに無理な話だろうか。フランスの剣がガンジス川にふれたならば、イギリスの巨大経済の殿堂は崩壊して瓦礫の山となるだろ[2]う。

大使としてロシアに駐在したアルマン・ド・コーランクールをはじめとする助言者はそろってこの危険な企てに反対したが、ナポレオンは意に介さなかった。あからさまにナポレオンを敵視している者さえ、彼より先を見越していた。たとえば駐英ロシア大使のヴォロンツォフ伯爵は、ナポレオンの理解しがたい賭けがいかなる軍事的結果をもたらすか、簡潔に述べている。

私は戦争をまったく恐れていない。たとえその作戦が初めのうちはわれわれに形勢不利を強いたとしても、しぶとく防戦し、退却しながらも手を緩めなければ勝利できるだろう。追撃してきても、敵はやがて壊滅する。なぜなら前進して食糧庫や武器庫、軍需物資の倉庫から離れれば離れるほど、そして道も通わず、食糧も手に入らない土地に深く踏み入れば踏み入るほど、追いつめられていくはずだからである。そうしているうちにコサック騎兵に包囲され、最後はいつもわれわれの忠実な友である冬将軍に滅ぼされるだろう。[3]

だがナポレオンは、ヴォルテールの倫理書『スウェーデン王カール十二世伝』をロシアまで携行する大胆不敵な男だった。ヴォルテールはこの著書で、スウェーデンの専制君主の誇大妄想と、その妄想が一七〇八年のロシア侵攻でいかなる悲劇を招いたかについて語っているのである。助言にいっさい耳を貸さなかったカール十二世は、ロシアの冬の厳しさで兵を失い、一七〇九年のポルタバの戦いで決定的な敗北を喫したのだった。

フランスにとって不運だったのは、一八一二年当時のナポレオンが四三歳にしてもはや有能な指揮官とはいえなくなっていたことだ。でっぷりと太り、排尿時に痛みがあった。そのせいで軍事行動中にも、ここぞというときに騎乗に苦労したり集中力が散漫になったりした。排尿障害は性感染症に関連していることの多い症状なので、ナポレオンは第三期の梅毒だった可能性がある。今回の無謀な企てに着手したときとそれが失敗していくときの分別のない意思決定から推測するに、この説は現実味を帯びている。皇帝はもはや頭が十分に働いていないように思えると将校らは狼狽して手記に書き残し、幕僚は皇帝にはためらいや集中力の欠如が見られるようになり、重大な局面で優柔不断になると報告しているのである。病名はどうあれ、部下の目にはナポレオンはまともな精神状態にないと映っていたようだ。

健康上の問題があったうえに周囲の世辞追従に乗せられて、ナポレオンはどんな衝動的な思いつきもみな自らの天賦の才から生まれていると思い込むようになっていた。自分の無敵神話を信じ、忠告を軽んじ、参謀長のルイ＝アレクサンドル・ベルティエを気の毒にも伝令に降格させ、部下の将校に相談することもめったになかった。そんなわけで、ロシア領土を横断していた大陸軍には一貫した戦略がなく、ナポレオンのほかには誰も遠征の目的を理解していなかった。へそまがりというべきか、ナポレオンは行く手の危険をむしろ歓迎した。危難を乗り越えれば名声がいっそう高まるからだ。この意気があってこそ、彼は一八〇八年にこう述べている。「神は私にあらゆる障害を乗り越える力と意志を授けてくださった」[4]。

ニエーメン渡河

一八一二年六月二四日、大陸軍はパリから一四〇〇キロほど進んだところで、ロシア皇帝の領土の西端を定めるニエーメン川を渡ろうとしていた。三本の橋を利用して横断を終えるのに三日三晩がかかった。ナポレオン指揮下の兵士の数については異説もあるが、一般には総勢五〇万人以上、それに加えて馬が一〇万頭、弾薬車に積まれた大砲が一〇〇〇門、物資運搬用の大型馬車と将校の馬車が数千台、将校の使用人と妻や愛人、従者、料理人、娼婦といった非戦闘員の随行者が五万人ほどとされている。これだけの軍勢がニエーメン川を渡るのは、パリの街がまるごと渡河するに等しかった。また大陸軍は多国籍で、多言語が使用されていたため、結束力に欠けていた。中心はフランス人だが、ポーランド人九万五〇〇〇人、イタリア人四万五〇〇〇人をはじめとする他国の大規模な分遣隊が加わっていたのである。ただし外国人の分遣隊もフランス人将校が指揮した。

これほどの大軍勢であることから、大陸軍は十八世紀の戦争からの脱却を実現した。「総力戦」という新しい戦争のかたちが生まれたのである。十八世紀の野戦軍は五万人を超えることはめったになかった。大陸軍がその一〇倍の兵を擁していたのは、フランス革命による大幅な軍事制度の刷新、すなわち国民皆兵制の採用に端を発している。これを枢軸とした新方式の戦争は全国民を戦争に引き入れ、目的はただ敵軍を打倒することだけでなく殲滅させることになった。

これを目標としたとき、大陸軍は一部隊として指揮するには大きすぎた。そこでより小さい軍団に分割され、さらに軍団は五〇〇〇人の兵士からなる師団を四つから五つ集めて構成された。だが、大陸軍がアンシャンレジーム時代の軍隊と異なるのは規模と組織編制だけではなく、戦術においても違っていた。大陸軍は前例のない速さで移動する能力を有し、それを最大に生かして戦争を遂行した。この機動力の高さの理由は、大部隊に必要な食糧や衛生用品などの軍需品を運ぶ煩わしさから解放され、身軽で移動できたからである。

ナポレオンは最初に名声を手にした一七九六年から一七九七年のイタリア侵攻のとき、移動の先々で周辺の村とその住人から家畜や飼料や穀物を徴発して食糧を賄うのを慣行にした。このやり方は西ヨーロッパと中央ヨーロッパではうまくいった。さらにまた、この「収奪体制」は兵士の士気を相当に高めた。兵士は軍事遠征を儲けの手段と考えるようになったのだ。ナポレオンとともにロシアへ遠征したフィリップ＝ポール・ド・セギュール伯爵は次のように書いている。

ナポレオンは……糧を手に入れるためのそうしたやり方が兵士にとって魅力的なことを

……よくわかっていた。兵士は懐を肥やせるので戦争を歓迎し、階級以上の権限があたえられることも多々あって満足する。また、兵士からすれば、金持ちに対する貧民の闘いという魅力がすべて詰まっている。そしてこのような状況下では、自分が非常に強いと感じたり確信したりする歓びを始終味わえる。ナポレオンはそれを知っていたのだ。[5]

行軍先で食糧を調達することにしたのには、経済事情もあった。戦争は食糧供給のほかにも莫大な経費を要したため、兵士に自分でやらせれば大きな節約になったのである。同じ理由から、大陸軍は量産品の軍服を兵士に支給した。ところがこれがうすっぺらな生地でできていて、長期におよぶ軍事行動で風雨をほとんど防げないという代物だった。最悪だったのは、靴の経費を切り詰めたことである。フランス兵は、靴底を縫いつけずに膠で接着しただけの粗悪な長靴を履いてロシアへ向かった。長靴は七月にはぼろぼろになってしまい、九月のボロジノの戦いでは歩兵の多くが裸足で進撃した。十一月に冬が到来すると、両足をぼろ布で包んで雪中をのろのろと行軍するというありさまだった。

　コブノでリトアニアを横断するにあたり、ナポレオンの戦略は、立ちはだかるロシアの防衛線の大きく途切れたところを突くことだった。ロシア軍は三〇万人ほどの兵力でその倍の規模のナポレオン軍の攻撃を防ごうとしていた。それにもかかわらずロシア軍は、ミハイル・バルクライ・ド・トーリの指揮する北軍と、ピョートル・バグラチオン率いる南軍の二手に兵を分けていた。そこでナポレオンはいつもの戦術を用い、敵軍の配置の最もうすい部分を見つけて圧倒的兵力で攻めるという作戦を立てた。まずは二つのロシア軍の間隙を猛スピードで突破する。二つの軍を合流させなければ、どちらの軍に対しても兵力で圧倒しているので一つずつ包囲して片づけていけばよい。一八〇五年のアウステルリッツの戦いでのように華々しい勝利を収めたのちには、大陸軍の目の前にはロシアの中心サンクトペテルブルクとモスクワへの道が開けるだろう。軍を殲滅されたロシア皇帝はどんな条件でも飲んで停戦を求めてくるはずだから、戦争は早々に終結するとナポレオンは見込んでいた。だがその一方で、衛生設備や食事、健康といった日常的な問題は一顧だにしなかった。

ニエーメン川を渡ったあとの最初の一〇日間で、フランス軍は最初の目標を達成した。「電撃攻撃」作戦によって、ロシアの二つの部隊を引き裂くのに成功したのである。にもかかわらず、期待した結果にはならなかった。皇帝ナポレオンが望んでいたのは、追撃しながらリトアニアを横断するあいだに決戦にもち込むことだった。ところが驚いたことに、ロシアの指揮官は戦闘を回避したのである。彼らは退却してフランス軍にロシア領土を占拠するままにさせ、主力部隊を危険にさらそうとしなかった。ロシアは一八〇七年のフリートラントの戦いでフランス軍最高司令官に壊滅させられたのを忘れていなかった。そしていま、その同じ人物が兵の数と武器と戦術にものをいわせてロシア軍を圧倒しようとしていた。カール十二世を迎え撃ったピョートル大帝のように、アレクサンドル皇帝も正面切っての力くらべを避け、かけがえのない財産に頼ることにした。ロシアの土地と気候である。

ナポレオン軍の司令部で手記を執筆したレーモン・A・P・J・ド・モンテスキュー＝フェザンサックは、目の前の現実を考慮して計画を変更するのを皇帝がよしとしないと、困惑した様子で記している。それどころかナポレオンは大決戦の夢想にとりつかれ、それをやみくもに追いかけてロシアの奥へ奥へと進んでいった。毎朝目を覚ますたびに、「ロシア軍よ、兵士の疲弊など考えずに……後退をやめて戦を交えてくれまいか」[6]と彼は願った。毎日が、ロシア軍は後退し、フランス軍が追うというくり返しだった。ひと月もたったころにはリトアニア全域を制圧したものの、どこか薄気味悪さが残った。ナポレオンはロシア軍の後衛にしつこく銃撃戦を挑まれたが、三か月のあいだロシアの主力部隊と交戦することはできなかったのである。

ロシアの奥へ

東へと突き進むナポレオン皇帝は、道らしい道もなく、住んでいるわずかな人びとは貧しく、必要な物資がほとんど見つからない土地で出くわす困難のことを考えていなかった。言い換えれば、ナポレオンは部隊の置かれた自然環境と社会環境を考慮しようとせず、そのために生じる兵士の健康問題も頭になかったのである。

さらに、敵の対抗策を予測できるつもりでいたので、面倒なことや予期していないことが起こるかもしれないとは考えないまま遠征を開始していた。とくに打撃になったのは、ロシア軍が後退しながら計画的に土地を破壊していったことだった。焼き払われた田畑や、人っ子ひとりいない村や、燻る灰の山と化した町の真ん中で食糧を探しまわらなければならないという手の打ちようのない問題に直面させる作戦だったのである。セギュール伯爵はロシア軍の決意の固さに驚きを隠さなかった。彼らが退却したあとは「まるで恐ろしい疫病でも襲ってきたかのようだった。農場も住居も、われらが接収し、役立てられる場所はことごとく犠牲にされていた。彼らは彼らとわれらとのあいだに、飢えと炎と不毛の土地を残したのだ。もはやこれは国王のみの戦いではない……階級の戦い、党派の戦い、宗教の戦い、国民の戦いだ。あらゆる戦いが一つになっていた！」[7]。

ロシア皇帝の軍に助言していたプロセインの軍事理論家カール・フォン・クラウゼヴィッツはロシアの戦略を説明し、妥協を許さずに実行するよう説いている。

> この領土を最大限に活用すれば、すなわち兵力を最後の瞬間まで温存し、いかなる条件でも停戦を受け入れなければ、ロシア帝国の広大な領土の恩恵によってボナパルトを完全なる失敗に追い込めるだろう。この考え方はとくに［ゲルハルト・フォン・］シャルンホルストが提言したものである……シャルンホルストの言葉では、「最初に銃が撃たれるのはスモレンスクでなければならない」――ひるまずにはるかスモレンスクまで後退し、そこで初めて本格的に戦争を開始すれば、かならずやこの戦法は奏功するだろう[8]。

皮肉なことに、ナポレオンはいわば自分への警告文を携えて馬車に乗っていた。『スウェーデン王カール十二世伝』、一世紀前にヴォルテールの著したカール十二世の受難の物語には、ピョートル大帝もスウェーデンの侵略者を全滅させる手段として焦土作戦を実行していたことが記されていたのである。モンテスキュー＝フェザンサックによれば、この事実を知って「ナポレオンは機嫌が悪くなった」[9]。それまで敵国の王や指揮官との知恵くらべを好んでいたフランス皇帝にとって、戦争は「娯楽」だったという。ところがロシアとの戦いは娯楽とはほど遠く、困惑させられるばかりだった。ナポレオンは「怯え、ためらい、立ち止まった」[10]とセギュールは記している。しかし、ナポレオンはしばし逡巡したのち、かならず前進した。

こうした常識で量れない軍事行動が展開されるなか、最初に起こったことはフランス軍の士気の危機だった。兵士らは憂さ晴らしの略奪の機会を失ったうえ、空腹と渇きに苛まれていた。東ヨーロッパで大陸軍を待っていたのは、食糧と携帯用の水の不足、兵士と馬の体力の低下、渡った沼地や小川にひそむ病原体だった。やがてそこに飢えと脱水症が加わった。

六週間後、実りのないまま重い足どりで前進していた大陸軍は、ロシア本土のスモレンスクに到着した。早期の征服を期待していた兵士らは不平をこぼしはじめた。がむしゃらに強行軍をつづけてここまできた挙げ句に、「泥水と空腹と灰の上の野営地があるのみ。征服したのはこんなものだけなのか……静まり返った広大な暗い松林のなかを……進んできたというのに」[11]。失望し、消耗した兵士らは任務を放り出し、ぞくぞくと脱走した。多くは逃亡して武装集団になり、行軍路近くの村を拠点にして身を隠しながらそこらを荒らしまわって生き延びた。

部隊を軽装備にする工夫も、広大なカザフ草原ではむなしかった。軍事技術者のジャン＝バティスト・ヴァケット・ド・グリボーバルは、ナポレオンの電撃作戦を容易にする新技術をつぎつぎと考案し、後世に名を残した。砲車を幅狭にし軽量にする、砲身をうすく短くする、砲身の上げ下げにネジを使用する、照準を合わせやすい仕組みを取りつける、砲弾を改良するといった設計を加え、重い大砲をあたかも魔法のように移動可能にしたのである。この独創的な改良によってフランス軍の火器は総重量が半減し、砲撃の精度と威力を犠牲にすることなく戦闘中もすばやく移動できた。これにより高い機動性と奇襲と猛烈な弾幕砲火が実現した。この「グリボーバルシステム」はナポレオンの戦術の基本になった。元砲兵士官だったナポレオンは大砲と曲射砲を多用したからである。

ところが、余分なものを削ぎ落としたグリボーバルの大砲でさえ、ニエーメン川からモスクワへ運ぶのには手間どった。ナポレオンが大砲を頼みにできるのは、それを牽引する何万頭もの馬がいてこそだった。ところが人間以上に食べものをあたえられていなかった馬は、すでに往路で数千頭もが病気になったり死んだりしはじめていた。しだいにフランス軍は大砲を捨て、騎兵を歩兵にせざるをえなくなった。こうして大陸軍は、その名を轟かせていた射撃能力と騎兵による電撃攻撃という当初の強みを失った。やがて戦術の要の偵察と諜報なしに進軍をつづけるようにもなった。身軽にはなったが、武器は足りず、食糧もろくになく、やみくもにのろのろと進むにつれて兵力はひどく損耗し、困惑が広がった。

赤痢

だが、軽装備の行軍のもたらした結果は、兵の損耗と減りつづける馬の数だけではすまなかった。ロシア皇帝の領土に侵攻する準備の段階で、大陸軍は迅速な移動を最優先して兵の健康を犠牲にするという無情な選択をしていたのである。フランス軍の指揮官は食糧を荷物に入れなかったのと同じように、医療用品、衛生用品あるいは手術用の備品もロシアに運び込まないことにした。この決定は皮肉だった。フランスの軍医長ドミニク・ジャン・ラレー男爵は、負傷兵を戦場からただちに退避させ、戦闘地域に近い病院へ移送して命を救う方法を考案したことで有名だったからだ。この革新的な方法によって、ラレー指揮下の軍医はずたずたになった四肢を迅速に切り落とし、出血量を最少に抑えて壊疽を防ぐことができるようになった。

ところがロシアの戦地に赴いた医療班の手元には、いかなる種類の物資もなかった。ラレー軍医長には添え木も包帯も、患者を寝かせる寝台もなく、用意される食べものはキャベツの芯のスープと馬肉だけだった。投与する薬もなかったため、ラレーはほかの軍医とともに行軍しながら森で薬草を探しまわる羽目になった。間もなくフランスの野戦病院は不潔で病人があふれ、ひどい悪臭のする死の場所という恐ろしい噂が流れるようになった。また、病院が病気の温床にもなった。

深刻だったのは、衛生設備もテントもなく野営しなければならなかったことである。しかも東へ攻め入ったときには泥の上で、退却したときは雪の上での野営だった。前進中は夏の暑さのなかを三〇キロ近い背嚢を負い、背丈ほどもあるフリントロック式マスケット銃を携え、首に弾薬帯を引っかけ、手に銃剣と剣を持って、一日に二四キロから三二キロを移動した。ぐっしょり汗をかき、行けども行けども終わらない行進に疲労困憊し、食糧も飲みものもほとんどあたえられず、兵は脱水症と栄養不良に悩まされはじめた。まだリトアニアというときに、ナポレオン軍は戦ってもいないのにすでに人的資源を失いつつあった。衰弱して倒れたり、行軍についていかれなくなったり、野戦病院に運ばれたりして落伍者が出ていたのである。

ロシアへの行程であたり前になっていたさまざまな状況は微生物疾患、とくに十九世紀の軍隊がひどく恐れた赤痢の発生に最適な条件をつくっていた。細菌性赤痢は、赤痢菌属の四種の菌が引き起こす細菌性疾患である。腸チフス、コレラと同様に、排泄物に汚染された食物と水を摂取する糞口経路で感染する。大陸軍は先頭から後尾まで三〇キロ以上にわたって隊列が伸び、不潔になるのが避けられない環境で昼夜を過ごしていた。軍がのろのろと行進していく道とその両脇の地面の土は、数知れぬ兵士と馬と荷車と大砲が通るために激しくかきまぜられる。人間と馬の排泄物と泥とが混ざりあって悪臭を放ち、その糞に無数の蠅がたかって卵を産む。兵士はそんな状況下で行軍し、食事し、着替えもせずに眠り、ときおり交戦した。つねに野外にありながら、自らのつくりだす特殊な環境のなかで過ごし、その劣悪な衛生状態はごみごみした都会の貧民街にも劣らなかった。

一日の行軍を終えた部隊は、道端に場所を見つけて陣どった。集まって火をおこし、食べものがあればなんであれ慌ただしく調理した。また、気の向くままに近くで用を足し、水が見つかれば、臭かろうがどろどろしていようがどんな色をしていようが、むさぼるように飲んだ。生還者の回顧によれば、渇きのあまり、いっしょに移動し寝起きをともにしていた馬の尿を飲んでしまう者さえいたという。

このような状態では、いつなんどき病気になってもおかしくなかった。まず飲み水である。沼や川はそもそも病原菌だらけということが多かったが、そこを五〇万人の兵士と一〇万頭の馬が通過しながら無闇やたらに水を汚した。多くの兵士が川のなかで排便し、下痢になれば、その地元民の水源でできるかぎり体と服を洗った。

食事も問題だらけだった。兵士はずっと洗っていない手でどんな食べものも分けあったので、細菌もうつしあった。さらに行軍で疲労困憊し、周囲を警戒してビクビクしているときもあったため、蠅がブンブン飛びまわっていることなどかまっていなかった。すっかり蠅に慣れてしまっていたし、病原菌のことなど考えたこともなく、蝿が病気を媒介する——細菌を毛の生えた付属肢につけるか消化管に入れて運ぶ——ことも知らなかった。食糧を何かで覆うこともしなかったので、蝿がたかって病原菌をなすりつけた。

動物も似たようなありさまで、酷使され、ろくに餌をあたえられず、病気で倒れた多くの馬がそのまま打ち捨てられた。馬の死骸はやがて腐り、あとにやってきた兵の通行を妨げ、大量の蛆虫の栄養になった。遠征が長引くにつれて兵士は痩せ細っていき、やがて彼らも足をふらつかせ、倒れて死んだ。

大陸軍の兵士の体に一度入り込んだ赤痢菌は、めぐまれた環境で人体の防御機構を突破した。赤痢の大きな特徴は、宿主の人間に感染するのにごくわずかな菌数しか必要としないことである。さらに細菌性赤痢は回復しても獲得免疫ができないため、感染をくり返す。また、赤痢菌属の別の種に対する交差免疫もできない。実際、十九世紀の医師は赤痢に一度かかるとまたかかりやすくなると考えていた。つまり、この病気は天然痘で見られた集団免疫のようなものを獲得できないのである。そのため細菌性赤痢は大陸軍にとって「処女地の疫病」だった。さらに赤痢には、病気の徴候は示さずに感染力を有する無症状保菌者がいた。こうした「腸チフスのメアリー」［一九〇〇年代初めのニューヨークで料理人として働き、自身は無症状でありながら腸チフスを周囲に感染させたメアリー・マローンの通称］がいたせいで、赤痢は医者が流行に気づくよりずっと前から静かに蔓延していたのである。

ナポレオンの兵は医師の厳しい監視下にあったわけではないため、赤痢の最初の感染者がいつ出たのかを知ることはできない。しかし、大陸軍の軍医のあいだではこの病気はよく知られていて、罹患者を見つけて衝撃を受けたことが報告されている。だが、そのときにはすでに赤痢は蔓延状態だった。一八一二年八月初旬、フランス軍はニエーメン川を渡って四〇〇キロほどのビテプスクに一時滞在したが、セギュールの推算では感染者は三〇〇〇人だった。感染は明らかに勢いを増しつつあり、「伝染赤痢」と呼ばれるようになった。ラレー軍医長は簡潔に、「病人多数」[12]と記している。

赤痢は進行が速いが、その速度は数時間から一週間ほどと幅がある。赤痢菌は結腸に達すると腸の内壁の上皮細胞に侵入し、組織を破壊して強い毒素を産生する。初期症状は、熱、硬脈および頻脈、激しい腹痛、「程度の差こそあれ、ものすごい勢いで排泄される」水様便である。排泄物には血が混ざっていることが多く、まるで「生肉が水のなかでふやけたよう」に見え、強烈な悪臭を発する。[13]次に、吐き気、舌苔、目のくぼみが見られ、肌はじっとりと汗に覆われる。また、あたかも腐敗がはじまる警告のように、体から強烈な悪臭が漂う。こうした激しい症状と大量の便はコレラを思わせる。体から体液が大量に流出するため、感染者は耐えがたく癒されない渇きに苦しむ。水分を摂取しても、すぐに嘔吐して排出されてしまうのだ。

一八一二年のロシア戦線では、対症療法を施す手段もなければ時間もなかった。補液療法と抗生物質が知られるようになるのはずっと先の話である。当然ながら、発症した兵士はショック状態に陥った。間もなく医師が「脱力」あるいは「無力」と呼ぶ衰弱状態か朦朧状態になって伏し、やがて意識混濁、昏睡状態を経て死にいたった。

大陸軍には治療の記録や統計を残す手段がなかったので、軍を崩壊させた赤痢の致死率を割り出すことはできない。だが、激しい症状を乗り切って長い回復期に入る兵士もいなくはなかったとはいえ、罹患者の大半は一週間以内に死亡したという数字が残っている。これほど死亡者が多いのはアルコールの乱用も一因だと考えられていた。当時は酒を飲むと腸が洗浄されると信じられていたため、兵士は赤痢を発症するとウォッカを飲んで治そうとした――これが死につながった。また回復期に入っても、無情にも病気がぶり返したり、衰弱状態でまた感染して命を落としたりする患者も少なくなかった。ラレー軍医長自身も感染したが、さいわい回復した。

仕方のないことではあるが、ラレーら軍医が用いた「赤痢」の診断区分は、今日の臨床医が知る赤痢と厳密には一致しない。十九世紀の診断は所見のみにもとづいていたため、曖昧で確実ではなかった。それに病気は怒涛のごとく襲ってきたので医師らは対応しきれず、診断の正確さを追求する余裕がなかった。そのため、このとき「赤痢」とされた病気には、赤痢だけでなくほかの重い胃腸病も含まれていたととらえるのがよいだろう。

八月下旬、赤痢は「勢いを増しながら全軍を破壊しつつある」[14]とセギュールは報告した。八月の初旬に患者数三〇〇〇人だったのが、下旬にはこのたった一つの原因で一日に四〇〇〇人が死亡した。言い換えれば、ちょうどロシアが軍事行動に出ようとするころ、フランス軍は膨大な数の兵士という強みを赤痢のために急速に失っていたのである。九月十四日、ついにモスクワに到達したとき――パリから直線距離で約二四〇〇キロ――大陸軍は兵士の三分の一を脱走と実戦と脱水症と病気で失っていた。最大の原因は赤痢だった。ナポレオン軍には失った兵を補う手段がなかったため、こうした絶え間ない兵士の減少はなおのこと問題だった。しかもロシア皇帝の軍にはこれほどの被害はなかった。補給線が短かったためロシア軍の指揮官は兵士にも馬にも食糧を供給でき、援軍も動員できたのである。

ナポレオンの参謀将校は、東方への強行軍がビルナ、ビテプスク、スモレンスクと一時滞在するたびに、皇帝は春まで遠征の停止を命じるだろうと思った。軍を立て直す時間、休養をとり兵と物資を補充する時間が必要だった。フランス大使としてサンクトペテルブルクに四年間駐在したアルマン・ド・コーランクールは、とりわけ熱心に停止を訴えた。装備は足りず、食糧も満足にあたえられず、しかも病気で発熱したフランス兵が原野でロシアの冬を迎えることになれば、非常に危険な状況に陥るだろう。コーランクールがとくに望んだのは、この一八一二年の遠征でナポレオンが野望を満たすのはロシア本土の最初の都市であるスモレンスクまでにすることだった。ところが、皇帝は軍が一時滞在するごとに性急になっていった。セギュールはこう記している。「彼がモスクワ占領の思いにとらわれていたのはことにこのときだった。そこが恐怖の絶頂であり、また彼の望んでいたものだった。モスクワを手に入れられれば、彼はすべてを自分のものにできるだろう[15]」。じつのところ、ナポレオンを思いとどまらせるはずのもの——距離、気候、未知の土地——が彼を引きつけて離さないのではないかとセギュールは思いはじめていた。ナポレオンは目の前の危険が大きいほど、胸を高鳴らせたのである。

ボロジノの戦い

モスクワ入城を前に、ついにフランス軍はロシア軍と激突した。ロシア遠征で唯一の大きい戦闘となった九月七日のボロジノの戦いである。ナポレオン時代の最大の激戦になったボロジノの戦いは、ナポレオンがロシアに対して求めてきた全面戦争だったが、皮肉なことに、時期も展開も彼が思いどおりに決めたわけではなかった。好機到来と判断したのはロシアの指揮官ミハイル・クトゥーゾフ（一七四五〜一八一三年）である。北と南に分かれたロシア軍をフランス軍は引き離しておきたかったが、二つの軍はモスクワの西でついに合流した。

この重大局面で、アレクサンドル皇帝は合流したロシア軍の全指揮権を経験豊かな老練の策士であるクトゥーゾフに委ねた。一八一二年のロシア遠征を題材にした長編小説『戦争と平和』でレフ・トルストイが描いたように、このロシアの総司令官は敵対するフランス皇帝と正反対の穏やかな気性だった。彼には戦術の才を見せつけてナポレオンと張りあうつもりはさらさらなかった。ロシアは一八〇七年のフリートラントの戦いでナポレオンに敗北していたため、クトゥーゾフ将軍は彼を恐れ、かつてピョートル大帝が、今度はアレクサンドル皇帝が採用した戦略を実行した――ロシア深部まで後退し、領土の広さと気候で敵軍を壊滅させるのである。クラウゼヴィッツによれば、クトゥーゾフは最初に攻撃命令を出したのがスモレンスク後だったことに満足していた。軍事理論の用語で「兵力温存」戦略をとったのである。

しかしモスクワを間近にして、クトゥーゾフはついに一戦交えるときがきたと意を決した。大陸軍の苦境はつねに諜報網から耳に入ってきていた。一方、自軍は合流し、物資も十分に行き渡っている。ここからわずか東へ一〇〇キロ余のロシア中心都市までの道を封鎖したい。ナポレオンよりも四日早くボロジノに到着したクトゥーゾフは、眼下に平原を見渡す高台の二つの角面堡に軍を配置した。モスクワの手前ではここが軍事的に有利な最後の場所で、ロシア軍は塹壕、とがり杭、大砲六〇〇門、突進してくる馬と歩兵の足を折る「落とし穴」で守備を固めた。そして位置につき、フランス軍の攻撃を待った。いまや大陸軍は兵士の数でかろうじてロシア軍を上まわる程度になっており、武器も失い、戦いは容易でなかった。こうして直径五キロほどの戦場が戦いを交えた。

で、突撃してきた十三万四〇〇〇人のフランス軍とそれを迎え撃つ十二万一〇〇〇人のロシア兵

大量の戦死者に、ある歴史学者は「それまでの戦争の記録のなかで最も多くの命が奪われた戦いだった」[16]と述べている。九月七日、両軍は夜明けとともに銃撃を開始し、殺戮はその後十四時間、日没までつづいた。砲弾とキャニスター弾とマスケット銃に撃たれ、銃剣で突かれ、サーベルで切られて、数万人が命を落とした。血なまぐさい一日が夕暮れとともに終わり、クトゥーゾフが軍に撤退を命じたため、ナポレオンはその土地を占領して一応の勝者になった。フランス皇帝は高熱と排尿痛に苦しんで決断力に欠けていたのか、なぜか精鋭部隊である皇帝親衛隊を戦場に送り出さなかった。時機を見誤らずに出動を命じていれば、皇帝親衛隊が大勝利をもたらしたはずだとクラウゼヴィッツもナポレオンの参謀らも考えていた。

フランス皇帝が好機をとらえそこなったのは、単純だが皮肉な運命のいたずらが原因だったかもしれない。大陸軍は、圧倒的な兵力と射撃能力で敵軍の弱点を集中攻撃する目的で編制されていた。いつもならナポレオンは高い場所から小型望遠鏡で戦場を見渡し、類まれな戦略家の洞察力で部下に細かく的確に指示をあたえた。ところがボロジノの戦いは、大勢の兵士が戦場にひしめいていたために統率の手腕が発揮できなくなった稀なケースになった。小さい戦場でこれだけの軍勢どうしが衝突したことで砂ぼこりが分厚い幕になり、戦いの様子が見えなくなったのだ。一〇〇〇門もの大砲と一〇万挺ものフリントロック式マスケット銃から立ち昇る煙、九万発もの砲弾で吹き飛ぶ土、一万もの馬と歩兵が突進して巻き上がる砂ぼこり……。ナポレオンは眼下の状況を追うことができなくなった。全面戦争はまさに戦場の霧をつくり、ナポレオンは最も必要

なときに戦術能力を封じられたのである。

トルストイはロシア遠征の考察でこの皮肉な運命を指摘した。「ナポレオンの意思は、どこまでボロジノの戦いを左右したのだろうか」とトルストイは問い、フランス皇帝は「虚構の指揮官」を演じるにとどまらざるをえなかったとしてこう結論した。「戦闘はナポレオンの指揮で進んだのではない。ナポレオンの計画は一つも実行されず、戦闘中、彼は目の前で何が起こっているのかをわかっていなかった[17]」。

視界を閉ざされたナポレオンはクトゥーゾフを無傷で退却させただけでなく、追撃開始の時機も見逃した。この日の終わりまでにフランス軍が手に入れたのは、多くの犠牲をともなった勝利だった。確かに戦場は大陸軍の手に落ち、戦いで倒れたロシア兵四万人はフランス兵の戦死者三万人を上まわり、クトゥーゾフは退却した。だが、フランス軍はここでようやく軍医の出番となり、それから二四時間ひっきりなしに切断手術がつづけられ、ラレー軍医長自身も戦いの直後に二〇〇〇もの四肢を切断した。勝利は得たとはいえ、これだけの犠牲を払った大陸軍は回復できないほど消耗し、一方のクトゥーゾフは損失を援軍で埋めあわせたのである。

さらにボロジノの戦いのあと、ロシア軍は士気が高まった。ナポレオンによる最大の攻撃をもちこたえ、生き残ったからだ。対照的に、フランス軍は落胆していた。それはセギュールの回顧によくあらわれている。

フランス兵は簡単にはごまかされない。あれだけ多くの敵兵が死傷したというのに、捕虜がほとんどいないことに驚いている。捕虜は八〇〇人にも満たないのだ。こうした人数から、かつて勝利の程度というものが判断されたことがあった。死体の数は勝利の証ではなく、負けた側の勇気の証だった。残った者が無傷で、誇り高く、希望も失わずに退却したのなら、戦場を手に入れることになんの意味があろうか。ここまで広大な国土をもち、ロシアは戦争をしてまで土地が必要であろうか。

一方のわれわれは、すでに維持できないほどの領土を手中に収めた。これは征服と呼べるのだろうか。コブノから砂地と灰を艱難辛苦してたどってできた長くまっすぐな溝跡は、われわれが通り過ぎるとともに、海原の航跡のようにふさがってしまうのではないか。武器などもたない小百姓が数人で、その跡をあっけなく埋めてしまうのではないか。[18]

フェザンサックが兵士の心情を察して一般幕僚から連隊長に昇格させたフランス軍佐官の多くも戦死してしまった。「軍全体の精神状態がかつてないほど著しく不安定になる」につれ、「失意の空気」が広がるのをフェザンサックは感じていた。しかし、フランス皇帝は猛烈な流血による打撃を認めようとしなかった。ナポレオン・ボナパルトは「何にも目を向けようとせず――耳を傾けもしなかった」[19]とフェザンサックは簡潔に評している。

トルストイをはじめ、ロシア人はその後いつまでもクトゥーゾフを国家の英雄と見なし、ボロジノの戦いを「一八一二年の偉大なる愛国戦争」に不可欠だったと称賛した。クトゥーゾフは来るべき戦いに備えて兵力を温存し、フランス軍に大きな損失をあたえ、勢力対等にもち込んで、ついに大陸軍を迎え撃った。さらにまた、ナポレオンは無敵という精神的な武器を失った。実践経験豊かな二人のフランス軍参謀の当惑ぶりが、九月七日という日を物語っている。「ジョアシャン・ミュラは、その日一日、皇帝の姿を見なかったといった。ミシェル・ネイは、皇帝は自分の仕事が頭になかったといった」[20]。

ナポレオン軍の崩壊に赤痢が相対的にどれほど影響したかを評価するとき、ボロジノを基準にして考えるのがよい。モスクワに入城するころ、大陸軍は十五万人から二〇万人の兵を三つの原因で失っていた。戦闘、脱走、病気である。戦死と脱走も兵力を弱めたが、最も影響が大きかったのは赤痢だった。大陸軍はモスクワ到着までの数週間で十二万人の兵——一日四〇〇〇人——を病気で失ったのである。

モスクワで

ボロジノの戦いのあと、クトゥーゾフはモスクワの東側の防御陣地まで退き、モスクワを無防備のままにした。しかし、ロシアは中心都市モスクワを放棄するときにさえ、またもフランス軍に不愉快な置き土産を残していった。これまであまたのヨーロッパの都に意気揚々と入城してきたナポレオンは、モスクワを占領すればあとはいつもの流れをたどると考えていた。ロシア高官の代表団が腰低く降伏を申し出、城門の鍵を差し出すだろう、と。

ところが九月十四日にナポレオンがモスクワに到着してみると、クトゥーゾフは大胆にも二五万人の住民を退避させていた。そこに追い打ちをかけるように、翌日に誰かが恐ろしい計画を実行した。消火設備を破壊し尽くしてから、火薬を爆発させて街に火を放ったのだ。炎は強風に煽られ、街は火の海となった。建物の八割が焼失し、残ったのは石造りの建造物——クレムリン宮殿と教会と地下貯蔵庫――だけだった。トルストイは本当に人為的に火がつけられたのかと疑いつつ、このときの大火はたとえ計画されていなくても免れられなかったと考えている。「木でつくられ、無人となった都市は焼失する運命にある」[21]。

ナポレオン軍の将校らはこのようなかたちでのモスクワ征服を「名ばかりの勝利」と見なし、ラレー軍医長は迷信めいて、この大火を破滅の前兆と考えた。フランス軍将校のチェーザレ・デ・ロジエは荒廃した街をポンペイの遺跡に重ねた。皇帝親衛隊の音楽隊が『勝利をわれらに！』を演奏しながら行進してモスクワへ入城したのが悪い冗談のようだった。

だが、幻想にしがみつくナポレオンは、領土の征服すなわち勝利と思い違えた。将校らを撥ねつけ、都を奪えばアレクサンドル皇帝は停戦を懇願せざるをえなくなると言い張って譲らなかったのである。そして条件を話しあうために使者をサンクトペテルブルクにやり、自分は小説を読んだり軍隊を見直したりして時間を紛らせた。冬が近づくなかで荒れ果てた街にとどまるとどうなるのかと心配になることもないではなかったが、退却という不名誉な決断をするのは気が進まなかった。

他方、ナポレオン軍の将校らはこの占領を勝利ではなく罠と見なしていた。彼らの考えでは、大陸軍はまだ戦争に勝利しておらず、極寒の季節がくる前にすみやかに退却するか、モスクワで冬を越し、春に軍事行動を再開するか、道は二つに一つだった。希望的観測で頭が働かなくなっていたナポレオンは、決断をまったくくださなかった。のらりくらりと何週間も過ごし、おまけにその年の十月初旬が季節外れの暖かさだったことに気をよくしていた。九月十四日から十月十九日まで、ナポレオンは黙想したり、排尿の痛みに悪態をついたり、ロシア皇帝が降伏しないことに苛立ったりするばかりだった。セギュールはナポレオンの様子を次のように記した。「この時期の質素で乏しい食事に長い時間をかけていた。息もできないくらい腹いっぱいに食べたいと思っているようだった。そのあとはずっと体を軽く椅子にもたせかけ、小説を片手に、物憂さげに身の破滅を待っているかのようだった」[22]。

指揮官がぐずぐずしていたことで、兵士にも一つもよいことがなかった。クトゥーゾフが軍を増強していた一方で、大陸軍は病気で兵を減らしつづけていた。ラレー軍医長がモスクワで慌ただしく用意した軍病院は、下痢と高熱に苦しむ兵士でたちまちあふれ返った。感染症と死によって、兵士の心は静かにナポレオンから離れていった。フランス軍はもはや征服者ではなく、敵に包囲されていた。街のはずれの向こうでコサック兵が食料探しのフランス兵を襲撃したり、偵察中の騎兵を殺したり、フランス政府との通信手段を断ったりしていた。モスクワから撤退するときのフランス軍は、追撃する側でなくされる側だった。

数週間の占領中に、フランス軍の戦備は崩れていった。最も顕著な要因は疫病による打撃だった。季節外れの暖かさに、過密な野営地と燃え残りの接収家屋の不衛生な状態が疫病発生の好条件になったのである。だがここで、略奪という新しい要因も目立ってきた。街は廃墟になっていたが、略奪目的でうろつく兵士が地下貯蔵庫の貯蔵物に引き寄せられるように集まった。彼らは蓄えてあった大量のウオッカを見つけると、すでに弱っていた体が壊れるまで痛飲した。

見捨てられた都でひと月も略奪をつづけた弊害はまだあった。軍隊の結束に欠かせない軍紀が乱れはじめたのである。将校も下士官も、誰も彼もが富を手に入れることしか頭になくなった。「モスクワ市《いち》」でがめつい商人のようにふるまい、金目の物を何でも両手いっぱいに抱えて運び出した。ラレー軍医長は好天つづきを憂えた。目前に冬が迫っていることを兵士が忘れてしまうからだ。毛織りの衣類や手袋や毛皮の外套を探して備えるべきなのに、彼らの溜め込むものといえば絹物や金銀の小さな装身具や宝石や宗教小物だった。将校は馬車に戦利品を満載し、歩兵は背嚢から必需品を出して安ぴか物を詰め込んだ。皇帝親衛隊のジャン・バティスト・フランソワ・ブルゴーニュ軍曹は、牛革の背嚢のなかの分捕り品を書き並べている。

砂糖が数ポンド、米とビスケット少々、リキュールが瓶に半分、金銀糸の刺繍が施された絹の婦人用中国服、金と銀の装飾品、そのなかにはイヴァン大帝の小さな十字架もあった……これらのほかに自分の軍服も入れたし、婦人ものの大きな乗馬用マントも入れた……幅三〇センチ、高さ二〇センチほどの非常に細かい細工が施された銀のレリーフの絵が二枚。ほかにはペンダントがいくつかと、ダイヤモンドをあしらったロシアの皇族の痰壺が一つ。これらは土産にするつもりで、焼け落ちた家々の地下室で見つけた。背嚢がこんなに重たかったのもあたり前だ![23]

フランス皇帝に一つも共感できないトルストイには、大陸軍の行為は愚かでしかなかった。フランス皇帝がすべきは、ただ……

軍に略奪行為を許さず、冬服を集めさせることだ（モスクワで全軍の分をまかなえたはずである）。そして少なくとも半年間はもつだけの食糧を集めさせる……。

ところが、この天才のなかの天才ナポレオンはこうしたことを何もせず……彼がその権力を行使してしたことは、よりにもよって最も愚かで最も破滅的な策なのだ[24]。

ラレー軍医長はトルストイのこの断罪を予期していた。毛皮や毛織物を見つけたら集めておこうと「思うのが普通[25]」だったと述べている。

モスクワを発つころには、大陸軍の荷はがらくたで途方もなく重くなっていた。ここに数千人もの避難民の長い列が加わった。商売人、外交官、女優、芸術家といったモスクワ在住のフランス市民だったが、彼らは戻ってきたロシア人に虐殺されるのを恐れ、兵士の後ろをとぼとぼとついていく非戦闘従軍者の列についたのである。

十月十五日、ついに寒波が訪れ、初雪が降って一〇センチ近く積もった。まったく防備をしていなかったことにふと気づいて愕然としたナポレオンは、出発を決めた。予定した十月十八日に、一〇万人にまで減っていたフランス軍は帰途についた。縦列行進で朝にモスクワをあとにした大陸軍は、規律ある軍の退却というよりも旧約聖書の出エジプト記の混沌を思い起こさせた。この先には、フィレンツェを追放されたダンテが味わったような苦難の七週間が待っていた。

敗走

ほどなくフランス軍を不運が襲った。つねに警戒怠りないクトゥーゾフは、敵の動きを十分に把握していた。西に向かう道は二本あり、フランス軍が選択を迫られることもよくわかっていた。

一本はカルーガへつづく南まわりの道で、ロシア軍に火を放たれてもフランス軍に略奪されてもいない田舎を通るため、食糧や必需品の補給を期待できるのが魅力だった。北まわりはスモレンスクへつづく道だが、このあたりは両軍に荒らされていたため、退却するフランス軍のたすけになる物資は残っていなかった。

ナポレオンの非凡な才能を恐れたクトゥーゾフも、いまでは自分のほうが優勢で、必要な物資が大陸軍に渡らないようにすれば勝利を手にできるとわかっていた。そこで兵士をマロヤロスラベツという小さい町に強行軍で入らせ、カルーガへの狭い峡谷沿いの道を障害物でふさがせた。もはや全面戦争を望んでいないナポレオンは二度目の力くらべを避けて小規模な偵察をするにとどめたため、ロシア軍はそれを撃退した。こうしてナポレオンはあきらめて北上し、すでに知り尽くしていたスモレンスクへの道を進んだ。

十月二四日のマロヤロスラベツの戦いは、大陸軍をスモレンスク街道へ誘導してロシア軍の勝利を決定づけた。規模の小さい戦闘だったが、フランス軍は敗走を余儀なくされた——本格的な冬を目前にして、時間との戦いが何より急務になったのである。セギュールはマロヤロスラベツを、「世界征服を食い止め、勝利の二〇年を未完にさせた縁起の悪い土地[26]」と呼んだ。

いまやナポレオンとクトゥーゾフの立場は逆転した。戦略の天才ナポレオンの頭には、できるかぎり速く逃げることのほかになんの計画もなかった。片やクトゥーゾフは、明確で首尾一貫した戦略を進めた。手負いだが猛々しい野獣を仕とめる狩人の戦法をとったのである。反撃の力をまだ残しているかもしれない危険な獣を追いつめることはせず、慎重に距離をとりながら執拗に追い、相手が疲れて倒れるのを待つ。そうして安全に近づけるようになったら一突きして、とどめを刺す。

ところがスモレンスクに向かってよろよろと歩を進めていたフランス軍は、クトゥーゾフよりも情け容赦ない敵に遭遇した。寒波が訪れると、また別の疫病が発生して猛烈な勢いで広まったのである。今度は発疹チフスだった。赤痢はモスクワへ向かう大陸軍の三分の一を壊滅させたが、発疹チフスは退却する残存兵の大半の命を奪った。モスクワから撤退した一〇万人の兵士のうち、帰路を生き抜いたのは一万人に満たなかった。死者の割合から見て、歴史学者のスティーヴン・トールティはこの疫病による災禍を「世界の歴史に比肩する例のない大量死[27]」と表現した。大規模な戦闘なくして、これだけの死者が出たのである。

発疹チフス

胃腸炎を引き起こす多くの疾病と同様に、赤痢も気温が低下すると勢いを失い、伝播しにくくなる。だが、発疹チフスはそうではない。冬場の行軍は、虱《しらみ》を原因とするあらゆる病気に絶好の環境をあたえた。寒さに震える一〇万人もの兵士が不潔な野営地で体を寄せあっていれば、いとも簡単に感染が広がる。事実、この病気が軍隊の環境を好むことは、十九世紀に「戦争ペスト」「野営熱」「戦争疫病」と呼ばれていたことからもわかる。

発疹チフスは接触感染も、空気感染も、糞口感染もしない。人間と虱と発疹チフスリケッチアという微生物との複雑な相互関係で感染する。人間は発疹チフスの病原体の重要な病原保有体《リザーバー》で、人間の血だけを吸うコロモジラミがこの病原体を人間から人間へ運ぶ。コロモジラミは孵化した瞬間から猛烈に血を吸いはじめる。

リケッチアに感染した虱は、蚊のように細菌を直接的に血液中に送り込むのではない。虱は血を吸うときに病原体を大量に含んだ糞を排泄する。同時に血液凝固阻害物質を刺し傷から注入するが、これがたまらない痒みを引き起こす。宿主は痒いので刺されたところを掻く。このときに傷口が糞に汚染され、今度は宿主が感染するのである。また、感染者が引っ掻くので虱はそこから逃げ出し、衣服の表面に出てくる。近くにいる人の体にたやすく移動できるようになり、移った先でまた繁殖する。発疹チフスの伝播にはこの過程が重要だ。虱は効率のよい媒介生物《ベクター》ではない。飛ぶことはできず、這いまわるだけなので行動範囲がひどくかぎられている。したがってコロモジラミが寄生と伝播の二重の連鎖を維持するには、人と人の密な接触が必要なのである。

スモレンスク街道では、虱と寄生微生物にとって絶好の環境がつねにあった。気温がぐんぐん低下するにつれて、兵士が分厚い服を何枚も重ねて着るようになった。コロモジラミはこうした衣類の縫い目を好む。安全を確保するためにあつらえたかのような鉤爪で、布地にしっかりしがみつく。虱には好都合なことに、兵士は八三日におよぶ行軍中にめったに服を脱がず、また衣類も体もまったく洗わなかった。そのうえ暖をとるために体を寄せあった——夜になると火のそばに腰を下ろして食事し、雪の上で膝を抱えて眠る。これだけ人が密着していれば、虱は人の体から体へいくらでも移動できる。こうして兵士一人に三万匹も寄生するほどの虱の大発生が起こった。ロシア退却時の苦労は数々あったが、残存兵の回顧録でとくに目を引いたのは、この生きものが引き起こす耐えがたい痒みの描写である。「ある晩のこと」……

身を寄せあって焚き火を囲んでいると、あの虫がまた動きだし、僕らに耐えがたい苦痛をあたえた……忌々しくて、いっそう苦痛が増す……退却をはじめた当初から、悲惨な状態になっていた……夜間のひどい寒さを逃れるには服を脱ぐわけにいかず、それどころか手近に布きれでもあれば、何でもかまわず体に重ねないわけにはいかなかった。他部隊が引き払った野営地のそばに空き地があれば利用したので、布が落ちていることもあったのだ……こうして害虫は恐ろしい勢いで増えていった。下着、チョッキ、外套と、何もかもに虫がついた。ひどい痒みで夜の半分は眠れず、気が狂いそうだった。引っ掻きだすと我慢ができなくなって背中の皮膚が破けるほど掻いてしまい、そこがまた焼けるように痛む……それでさえ痒いよりはまだましで、気がまぎれた。仲間も全員、同じ状態だった。[28]

彼らを苦しめたこの害虫がすぐに死んでも、兵士らにはほっとする間など少しもなかった。十一月半ばになり、気温は摂氏マイナス二三度まで下がった。身を切るような冷たい風が吹き荒れ、雪が「死に装束のように兵士たちを包んだ」[29]。雪のぎらつきで目を傷め、芯まで凍えきった兵士らは髭からつららをぶら下げながら息絶えた仲間の服を剝いだ。疫病はこれ以上ないほど蔓延した。衣類の着まわしは、「この熱病が疑われる者の衣服にはできるだけ触らないのがよい[30]」という当時の忠告に反していた。

感染者の血中に侵入したリケッチアは循環系とリンパ系を介して、脳、肺、腎臓、心臓といった内臓器官の毛細血管に運ばれる。そこで血管内壁の上皮細胞に入り込み、分裂、増殖する。病原微生物は宿主の細胞内でどんどん増えつづけ、ついに細胞を溶解——細胞膜の破裂——させて破壊する。こうして周囲の組織内へ広がり、複製と破壊のプロセスをくり返す。十日から十二日の潜伏期間を経て、四〇度もの高熱、特徴的な発疹、激しい頭痛、吐き気、悪寒、筋肉痛といった初期症状があらわれる。背部と鼠径部をひどい痛みが襲い、体はアンモニアに似た臭いを発しはじめる。

その間、主要な臓器に広がったリケッチアは驚くべき数に達し、血液を凝固させて血流を阻害する。その結果、出血、血管機能不全、重要な生命維持機能の障害が生じる。唇が青くなり、舌が焼け、喉がひどく渇き、目は涙目で虚ろになり、乾いた咳がつづき、どす黒い下痢は耐えがたい悪臭を放つ。また、筋肉もうまく動かせなくなる。足元がふらついたり動きが鈍くなったりと運動失調状態になったことから、「脱力熱」「神経熱」の診断名もつけられた。

病原体が肺系統に達すると、肺胞に水が溜まって気管支肺炎が起こり、呼吸困難になる。血管が詰まるために手足の指先が壊疽で黒ずむ一方、中枢神経系が冒されて精神錯乱、卒中、意識混濁にいたる。

大陸軍の野戦病院では、発疹チフスの患者は突然笑いだしたり、叫びだしたり、実際にはいない相手としゃべりだしたりして疎ましがられた。このような頭のはっきりしない状態がチフスという診断用語の由来である。チフス（typhus）とはギリシャ語で「ぼんやりした」という意味の語で、意識の朦朧とした状態をあらわす。

体の複数の系統が同時に冒されるため、苦痛も死因も種々さまざまに変わる。ロシアでは、ベルギー人医師が「電光石火の速さで[31]」死が訪れると記した。死因は通例、脳浮腫か心不全だった。大陸軍が退却する行程では、自殺者も増えつづけた。原因はこの病気にかかったことを知った衝撃、そして兵卒のあいだに広がっていた、もっと大きい絶望感だった。

感染力がきわめて高く病毒性の強い発疹チフスは、抗生物質が発見されるまではとくに死亡率が高く、致死率は五割を超えた。だが、一八一二年冬のナポレオン軍退却時の状態は治癒と回復の可能性がすっかり奪われ、もっと致死率が高かった。

さらにいえば、大陸軍の不衛生な状態は、そのなかでさまざまな種の病原体が支配権を争う巨大ペトリ皿のようなものだった。気温の低下で沈静する赤痢は、秋のあいだに鳴りをひそめた。だが、性感染症、肝炎、下痢は引きつづきフランス軍を蹂躙した。また最近の研究では、発疹チフスと同じようにコロモジラミの媒介する塹壕熱がナポレオン軍の兵士を苦しめていたことがわかった。ただし塹壕熱の場合、体は衰弱するが死亡することは少ない。つまりいくつもの併存疾患が退却する兵士の苦痛を増し、抵抗力を弱めたのである。

発疹チフスは栄養不良の人びとのあいだで流行すると、死亡率が高くなることがわかっている。十九世紀の疫病学者ルドルフ・フィルヒョーは、発疹チフスには多くの別名のほかに「飢饉熱」という名もあることを思い出させてくれる。典型的な例がアイルランドだ。十八世紀の終わりから一八四五～一八四九年のじゃがいも飢饉までのあいだ、飢饉と発疹チフスの二つの危機が立てつづけに発生した。フィルヒョーは一八六八年に次のように述べている。「アイルランドは二〇〇年近く前から飢饉熱の本場だったと考えてよいだろう。エジプトが疫病に苦しめられたように、アイルランドも一七〇八年以降、このきわめて悪性の伝染病、すなわちチフスが発生するたびに荒れ果てたといっても過言ではない……この点では、世界中のいかなる国ともまったく比較にならない[32]」。発疹チフスはこのようにアイルランドではじゃがいもの疫病につづいて発生したが、大陸でも拡大し、とくにフランドル地方と上シュレジェン地方を荒廃させた。

大陸軍の敗走もこれと似て、ヨハネの黙示録の四騎士のうち三人――飢饉と疫病と戦闘――をともに走らせているような状態だった。西のスモレンスク、さらにその先のニエーメン川へつづく道は、人間が生命をつなぐ手立てを一つもあたえてくれなかった。計画的に略奪されたあとの土地はいまや固く凍りつき、深い雪と氷で覆われていた。食料探しはもうできず、フランス軍は飢餓に直面した。

最後の審判の日は、足を痛めた兵士らの歩みが遅れたために、ナポレオンの参謀将校の予想よりも早く迫ってきた。雪に足をとられ、氷で滑り、行軍の速度は鈍った。生き残っていた馬も、冬用の鉄鋲付きの蹄鉄にかえてやらなかったせいで牽引する力が弱くなった。脚をすべらせ、転倒し、遅々として進まないのは馬も兵士と同じだった。

四苦八苦して進む縦列の先頭部隊は、後続部隊をいっそう苦しめた。先頭部隊が雪を踏み固めるので、雪が氷の板になったのである。そればかりでなく、彼らが打ち捨てていったさまざまなものが、後ろにつづく兵士らの障害になった。病気、衰弱、低体温、脱水症といったさまざまな原因で馬も人も倒れ、死に、死体はその場に置き去りにされた。荷を牽く馬の数が乏しくなるにつれて、部隊は荷馬車や弾薬箱、砲車、大砲を放棄した。兵士は荷を軽くするために「モスクワ市」で手に入れた略奪品を捨てた。また、凍傷の指には役に立たないからと、マスケット銃と銃弾を放り捨てる者も多かった。

死体と打ち捨てられたあらゆるものが地吹雪に埋まって危険な障害物になった。縦列は伸びつづけ、先頭と後尾のあいだに一〇〇キロ以上の距離ができた。状況は十一月六日に底知れぬほど悪化した。気温がまた一段と下がり、猛吹雪のために一メートルの積雪が地面を覆ったのである。

こうなると兵士の頭には生き残ることしかなかった。彼らは何よりも食べるものを欲していたが、しだいに追いつめられてきた。探しに行くわけにはいかなかった。食べものなどどこにもなく、隊列を離れれば死が待っていた。退却する軍をコサック騎兵が側面と後方から攻めてきており、食べものを探す者もはぐれた者も、彼らの手に落ちればただちに殺されたからだ。飢えた兵士は馬の肉に目をつけた。死骸を見つけて肉を切りとることができれば、すぐに火をおこして肉片をあぶった。死んだ馬が減ってくると、生きている馬の肉をえぐったりその血を雪に混ぜて飲んだりする者さえあらわれた。食べものをもっていれば妬まれたから、奪われる前に急いで飲み込んでしまわなくてはならなかった。肉を手に入れられた者は運がよかったとフェザンサックはいう。「ただし、この最後の食料源を仲間に奪いとられなければの話だが。飢えた兵士は一人でぽつんと離れている兵士を見つけると、ためらうことなく力ずくで食べものを奪いとり、とられたほうは、着ている服まで背後から引き剝がされなかっただけ運がよかったと思った。われわれはこの国を略奪し尽くし、そのために自らの身をも滅ぼす羽目になった」。もはや大陸軍は戦闘部隊ではなく、数を減らしていく暴徒の群れになり、スモレンスク街道はフランス兵どうしの争う戦場と化した。「ほかに危難がつづかなくても、食料不足だけで軍を崩壊させるに十分だった」[33]。

指揮下の兵士についてのフェザンサックの記述は、大陸軍が崩壊していく様子をありありと伝えている。

混乱しきった、武器を持たない大勢の兵士がよろよろと前進したり、死んだ馬と死んだ仲間のそばに惨めな姿でしゃがみ込んだりしていた。表情には絶望感が刻まれ、目は落ちくぼみ、引きつった顔は泥と煙で真っ黒だった。羊皮の断片や布の切れ端を靴のかわりに両足に巻き、頭をぼろ切れで覆い、背中には馬着や女物の下着や生焼けの獣皮をかけていた。誰かが倒れれば、すかさず仲間がぼろを剝ぎとって体に巻いた。毎夜の野営地はあくる朝には戦場さながらになり、目を覚ませば前夜に隣で寝た兵士が死んで転がっていた。[34]

ついに大陸軍は堕ちるところまで堕ちた。ばらばらに分裂した隊は、万人の万人に対する戦いがはじまるまでになった。最後の自制心が崩れ去り、飢えた兵士は人肉を口にしたのである。ブルゴーニュ軍曹は自分は食べていないと否定しつつも、切迫した状況で人間がそうした行為におよぶことに理解を示している。兵士のすさんだ心への非難を包み隠し、ブルゴーニュはこう記した。「馬肉が見つからなかったら、私も人食いになりかねなかったろう。気が狂わんばかりの飢えを感じたことがなければ、この状況は理解できまい。人肉がなければ、悪魔だって食えるものなら食ったにちがいない[35]」。

不衛生と寒さと飢えの環境で勢いを得た発疹チフスは、大陸軍がモスクワを発った十月十八日から残存者がふたたびニエーメン川に到着した十二月十一日まで猛威をふるった。敗走の数週間は初めから終わりまで、もはや戦うことのできない軍隊を発疹チフスの病原体が根絶やしにしていった期間といってよい。五〇万人でパリを出発した大陸軍は、十一月一日には七万五〇〇〇人にまで減り、スモレンスクに到着した九日には三万五〇〇〇人に、二六日にベレジナ川を渡ったときには一万五〇〇〇人に、そしてぼろをまとった残存兵がニエーメン川をふたたび渡ったときにはとうとう一万人になっていた。

ナポレオンはこの悲劇の結末を見ずに去ることを選んだ。十二月五日、目立たない服装で「ムッシュー・レナル」に変装した皇帝は、護衛を連れて橇《そり》でパリに向かって逃亡し、自分の兵士を見捨てた。

まとめ

一八一二年のナポレオンのロシア遠征は、戦争が病原体の繁殖にうってつけの衛生状態と栄養状態をつくりだして、疫病を大流行させることを示している。また、因果の連鎖が逆向きになりうること、つまり病気が戦局を決定しうることも浮かび上がらせた。ロシア遠征では赤痢と発疹チフスの発生が重なったことで未曽有の大軍が滅び、アレクサンドル皇帝に勝利がもたらされた。サン・ドマングで黄熱がナポレオン帝国の西方拡大を阻止したように、赤痢と発疹チフスは東方への進出を食い止めた。事実、この二つの感染症はフランスの体制転換に大きく影響した。ナポレオンの勢力はロシアで挫折してから衰退の一途をたどり、同じ規模の軍事力を構築することは二度とできなかったのである。

さらにいえば、アレクサンドル皇帝が勝利したことで、ナポレオンは敵を増やすことになった。ナポレオンの敵を怖気づかせていた無敵神話が崩れたからだ。最も重要な例はドイツの「国民の目覚め」である。ヨハン・ゴットリープ・フィヒテ、カール・ヴィルヘルム・フリードリヒ・フォン・シュレーゲルといった知識人が国民意識をみごとに覚醒させた。歴史学者のチャールズ・エスデイルは、ナポレオン戦争の影響について次のようにまとめている。

あとに残ったのは、まったく違うヨーロッパとまったく違う世界だった。一七八九年以前のフランスは、列強のなかでまぎれもなく最強だった……だが一八一五年には、このすべてが打ち払われていた。フランス国内の資源は変わらず豊富だったが、新しく発足したドイツ連邦は……ナポレオン帝国の中核だった「第三のドイツ」を統治する力がフランスにないことを示した。一方、海の向こうでも、中米と南米のスペイン支配にともなってフランス植民地帝国の大半が消滅していた。そして皮肉にも、フランス史上最も偉大な英雄がほかならぬ自国の国際的地位の完全な失墜を招き、やがてそれが大英帝国の海洋支配につながり、残るヨーロッパ諸国は、かつてのフランス以上に安全を脅かす大国の出現と戦うことになったのだ。[36]

ロシア遠征は、ヨーロッパおよび世界におけるフランスの勢力衰退に著しく影響した。そしてこの結果の決定的な要因になったのが感染症だったのである。

第10章　パリ臨床学派

流行性疾患について学ぶには感染症を一つひとつ検討するだけでなく、もっとさまざまな角度から考察する必要がある。ヨーロッパの疫病の歴史は、いくつかの重要なテーマを浮かび上がらせている。その一つはすでに取り上げた——疫病の侵入を防ごうとした社会が公衆衛生対策を発達させたことだ。このテーマでは、検疫、隔離病院、軍隊による強制的な防疫線の敷設といった厳しい対ペスト策から初めての公衆衛生が誕生したことがわかった。ペストの流行を経て、次の重要な公衆衛生対策を導いたのは天然痘だった。エドワード・ジェンナーが道を開いたワクチン接種である。公衆衛生は感染症の歴史と切り離せない。そこでもう一度そこに目を向け、そのほかのさまざまな対策がどのように生まれたかを見ていこう。

さらに掘り下げるテーマは、医学思想の歴史である。感染症の歴史は、体液病理説から近年の生物医学のパラダイムまで、いくたびか生まれ変わった科学的医学の発展の道筋と重なっている。ヒポクラテスとガレノスの体液病理説については第2章で考察したが、このあとの章では病気の不衛生環境説、接触伝染説《コンタギオン》、細菌説を取り上げる。ただしその前に、本章では科学的医学の発展のもう一つの重要な瞬間に目を向けよう。一七八九年のフランス革命の勃発から十九世紀半ばにかけてパリで興ったパリ臨床学派である。

パリ学派は――少々簡潔すぎる表現だが――医学が中世から近代へ移行した瞬間ともいわれるほど重要な意義があった。パリでどんなことが起こったのかを理解するために、この新しい医学の進展を次の三つの側面から考えたい。①十七世紀から十八世紀にかけて容赦なく批判されたヒポクラテス・ガレノス派の体液病理説の危機、②パリ臨床学派の誕生を導いた知識と組織の基盤、③パリの医学革新の結末と限界である。

体液病理説の危機――パラケルスス

古代における最初の科学的医学は、ヒポクラテスとその門弟が病気を自然現象とする理論を確立し、神か悪魔の力とする現実離れしたいっさいの説明を否定したときに誕生した。この方向性は医学の認識論において途轍もなく重要だった。医学の認識論とは、言い換えれば、医学は何を知りうるのか、どのように知るのかということである。そして医学知識の源泉はどこにあるのだろうか。『ヒポクラテス全集』は、病気に関する知識は病床にいる患者を直接観察して得られると主張した。そのため、体液病理説はしばしば「病床医学」と呼ばれる。知識の源泉は病床にあり、知識は患者の体の観察を通じて経験的に得られるとするものである。この説は医学教育の明確な指針になった。ヒポクラテス派の医学を学ぶ者は徒弟として遍歴医に随行し、観察こそ最も重要な仕事だと指導を受けながら技術を習得した。

科学的医学の発展過程で次に生まれたのは、第1章で見たとおりガレノス主義だった。ガレノスの著作では、しだいに直接の観察を離れ、彼の絶対視する権威ある先人のテキストが重視された。先人のテキストは詳細に解説すべきものであり、自分こそがその任を負うにふさわしいとガレノスは考えていた。先人の知識は決して覆しうるものではない。パラダイム転換とか根本的革新といったものが入り込む余地は、ガレノスの頭にはいっさいなかったのである。ヒポクラテスのテキストに造詣の深い権威者がそれを解説したものこそが医学知識であるとするガレノスの考えは「書斎医学」と呼ばれる。このガレノス流の医学の認識論は、教育にも影響をおよぼした。ガレノスの影響力のもとで、医学教育は古典テキストを原語でつぶさに読むこと、そしてそのためにラテン語の古典解釈の講義を受けることが基本になった。

ガレノス主義に最初に異議を申し立てたのは、非常に急進的な思想の一つだった。スイスの医師で錬金術師のパラケルスス（一四九三〜一五四一年）は、権威ある先人のテキストを宗教改革の絶頂期に否定したこと、またその医学理論が宗教色の濃いものだったことから、「医学界のマルティン・ルター」のあだ名で知られる。博学な医師よりも理容師が兼務する外科医や薬剤師に支持されたパラケルススは、エリートによる正統医学の机上の学問を、純然たる唯物主義の手法で病人を扱う不信心な自然主義と見なした。正統医学にかわるものとして彼が主張したのは、病気の第一原因は大宇宙《マクロコスモス》たる神と精神の領域にあり、直接原因は小宇宙《ミクロコスモス》たる人体および人体と自然との相互作用にあるとする医学哲学だった。パラケルスス派の医師は超自然的な力の仲介者として医療にあたった。正統医学の医師が体液の均衡を取り戻すために瀉血と薬草を用いたところ、パラケルススは化学物質の蒸留物を使った。

ガレノスとはまったく逆に、パラケルススは経験主義への回帰の名のもとに、理論と体系を否定した。だが、それにしては妙な矛盾もある。体液病理説を彼独自のアプリオリな体系に置き換えているからである。パラケルススは、人体は霊的特性が吹き込まれた三つの化学物質で構成されていると考えた。人が病に冒されるのは体液のバランスが乱れるからではなく、外部環境から攻撃されるからだ。治療するには、化学薬品と鉱物を蒸留して、それらに本来備わっている霊的特性を引き出してから投与する。そしてそれらの物質には、ガレノス派のように逆の性質のものではなく、「毒をもって毒を制する」の考え方にしたがって似た性質のものが用いられた。

十六世紀から十七世紀の正統医学を否定したパラケルススの宗教的、医学的な批判の主要点は、そのままシェイクスピアの戯曲『終わりよければすべてよし』の筋書きにまでなっている。物語は、重症の瘻《ろう》に苦しむフランス王を当時の正統医学で治せないことから展開する。

……わが国の最も博識な医者たちもわれわれを見捨て
大学から集められた学者たちも
どんなに手を尽くしてもこの困難な状態から解放することは
できないと結論したのだ。

（第二幕第一場）

パラケルスス派の医者の娘である主人公のヘレナは国王の嘆きを聞き、亡き父の治療法ならば「神のご加護によって」ガレノス医術になしえなかったことができると約束する。

わたくしはできぬことをできると公言するような
ペテン師ではなく、

自分の考えていることは誰よりわかっておりますゆえ、
わたくしの医術は功を奏し、王様はかならずやご快癒なさいます。
（第二幕第一場）

国王の瘻を治し、孤児で平民のヘレナが抜きがたいジェンダーロールを覆すことができたのは、パラケルススの治療法のおかげだった。ヘレナは感謝の意をあらわす国王に、治療を成功させた見返りに、その気になってくれないバートラム伯爵との結婚に手を貸してほしいと求める。こうしてシェイクスピアはパラケルススを利用して貧しい平民のヘレナを宮廷に仕える貴族と結婚させ、性差による序列ばかりか社会的序列をも転覆させた。ヘレナはまた、医師らの唯物主義と相容れない信心深さを見せてもいる。ガレノス派こそ異端とする考えに、シェイクスピア自身が明らかに共感しているのである。

正統医学への科学からの異論

だが医学界では、パラケルススからの異議は門外漢からの正統医学への攻撃と見なされ、エリートによる純理論的な医学の発展にわずかしか影響をおよぼさなかった。その後長く正統医学を揺るがすことになったのは、別の方面から出された異論だった。一つは、科学革命という時代の精神である。知的エリートのあいだでは、フランシス・ベーコンの時代に誕生した経験的、実験的な方法論から、ガレノス派が依拠した権威による序列と相反する民主の思潮が生まれた。そしてこの傾向を後押ししたのが「中産層《ミドリング・ソート》」の職人たちだった。彼らの技術、知識の交換、創意工夫の力から科学の発見が実現し、社会的序列がますます崩れることになった。

また、個々の科学分野の発展も「書斎医学」の体系を根底から揺るがした。人体解剖学の分野では、パドバ大学で教えていたフラマン人医師のアンドレアス・ヴェサリウス（一五一四〜一五六四年）が一五四三年に大著『ファブリカ』を発表した。ニコラウス・コペルニクスの革命的な研究成果の発表から一週間もしないうちに出版されたのは、象徴的な偶然である。当時の一流画家による美しい人体解剖図と著者による忠実な注釈で構成された『ファブリカ』は、伝統的な医学の教えを大きく変えた。ヴェサリウスはガレノスを尊敬していたが、人体を解剖して直接観察した結果、医学の泰斗の功績には二〇〇か所ほど修正が必要であることがわかった。ガレノスの人体解剖図は動物解剖からの推測にもとづいていたのである。

しかし、決定的に重要だったのは人体解剖図の修正ではなく、むしろ医学というテーマに向きあうヴェサリウスの気がまえだった。ヴェサリウスは演繹的なガレノスのテキストの権威を受け入れようとせず、彼のいう「自然界についての真のバイブルである人体」を直接観察することに知識の在りかを求めた。人体を真のバイブルと呼んだこの有名な言葉は、権威への反抗を匂わせている。ヴェサリウスのこの姿勢は、教えていた大学のあるイタリアの第一線の解剖学者たち、たとえばガブリエル・ファロピウスやヒエロニュムス・ファブリキウスを刺激した。そして彼らは自負していなかったが、ヴェサリウスとともに、反ガレノス主義というべき実験主義的な解剖学の基礎を固めた。彼らの功績は言葉の真の意味で、古代の権威と決別するものだった。

解剖学よりももっと重要だったのは、医学の新しい出発にはずみをつけた生理学の発展である。ここで活躍したのがイングランドの解剖学者ウィリアム・ハーヴィーだった。ハーヴィーの一六二八年の著書『心臓の動きと血液の流れ』により、今日のような血液循環の正しい理解が確立した。正統医学では、血液は循環せず、静脈と動脈の二系統の独立した管のなかを潮のように満ち引きし、心臓の隔壁に開いた複数の小孔を通ってわずかな量が流れるほかは、この二系統の管のあいだで血液が交換されることはないと考えられていた。ガレノスの考えでは心臓はポンプではなく、内臓の序列でいうと脳と肝臓の次に位置する臓器であり、川の流れが臼石を動かすように、血液の流れが心臓を動かしている。ハーヴィーは人間の生理機能と心臓血管の構造の理解に大変革をもたらした。観察と実験を重ねて、心臓がポンプの働きをすること、交差する二種類の回路――左心室から全身へ、右心室から肺へ――に血液を確かに循環させていることを示したのである。さらにガレノスのいうような、血液が心室の隔壁を通って染み出す現象はないことを証明した。

ガレノスとの決別を意味するこの発見は非常に過激なものだったため、ハーヴィーは一六一六年に実験結果を手にしながら、十二年待って一六二八年に発表を決意した。ハーヴィーの心配は確かに根拠のないものではなかった。イギリス医学界のエリートはハーヴィーの研究を相手にせず、彼の発見はイングランド内戦後まで英語のテキストに取り上げられなかったのである。同時に、フランス、スペイン、イタリアの権威もハーヴィーと彼の研究を酷評し、正統派ガレノス主義のジャン・リオランにいたっては、ハーヴィーの説を全面否定すると言い放った。科学界でハーヴィーの成果をいち早く受け入れたのは、急進的な気風の共和制のオランダだけだった。

このように四方から容赦なく責められたのは、ハーヴィーの生理学がガレノス主義を完全に覆し、結果的に医師の権威を失墜させるおそれがあるからだった。ヴェサリウスのときと同じで、問題とされたのは研究結果だけではない。テキストではなく実験と厳密な測定と直接観察のみを信頼したハーヴィーの方法論は、医学の認識論の大転換であり、体液病理説ばかりか政治や宗教においても権威への追従をぐらつかせることにもなる。ハーヴィーは政治と宗教に関して急進的ではなかったし、自分の講義から解剖学と生理学以外の分野でなんらかの地位を得ようとしたわけでもなかったが、それは関係がなかった。彼の認識論そのものが革新的すぎて、序列に逆らうものだったのである。

解剖学と生理学の発展と並行して、医学に深くかかわる大発見があった。アントワーヌ・ラヴォワジエ、ジョゼフ・プリーストリー、ヨンス・ヤコーブ・ベルセーリウスの功績による化学の革命によって、自然は四元素（土、空気、水、火）で構成されるとしたアリストテレスの説に疑問が投げかけられたのである。一七八九年に、ラヴォワジエが三三の元素の存在を提唱し、これを基礎にその後一〇〇年かけて周期表が作成されるまでになる。この新しい化学が、四元素、体液、気質、性質といったアリストテレスの世界観と両立する可能性はなかった。たとえば性質についていえば、冷という「性質」は一つの独立した性質ではなく、たんに熱がないだけであることがごく簡単な装置——測温器（ガリレオ・ガリレイが発明）とそのあとを継ぐ温度計（ジュゼッペ・ビアンカニが一六一七年に発明）——で明確になった。

そして最後に、疫病も正統医学に異を唱えたもののなかで重要な役割を果たした。ペスト、天然痘、コレラの発生時におびただしい数の人が突然命を落としたことについて、体液病理説では満足のいく説明ができないのである。病気の原因が体液の不均衡だとしたら、あれだけ大勢の人間が突然一斉に体液のバランスを崩すのはなぜなのか。個人の体の仕組みを扱う体液病理説は、病気が共同体全体に拡大していくことをどう説明するのか。

中世には体液病理説に占星術が加わって、より広く地球に起こる異変や災難の原因が星の並びと星の感化力にあると説明されるようになったが、疫病のパンデミックの原因は占星術でも明確に示せなかった。接触伝染という非正統的な考え方が生まれたのには、こうした背景もあった。接触伝染説なら病気が共同体に広まることがうまく説明でき、病人と接触すると病気にかかるようだという日常の経験とも嚙みあった。疫病の流行にたびたび見舞われるうちに体液病理説への疑問が生まれ、それにかわる医学哲学の基盤が用意されていったのである。

パリの知識革命の背景

パリ臨床学派は一七九四年から一八四八年の全盛期に、病気の理解と医学の認識論における革命を推進する大きい力になった。また医学教育を変革させ、医療の分科を促し、医学界を再編させた。さらに他の学派や学説と競うような専門性を有していたことから市中の医師に新しい権威をあたえ、医師の市場に変化をもたらしもした。パリは西洋医学の牽引役として、あとを追うヨーロッパと北アメリカのモデルになった。「書斎医学」が「病院医学」へ席を明けわたし、新しいパラダイムによる革新が体液病理説に取ってかわっていったのもパリだった。では、この「新しい医学」はどこから生まれたのだろうか。

組織の基盤

体液病理説へのさまざまな方面からの異議申し立ては古代医学を権威ある地位から引き降ろしたが、新しい医学の誕生に道が開かれるにはそのための基盤が整ってもいた。その一つはパリの病院網である。もちろんパリには以前から病院があった。最も大きく立派な構えのオテル・デュー病院は、七世紀からずっと人びとの世話をしていた。だが、初期の病院は病気治療の場ではなかった。慈善団体や教会と連携して、老人や不治の病人や孤児を救済する福祉のセーフティネットの役割を果たしていたのである。産業革命と都市化によって病人の数が激増し、病気の性質も変わった。西ヨーロッパの知識の中心地であり、主要都市であるパリは、オテル・デュー病院だけでなくシャリテ病院やピティエ病院といったヨーロッパ有数の大病院が集まる医療の拠点にもなった。アンシャンレジームに幕が下ろされるころ、オテル・デュー病院は四棟の病棟を誇り、四〇〇〇人もの患者を収容して、一つのベッドに数人が寝かされることもたびたびだった(図10－1)。

新しい思想を下から支えたこれらの巨大施設を考慮せずには、フランスの首都に生まれたパリ学派とその医学への取り組み方を正しく評価することはできない。パリの病院は一つの病棟に病気の肉体が絶え間なく運ばれてきたので、おのずと病状の似た者ごとに患者を分類するようになった。また病院は中央集権化された世俗国家が管轄する施設になったが、官僚組織のもとでは、患者を分類して順位づけするのは効率的と見なされた。さらにまた――ここが非常に重要なところだが――パリの病院は医学と科学の知識を深めることを目的としていた。患者の治療よりも知識の向上を重んじたのである。

病院はパリ学派誕生の組織的な基盤になったが、パリ学派にはその出発点になった哲学もあっ

図 10-1 パリのオテル・デュー病院は、パリ臨床学派の組織的基盤になった。［ウェルカム・コレクション、ロンドン、CC BY 4.0.］

た。パリ学派にかぎったことではないが非常に重要な背景要因になったのは、権威を疑い、知的懐疑心をもち、経験を重視する啓蒙思想の精神である。とくに重要な人物がジョン・ロック（一六三二～一七〇四年）だった。一六九〇年の著書『人間知性論』は影響力が非常に大きく、これこそが啓蒙思想の基礎的テキストだと考えられていた。生まれたときの人間の心は何も書かれていない書板《タブラ・ラサ》だとロックが唱えたのはよく知られている。その当然の帰結が「感覚論」の思想、すなわち知識は生来備わっているものではなく、感覚印象とその印象にもとづく内省によってのみ得られるとする哲学理論である。

　これは革新的な認識論だった。ロックやフランスの哲学者エティエンヌ・ボノー・ド・コンディヤック（一七一五～一七八〇年）ら感覚主義者によれば、知識の源泉は五感を通じて自然界から直接受け取る情報であり、それらの情報が脳での内省の材料になる。ロックはこの認識論の立場から人間の知識の源泉だけでなく、得られる知識の限界についても考察した。たとえば、神は感覚から得る知識の領域外に存在する。さらにロックは、知りえたことの確実性について厳密な段階を示した。

医学にもっと直接的に関連する重要なことがらは、ロックと親交があり「イギリスのヒポクラテス」、「イギリス医学の祖」とさまざまに称される十七世紀の医師トマス・シデナムの研究である。シデナムは政治に関しては急進派のピューリタン左派で、イングランド内戦では王党派に反旗を翻し、オリヴァー・クロムウェル配下の将校として従軍した。そして医学に関しても急進的な考えのもち主だった。シデナムの考える医療のあり方は感覚論に根ざしている。患者を観察すること、理論ばかりをふりかざすのをやめることに徹底して立ち返ることを彼は求めた。古典や体系や理論に頼らず、個々の例を経験的かつ綿密に比較することでのみ医学は進歩すると考えたのである。

この論理とはいくらか矛盾するが、シデナムは体液理論にもとづく医学を全面的に否定していたわけではない。もとになる理論は違っても、すべきことがほぼ同じだからである。それでも新しい知識を得ようとするときには権威に背を向け、医師たる者は経験と経験から導き出したことを信じるべきだとする信念のもと、病床での観察を重んじた。体系を第一としたガレノスを飛び越え、もとのヒポクラテスの観察重視をよみがえらせるべきだと提唱したのである。シデナムはオックスフォード大学を卒業していたが、書物中心の学習と大学教育を信用せず、そのために当時の医学界のエリートから見下されていた。

シデナムは疫病にも着目し、天然痘、マラリア、結核、梅毒を研究した。彼の考え方には、正統医学が時代遅れなものになり、科学の新しいパラダイムが生まれたことへの感染症の影響がよくあらわれている。たとえばマラリアの研究では、「間欠熱」——当時はそう呼ばれていた——は体液の不均衡という全体観的な原因で起こるのではなく、それ自体が固有の特徴をもつ一個の疾病であるとする革新的な結論を導いた。病気は体全体の体液の異混和ではなく、一個の実体なのである。したがって病気もリンネの方法にしたがって分類される日がくるとシデナムは考えていた。「植物学者が論文中で植物を分類しているように、すべての病気も確定された種類に厳密に分類されなければならない」[1]。一六七六年の有名な著書が『医学観察』と題されているのは意味深い。経験的な直接観察の重要性を主張しているのは明らかである。

シデナムは疫病が体液病理説を否定することをさらに示している。接触伝染の考え方を認めているのである。たとえばペストについて、彼はこう述べている。「空気の構成物質のほかに、疫病を発生させるなんらかの状態があるにちがいない。つまり病人の発散気か精液に直接接触するか、有毒な物質がどこからか運ばれてくるのだ」[2]。これもまた革新的な考えだった。

また、シデナムは数々の療法を医学に取り入れたことでも知られている。マラリアの治療にキナの樹皮に含まれるキニーネを使用することを広め、その苦みをまぎらすために阿片を用いた。阿片を利用したのは、イエズス会がヨーロッパにもちこんだキナ皮をプロテスタント国イギリスで受け入れられやすくするためでもあった。熱病の治療には瀉血ではなく体を冷やす飲みものと新鮮な空気を用い、天然痘にもこれに似た「冷却療法」を考案した。同じくらい革新的だったのは、ミニマリズムとでも呼ぶべき治療法を提唱したことだ。医師にできる最善の治療は何もしないことだとくり返し記しているのである。

新しい医学哲学の発展に大きな影響をあたえたもう一人の人物は、医師であり、生理学者で哲学者でもあったピエール・ジャン・ジョルジュ・カバニス（一七五七～一八〇八年）である。カバニスはパリの病院の統括者でもあり、またフランス革命を初期から支持していた。だが、ここで関係するのは、カバニスも感覚論者の草分けだったことだ。ロックおよびコンディヤックと同様に、あらゆる精神作用は五感に由来し、したがって医師は古典のテキストではなく自らの観察にしたがって診断をくださなくてはならないと彼は考えていた。また二元論——心（魂）は物的構造である脳とは関連がないとする考え方——を否定し、脳は胃と似た働き方をすると主張した。胃は食べものを取り入れると消化する、脳は感覚印象を取り入れると思考するというわけだ。このようなカバニスの哲学と臨床医学へのスタンスがパリ学派の主要な人物のあいだに広がっていったのである。

フランス革命

パリ学派に関しては組織の基盤と哲学の基盤に加えて、大きな政治的要素、すなわちフランス革命の影響についても考えなくてはならない。フランス革命の特徴を一言であらわすなら、既存の権威をきれいさっぱり打ち払う機会をもたらしたことだといえる。医学の分野なら、中世的な医師の同業組合の解体と医学界の再編ということになる。ナショナリズムを謳った革命によって、教育はもはやラテン語ではなく母国語で行われるべきとする考え方が広まり、古典テキストの権威はますます失われた。

平時とは異なる特殊な状況がつづいたことで、フランス革命は新しい医学の発展における重要な節目にもなった。とくに顕著なのは、ほぼ絶え間なく戦乱がつづいた一七九二年から一八一五年の時期に、差し迫った問題として多くの医師と設備の整った病院が必要とされたことだ。それが医学教育と病院管理の改革を促した。病院は教会ではなく国の中央管理のもとに置かれ、さらに病院の内部では、患者を病状ごとに専門病棟に収容するようになった。国務に従事することになった病院は、科学を進歩させるという重要な使命を帯びた。

病院のあり方にこのようなビジョンがあったことから、患者の扱われ方が大きく変わった。患者は知識の向上に協力しなければならず、生きているときも——もっと由々しいことに——死んで解剖されるときも、医師と医学生に体を提供することになった。生きているときは病気の徴候や症状の研究のために医師から容赦なく検査され、死んだあとは症状の原因になる病変を観察されて、新しい知識を医学にもたらした。症状は体にひそむ病気が表面にあらわれたものと見なされていたため、症状と病変は一つの病気の進行中に生じる二つの相関する側面であると理解された。また死体解剖が重視されたことからも、当然ながら解剖学と生理学の理解が深まった。外科医はこの機会に技術を磨き、病理学者は体内での病気の経過を正確に追うことができるようにもなった。

パリの新しい医学界では、医学教育においてテキストよりも臨床観察と実技がはるかに重視されるようになるにつれて、もっぱら病棟が教育現場になった。医学生は病棟で三年間の訓練を積み、研修医を一年間務めた。彼らの教育にあたる医学校の教授はコンクールと呼ばれる競争選抜試験を経て専任の教官に任命され、国に雇用された。

同様に重要だったのは、開かれた競争というこれまでにない観念と活力がフランス革命を機に生まれ、特権や出自や縁故に関係なく能力と長所を伸ばそうとする新しい価値観がパリの病院に浸透したことだ。フランス医学界は「進歩」「改革」「観察」「正確」をモットーとした。そして革命によって病院組織が教会の手を離れると、こうした価値観に世俗主義も加わった。病院の建物から祭壇が、病棟から十字架像が撤去され、同時にナース――尼僧だった――は担当医師の部下になった。また建物は、巨大な病棟や解剖室や症例検討会を開く講堂を確保するために改修されたり転用されたりした。

こうして国の管理下に置かれた病院は、新しい機関であるパリ病院協議会の指導を受けるようになり、入院生活と病院運営のあらゆる面に規則が設けられた。とくに重要だったのは入院許可局の役割である。協議会の役員からなるこの組織はトリアージを一括管理し、症状を見きわめて患者をそれぞれ専門病棟へ送った。同じ考え方から、どんな患者も受け入れていたのをやめて、特定の病状の患者だけを専門に扱う病院もあらわれた。こうして科学のためよりも事務管理のための病院協議会と入院許可局ができたことで、病気とはヒポクラテスとガレノスの医学哲学の基礎をなした体液の不均衡や異混和によるものではなく、個々に原因と病状のある独立したものであるとのとらえ方が定着していった。

パリはこれまでにないまったく新しいものを創出した点でも重要だったと歴史学者のジョージ・ヴァイスは述べている。刷新の気風をもち、組織としての強力な医療支援を目ざす、大規模で統一された研究者集団である。

（パリの）医療機関は革命後の数十年で、しっかりと結びついた名誉ある巨大なネットワークに再編された。三〇人ほどの正教授と多数の学生を擁するパリ大学医学部（世界でも群を抜く規模の医学校）を中心に、数多くの提携施設とそこで働く数百人もの内科医と外科医（大学教授を多数含む）からなるパリ市の病院組織である。

この複合組織は「かつて存在したことのないものだった[3]」。

パリ病院学派の活動

これらの基盤の上に生まれたパリ学派は、新しい医学の聖地になった。世界中から医学生や医師がカルチェ・ラタンにやってきて、観察し、研鑽を積んだ。アメリカからは聖地パリを訪れて学ぶ者が引きも切らず、彼らは知識を母国にもち帰ると、パリ帰りを看板にして高い治療費をとった。

徹底して経験を重視するパリ学派のモットーは、「多くを読むな、多くを見ろ」だった。パリ学派の治療学の教授M・ギュブレルは一八六九年の講演で、医学知識を習得する方法について「唯一有益なのはフランシス・ベーコンの方法、すなわち厳密な科学的観察と帰納法であり……言い換えれば、この時代のあらゆる科学的知性を結集させた実証主義哲学である」と述べている。ギュブレルは「古代の観察[4]」に立ち返ることを提唱したのである。ただしパリ学派の観察は、どちらかといえば受動的だったヒポクラテスの病床医学とは違っていた。パリ学派が採用したのは、打診法と聴診法を用いて積極的に体に問いかける近代的な診察方法だった。一八一六年にルネ・

図10-2 パリ学派は、1816年にルネ・ラエネクが考案した単耳聴診器などの器具のおかげで容易になった近代的な診察方法を用いた。［ウェルカム・コレクション、ロンドン、CC BY 4.0.］

ラエネクが発明した聴診器は、瞬く間にパリ学派の象徴になった。ラエネクの単耳聴診器は長さ三〇センチほどの木製の筒で、これを患者の胸に押しあて、外から体内の心臓と肺の音を聴く（図10-2）。この方法は「間接聴診法」と呼ばれ、医師が患者の胸に耳を押しつける「直接聴診法」と比較すると、診断に必要な新しい情報が幅広く得られた。とくに肺結核に関心のあったラネエクは聴診器で聴こえる音を表現するために、ラッセル音、いびき音、捻髪音、山羊音などの用語を考案した。一八一九年には胸の病気に関する論文を発表し、訓練を積んだ音楽家にくらべても遜色のない正確さで聴き分けた体内の音を標準化し、分類しようとした（第14章参照）。譜面であらわした音まであった。

そのほかラエネクと並んでパリ学派で重要だった人物に、フランソワ・マジャンディ、ピエール・ルイ、マリー・フランソワ・クサヴィエ・ビシャがいる。彼らは病棟での診察でわかったことを、死体解剖でのさらに詳細な観察に体系的に結びつけた。患者が死亡したあと、メスで摘出した病変と病棟で記録していた症状とを照合するのである。病気は症状ではなく病変でのほうが正しく分類できると彼らは主張した。パリ学派は、体液病理学派の最大の関心事だった体液ではなく、固体である臓器と組織を研究の基礎とした。そのために彼らの医学哲学はしばしば「固体主義」あるいは「局在主義」と呼ばれる。固体病理学は、当時フランスの首都で罹患者の多かった病気——肺結核、肺炎、腸チフス、心臓疾患、産褥熱、コレラ——との密接なかかわりのなかから誕生した。

この新しい医学の発展でパリの病棟が果たした役割は、誰が見ても明らかだった。ラエネクが胸の内部の音を分類できたのは、彼が毎年五〇〇〇人あまりの患者を診察し、そのほとんどが肺結核だったからだ。ラエネクと同僚らは病棟と解剖台の上でそれだけ多くの結核患者に接したおかげで、これが一個の病気であるとの確信に達した。疾患特有性という革命的な概念である。病気はそれぞれの不変の特徴によって区別でき、したがってリンネの方法にもとづいて分類できると彼らは確言した。これによって疾病分類学という新しい学問分野が生まれ、それにともなって、下位分類の病気を扱う専門分野、たとえば性病学、精神医学、小児科学、病理解剖学、内科学などが確立された。

また、パリでは医学教育についてもまったく新しい概念が生まれた。教育課程にはなお講義が含まれ、テキストの学習もあったが、おもな学びの場は病棟であり、ピエール・ルイのような名だたる教授が大勢の学生をしたがえて回診した。新しい医学教育での指導は実践と参加を重んじた。学生は自分の感覚——視る、聴く、触る——を通じて学ぶこと、権威や定説や理論を鵜呑みにしないことを教え込まれた。これは感覚論を医学に応用した授業であり、そこから生まれた専門分野はヒポクラテスの病床医学、ガレノスの書斎医学に対して、病院医学として知られるようになった。

病院医学を実践する医師は、新しい医学の体現者を自任していた。だがこの医学は、化学や物理学、生理学など、現代でいう「基礎科学」との関連がほとんどなかった。基礎科学が教育課程の中心になく、「補助科学」と呼ばれていたことは何事かを物語っている。パリで「科学」と見なされていたのは、厳密さ、正確さ、先入観のない直接観察、観察された現象の相関の数値化、死体解剖による診断確定の合一したものだったのである。

教育と研究の新しい指針によって、病気とその機序についてそれまでなかった知識が膨大に得られることがわかった。いかにもそれは医学と医療の性質を変え、診断、病理、分類、手術などの領域で大きな進歩が見られた。また、医師という職業も変えた。医学を生業とする者に、権威と高額な報酬を得る確固とした資格をあたえたのである。こうしてパリ学派は世界中で医学改革のモデルになり、間もなくウィーン学派、ロンドンのガイズ病院、ハーバード大学医学校、ボストンのマサチューセッツ総合病院、ボルティモアのジョンズ・ホプキンズ大学医学校がこの指針を採用した。

しかし、パリ学派の美点も、あろうことか病棟で治療を受ける患者にはさしたる恩恵をもたらさなかった。新しい医学の誰もが認める弱点は、治療だったのである。医師は知識豊富にちがいなかったが、それによって患者の扱いがよくなることはなかった。イギリスやアメリカからフランスを訪れた者は、パリ学派の重んじていることが倫理的に正しいとは思えなかった。苦痛を緩和し、命を救うことに無頓着な内科医があまりに多く、外科医は手術を手際のよさを鍛える手段と考え、教育課程は本来の使命が治療であることを置き去りにしている。知識とその向上だけが重要なのである。患者はまるで自然史博物館の展示物か、劇場の芝居の小道具のように見るものでしかなく、病棟に彼らがいるのは科学に貢献するためにほかならなかった。チャールズ・ディケンズと並び称されるフランスの作家ウジェーヌ・シューは一八四二年の小説『パリの秘密』で、ピエール・ルイをモデルにしたグリフォン医師が回診中に死にかけた患者を前にして、病変を観

察できるぞと学生にいう場面を描いている。グリフォン医師は、

病棟を学校の実験室のようなものと思っていた。治療や応用を貧乏人で試してから金持ちの患者に用いようというのだ。まったくのところ、この恐ろしい実験では科学の祭壇に人身御供があげられたのだが、グリフォン医師はいっさいそんなふうには考えていなかった。この科学の王様の目には……入院患者は研究と実験の材料としか映っていないのだ。そういうわけで、たまさかこの医者にとって科学的に有意義な事実がわかったり発見があったりすると、いかにもご満悦で鼻高々な様子だったが、あたかもそれは兵士の多大な犠牲のもとに勝利を手にした将軍のようだった。

パリ学派が相も変わらず古い医療設備を使い、瀉血などの古いやり方をしていたのも、このように治療に不熱心だからこそだった――ルイのような一流の医師が膨大な新しい知識を得て、数々のことがらを解明したにもかかわらず、そのことは臨床の医療に少しも役立っていなかったのである。こうしたことから、十九世紀半ばになるとパリ学派の勢いは衰えはじめた。診断の能力は高くても治療の能力はお粗末なことに対し、不信と失望が広がったのである。また、この世紀の半ばには顕微鏡検査をはじめとする医学の目覚ましい進歩があったが、パリ学派はその重要性を認めるべきところ、それを怠った。世界中の医学生はパリを見捨て、別の医学の中心地へ足を向けはじめた。そこでは病棟ではなく研究室が活力ある新しい医学知識の場と見なされていた。

第11章　衛生改革運動

一九七〇年代にイギリスの医学史研究者で医師のトマス・マキューンは、産業革命がはじまってからヨーロッパで起こった人口の爆発的な増加について衝撃的な説を提唱した。最初の先進工業国となったイギリスは、一八一一年から一八六一年までの五〇年間にイングランドとウェールズの人口が一〇一六万四〇〇〇人から二〇〇六万六〇〇〇人へと倍増し、その後の五〇年でもまた二倍近くの三六〇七万人にまで増加する現象が見られた。マキューンはこの人口急増をどう解釈するかについて、一九七六年の二作の著作にあらわしている。大論争を巻き起こし、なお重要とされているその二作は『近代の人口増加について』と、さらに挑発的なタイトルの『医学の役割――夢か幻か、それとも天罰か』である。この二作でマキューンは、十八世紀後期以降のヨーロッパに見られた顕著な死亡率の低下と長寿を解き明かす際の問題点を論じた。

マキューンも多くの人口統計学者と同様に、爆発的な人口増加の最大の要因を「人口転換」とした。つまり感染性疾患が第一死因ではなくなり、圧倒的に高齢者に多い慢性変性疾患――心臓疾患、脳血管疾患、癌、認知症、糖尿病――がおもな死因になったからなのである。さらに、近世には多数の人が死んでいた都市中心部でさえ、「死亡率革命」があったこともマキューンは指摘した。大規模な人の流入によってのみ人口が増加していた先進国の産業都市は、死亡率が低く平均余命の長い健康都市になっていたのだ。

目を見張るようなこの傾向があらわれた理由について、マキューンは医学の果たした役割はほんのわずかだったと主張して物議をかもした。おおよそ第二次世界大戦までは、医師は患者のひどい苦痛を取り除いたり病気を完治させたりする能力がなかったというのである。だがこの時期には、すでに西ヨーロッパと北アメリカの人口は爆発的に増加しており、同時に平均余命が格段に延びて、パリ、ナポリ、ロンドンといった都市は健康的な近代都市に変わっていた。医療と科学の介入のおかげではないと考えたマキューンが要因として挙げたのは、社会、経済、インフラ整備などだ。健康と長寿は科学によってもたらされたのでなく、栄養、賃金、衛生設備の改善といった、もっと単純な要素で決定されたのである。

このようなマキューンの見解は、アーサー・ランサムの結核に関する研究を人口全体に敷衍したものだった。ランサムは二〇世紀初めに、結核の罹患数と死亡数の低下を「無意識の政策」のおかげだと論じたことで知られていた。結核患者の減少は医学や公衆衛生対策の賜物ではなく、社会と経済の発展による間接的な効果なのである。マキューンはランサムのこの分析を流行性疾患の全領域にあてはめた。

この「マキューン・テーゼ」についてはほぼ議論が出尽くしているので、彼のおもな二つの主張——①意図的な科学の介入は健康増進にわずかな役割しか果たさなかった、②鍵となった「自然発生的な」改善のうち最も重要だったのは食事である——をここで取り上げる必要はないだろう。だが、マキューンが人口転換の理由を説明して挙げた要因のどれがどれだけ重要かは広く同意を得られていなくても、人口転換の意味に重点を置き、最大の要因の一つとして衛生状態の改善を指摘した点で彼が正しかったことは誰もが認めるところである。

「衛生思想」は十九世紀の初めにパリで生まれ、その後一八三〇年から一八四〇年にかけてイギリスで組織的なものとしてさらに発達した。イギリスで最も大きな影響をおよぼした人物はエドウィン・チャドウィックである。チャドウィックは公衆衛生運動に着手し、その「思想」にいわずとも含まれている改革が一八五〇年から第一次世界大戦までの数十年間に進められた。この運動は中央政府の主導で幅広く実行された都市の浄化を通じて、イギリスの町と都市の罹患率と死亡率に大変革をもたらした。衛生改革運動はフランスが発祥だったが、イギリスでさかんになり、さらに衰えることなくふたたびフランスへ戻り、ベルギー、ドイツ、アメリカ、イタリアなどの先進国に広がった。

パリの衛生学

イギリスの衛生改革運動を促したのは英仏海峡の向こうの国だった。パリでは啓蒙運動とその後のパリ臨床学派を背景に、十八世紀末に都市改革の思想が生まれていた。とくに重要だったのがパリ学派である。病気にはそれぞれに対応する固有の原因があるとの考えのもとに、大規模な病棟で同じ病気の患者のトリアージを慎重に行い、積極的に統計を収集するパリ学派の方針から、疾病と①患者の社会的背景と②病人の集中する地区との相関関係が急速に浮かび上がってきた。

歴史学者のアラン・コルバンが一九八六年の著書『においの歴史――嗅覚と社会的想像力』で描写しているように、フランスの首都パリの耐えがたい悪臭も住民のあいだでしだいに意識されるようになっていた。コルバンは大都市の悪臭漂う場所をつぎつぎとめぐる嗅覚の旅に読者を案内する。汚物溜め、泥と動物の糞と死骸が混然となった未舗装の街路、小便の染み込んだ家の外壁、屠畜場、肉屋とそこから出る臓物。狭くて暗い路地では糞尿とごみが収集され、排水溝は鼻を突く汚水がよどんであふれそうになり、安アパートの部屋は掃いたことも拭いたこともなく汚れきり、そこで住人は体も洗わずにひしめくようにして暮らし、どこもかしこも水が不足していて、人は水浴びひとつせず、通りは洗い流されたためしがない。

嗅覚への容赦ない攻撃に絶えず悩まされ、歴史学者の名づけた「汚染不安」にとりつかれたパリの科学者は、発散気の化学的性質を分析するために嗅覚計を発明して、臭いを測定しようとした。また、臭いとそれが嗅覚におよぼす影響を研究する新しい学問、嗅覚学も発展させた。啓蒙時代の感覚論が受け継がれているとなれば、フランスの知識人が十九世紀初めのパリの絶え間ない嗅覚への攻撃に注目したのは当然のことだった。彼らは臭いの強さと病気の発生率の相関関係も示した。腐敗物の発する悪臭とともに漂う未解明の有毒物質が病気（当時の言葉で「熱病」）の原因であるとの理論のもとに、二つを結びつけたのである。アレクサンドル・パラン＝デュシャトレはパリの下水溝を流れる臭い水を調査し、市民の健康状態との関係を分析して不朽の名声を得た。

だが、データを収集し、その相関関係を確定した最も重要なフランス人は、医師のルイ＝ルネ・ヴィレルメ（一七八二〜一八六三年）である。ヴィレルメはパリの十二の区の死亡率を調査し、それらと人口密度と収入との関係性を明らかにした。汚物から発生する瘴気《ミアズマ》を病気の原因とする説に動機づけられたヴィレルメは、とくに状態のひどい地域のごみを片づけたり公共の場を清潔にしたりする浄化運動を推進した。また、運動を支えるために『公衆衛生と法医学年報』と題する公衆衛生の論文誌を創刊し、一八二〇年からの二〇年間に活発に活動したパリ保健局の設立に尽力した。

パリの衛生運動は国ではなく市の運動だったため、影響の範囲がかぎられていた。また、理論も制度も組織も十分に固められていなかった。そのなかでこの運動が長くのちまで残した功績は、これをきっかけに英仏海峡の対岸の国でもっと広く社会に影響をおよぼす運動が起こったことだといえる。フランス語に堪能なチャドウィックは、ヴィレルメの研究と『公衆衛生と法医学年報』に感化を受け、膨大な実験データを収集して疾病と衛生の関係を解いたヴィレルメの切り口を称賛した。病気の直接的な原因、すなわち「近因」としてマクロ環境である気候を重視したそのネオ・ヒポクラテス主義的な方法論はよく理解できたが、その一方でチャドウィックの関心は地域ごとのミクロ環境に向けられていた。気温と湿度などの気候条件は、有機物の分解に作用するといった間接的な影響しかおよぼさないと考えたのだ。真の問題は不衛生な環境であり、現実問題として取り組むべきは、それを改善するにはどうするのがよいのかを探ることだった。

エドウィン・チャドウィックと救貧法改正

奇妙なことに、衛生改革運動の創始者は医師ではなく、医学への関心もほとんどもたない人物だった。エドウィン・チャドウィック（一八〇〇〜一八九〇年）はマンチェスター出身の弁護士で、社会改革を唱える自由主義の政治経済学者ジェレミー・ベンサムに師事していた。健康問題に目を向けはじめたときには、貧困者の健康と福祉のためにエリザベス一世の時代に法制化された「救貧法」を改悪した張本人だとしてすでに評判が悪かった。困ったときに救いの手を差し伸べてもらえることはイギリス国民の生得権であり、誰でも生まれた教区で救済してもらえた。だがチャドウィックは、救貧法による公的支援は負のスパイラルを生み、福祉が労働意欲の低下や依存や怠惰を助長すると考えていた。そうなれば当然、貧困はさらに拡大してしまう。また救貧法の施行にあたっては公的支援の財源として多額の固定資産税、すなわち「地方財産税」が資産家に課されていた。チャドウィックは「補助金だけで極貧をなくすことはできない[1]」との信念を表明している。

チャドウィックはこの問題の解決策をいわゆる「一八三四年の新救貧法」でかたちにした。経済学者のナソー・ウィリアム・シーニアとの共同で起草したこの対策は、自由放任主義と自由市場への信頼にもとづくもので、二つの眼目がある。一つはそれまで教区ごとに施策されていた制度を統一するために中央政府の管理にしたこと、もう一つは福祉を受けることに抵抗を感じるような制度にして、本当に困っている人――「救済するにふさわしい貧困者」――のみが支援されるようにすることだった。救済を受ける者は救貧院《ワークハウス》に住むことを強制されたが、そこは最低限の生活必需品は支給されるものの、できるなら別のところで雇ってもらいたいと思うような環境だった。子供は親から、妻は夫から引き離され、家族はばらばらにされた。食事は少しも食欲をそそらない粗末なものが用意され、絶えず監視の目が光り、労働作業は塀の外のどんな仕事よりも退屈でうんざりするようにできていた。チャールズ・ディケンズは一八三七年から一八三九年に雑誌に連載された『オリバー・ツイスト』で新救貧法を厳しく批判し、ワークハウスはその内側でゆっくり餓死するか、外側であっという間に餓死するかの残酷な選択をさせると表現している。チャドウィックと救貧法委員会はワークハウスの倫理基準を「劣等処遇」の原則と名づけた。貧困者はこの原則を適用するのは酷だと感じたが、納税者は歓迎した。

チャドウィックによる救貧法の改定とそれにつづく衛生改革運動は、ともに都市の近代化における問題を解決するには中央政府の国家権力を用いるべきとするベンサムの所論を取り入れていた。急速な都市化と工業化によって、イギリスの都市と町では社会問題がみるみる膨れ上がっているようだった。とくに心配されたのは貧困と病気だった。貧困問題には救貧法の改定で対応したので、チャドウィックはヴィクトリア時代の都市を荒廃させるもう一つの災難に目を向けた——疫病である。改革者らがとくに気にしたのは肺結核、コレラ、天然痘、猩紅熱、そして「チフス」で、これには現在でいう腸チフスも含まれていた。救貧法の改革と衛生改革運動は、経済と医療というヴィクトリア時代の都市問題の二つの側面に対処するための政府主導の政策だった。こうした都市問題についてはディケンズとヘンリー・メイヒューがロンドンを、フリードリヒ・エンゲルスがマンチェスターをとても生き生きと描いている。

だが、公衆衛生と救貧法の改革は、十九世紀半ばのイギリスの都市の社会病理に立ち向かおうと一つずつ取り組んだものというだけにとどまらなかった。衛生改革運動を導いたのは、救貧法の改革でもあったのである。中央政府の救済組織は救貧法が改定された一八三四年以降、人口過密と劣悪な住宅事情と貧困に悩まされていたこの時代の都市に蔓延する病気に関して大量のデータを集めていた。救貧法のための組織が、緊急に対応を要する都市の惨状を明らかにする仕事に携わっていたのである。チャドウィック自身は、新救貧法を起草するために都市の現状を調査したことで、公衆衛生と病気の関係に気づかされた。最初の運動の中心になったチャドウィックがつづいて次の運動でも先頭に立ったのは偶然ではなかった。救貧法改革が、衛生問題のへの意識を喚起したのである。

新救貧法は、それまで公衆衛生対策が取りこぼしていた問題を浮き彫りにし、衛生改革運動の性質に大きく影響した。一八三〇年代にチャドウィックが病気に目を向けたころ、医学界の主流の意見は、健康障害のおもな原因は貧困であり、健康増進のための運動に必要なのは賃金改善を目ざすことだというものだった。このように提言した主要な一人はエディンバラ大学医学部教授の慈善家ウィリアム・パルトニー・アリソンである。アリソンは、経済的苦境は病気を拡大させる多くの要因のたんなる一つではなく、最も重要な要因だと主張した。

だがチャドウィックは、因果関係はそれとは逆の方向に連鎖する——貧困が病気を生むのではなく病気が貧困を生む——との考えのもとに運動を成功させた。貧困も病気も個人に責任を負わせないことが問題を悪化させるのだ。そして新救貧法は貧困者に自助努力をさせる動機をあたえ、本当に働けずに生計を立てられない者を支援するものだから、貧困問題への取り組みはすんだとチャドウィックは考えていた。したがって、彼ら救貧法の改革者が賃金水準と労働環境、経済搾取は病気の原因ではないとして救済範囲に入れなかったのは、ごく当然のことだった。

病気の不衛生環境説——トマス・サウスウッド・スミス

チャドウィックが科学や医学に縁がなくても、医学哲学で衛生運動を支えた者が別にいた。最も重要な人物はトマス・サウスウッド・スミス（一七八八〜一八六一年）である。サウスウッド・スミスは衛生思想を推進する一人としてチャドウィックの運動に協力し、またベンサム哲学を支持していた。エディンバラ大学で医学を学んだが、ロンドンの貧民街イーストエンドにあるロンドン熱病病院に着任したのを機に、病気とその原因についての考え方が変わった。医師としての人生をほぼこの病院で費やしたサウスウッド・スミスは、ベスナルグリーン地区とホワイトチャペル地区の手織り職人たちの悲惨な生活環境と医療水準を目のあたりにした。医師であると同時にユニテリアン派の牧師でもあった彼は、労働者の惨めなありさまと健康状態の悪さに愕然とし、彼らに道徳心も向上心もないのを見てとった。そしてヴィレルメおよびチャドウィックと同様に、労働者は不衛生な環境に人間性を蝕まれて酒浸りや淫蕩や借金漬けの暮らしをし、また健康をも害されていると考えるようになったのである。

疫病を空気中の瘴気に関連づけるのは、むろん新しい考え方ではない。だが、啓蒙時代までは、瘴気とは不吉な星の並びや温度と湿度の変動といったマクロ環境の事象を原因とする腐敗した空気だとされていた。サウスウッド・スミスが練り上げた新しい説は「病気の不衛生環境説」である。病気の原因を瘴気とするのは同じだったが、瘴気を発生させる原因は地域や共同体や村などのミクロ環境の腐敗した汚物なのである。一八三一年の重要な著書『熱病論』で、サウスウッド・スミスは次のように述べている。

熱病の直接的な原因、すなわち近因は有機物の腐敗もしくは分解によって発生する毒である。植物質と動物質は、腐敗の過程で成分を発散させたり新しい化合物を生成したりする。

それらが人体に付着すると、熱病の症状があらわれる……。

疫病が蔓延している地区のさまざまな状態を詳しく調査すればするほど、腐敗した動物質の発生源がさらにぞろぞろと見つかるだろう。そしてそういうものがただあるというだけでなく、そういうものだらけであることが明らかになるだろう。[2]

不衛生環境説では、気候は「近因」ではなく間接的に作用する遠因だった。気温と湿度は腐敗の速度を速め、程度を著しくし、地域住民の抵抗力、いうなれば「馬力」を低下させ、ひいてはそれが病気の「素因」になる。「死んだ有機物の腐敗のプロセスに不可欠であることが確認された条件のうち……熱と湿気が最も確実で、わかっているかぎり最も強く影響する」[3]とサウスウッド・スミスは説明する。ここにはるか遠い宇宙でのことや天体の事象が入り込む余地はなかった。功利主義の立場からもユニテリアン派の立場からも合理主義者といえるサウスウッド・スミスにとって、根拠のない天文現象が人間の苦しみや罪の原因になるなど、慈悲深い全能の神が創造した宇宙においては想定しようもないことだった。

不衛生な環境が原因と考えれば、病気にならないようにする方法はすぐにわかる。パリと同様イギリスでも、衛生思想の推進者らは対策として都市の浄化に目を向けた。ただしベンサムの門弟である彼らは、中央政府の権限により全国に適用する制度のもとでの強制的な施策が有効だと考えた。彼らの活動が一八四八年に公衆衛生法と中央保健総局の創設（後述）を議会で通過させて頂点に達したのは偶然ではない。サウスウッド・スミスをはじめとするユニテリアン派にとっては、宗教的な根拠からもなさねばならないことだった。浄化によって病気と罪を免れられるなら、それは神が人類に愛を示したということにちがいない。人間の苦しみは怠慢から生まれ、善なる者のつくる社会ならば容易に避けられると神は教えているのである。ゆえに、公衆衛生とは道徳的義務であり、なくてはならない博愛の行為なのだった。

衛生思想は、医学上の理由のほかに宗教上の理由と疫学上の理由が重なって確固とした信念になった。だが、それが一八三〇代から一八四〇年代にイギリスの医学界で支持され、見識ある意見として主流になったのには、さらに二つの要素が寄与していた。一つは、不衛生環境説が単純でわかりやすいこと、もう一つはこの説が古来の瘴気説とかけ離れたものではなく、地域の状態に即してそれを改変したものだったことである。イギリスの町や都市では、いたるところで不衛生な環境が人びとに害をおよぼしていた。また、とくに当時の恐ろしい殺し屋――肺結核、腸チフス、コレラ――が獲物をねらう場所が例外なく不潔な状態にあったので、不衛生が体によくないのは少し考えればわかることだった。相関関係から因果関係までは遠くなかった。国中を席巻していた不衛生環境への不安と悪臭への嫌悪が二つの波になって押し寄せたちょうどそのときに、病気の原因論が提出されたのである。

衛生報告書（一八四二年）

一八三四年までにイギリスの都市問題の重要な一面――貧困――に対処したチャドウィックは、今度はもう一つの大きな一面――疾病――との闘いに臨むこととした。それにあたって、チャドウィックは三つの情報で武装した。①パリで生まれた衛生思想に関する詳細な知識、②パリの衛生思想の推進者が医療と健康の問題は統計とデータ収集で取り組むべきとしたこと、③サウスウッド・スミスの不衛生環境説が彼には教義とすら思える完璧な考え方だったことである。

チャドウィックの公衆衛生への取り組みは、イギリス中の労働者階級を苦しめている貧困と汚物に関する――自腹を切っての――徹底的な調査からスタートした。衝撃的な内容の情報を大量に集めれば、不衛生環境説が証明され、反論する者を黙らせ、国民が一丸となって行動するだろうと彼は確信していた。一八四二年の有名な『大英帝国における労働人口集団の衛生状態に関する報告書』――チャドウィックの『衛生報告書』として知られる――はそれをねらったものである。近代の公衆衛生の基礎文献に数えられるこの報告書は、瞬く間にベストセラーになった。

チャドウィックはまず、新救貧法のもとで創設した行政機関に生の情報を集めさせた。救貧法委員会の委員とともに質問票を配布し、全国各地の委員補佐と提携医師から――数千件もの――報告書を送ってもらう。独自の救貧制度のあるスコットランドについては、医療担当官や工場監視官や医師の臨時情報網から情報を得た。事情に通じている者や有用な意見をもつ者の声を聞き逃さないように、救貧法委員会にかかわっていない有力な医師や高名な著述家にも意見を求めた。チャドウィックは三年あまりを費やしてこれらの情報源から報告書を集め、そこから情報を取捨選択してまとめた。また、全資料と自ら視察に出かけて観察した記録をもとに注釈も加えた。出版前には医学界の権威に原稿を送り、承認と意見を求めた。

できあがったのは、農業労働者、職工、炭鉱労働者、工場労働者、手織り職人など、全国の労働者のぞっとするほど不潔な生活環境が克明に記録された文書だった。情報源はどれも信頼でき、スコットランドを除いては公的なものだったため、そこから浮かび上がった光景の衝撃はいっそう大きかった。農業革命、産業革命、大規模な都市化、人口急増が人間におよぼした影響はどの地域でも明らかだった。過密、貧困、不衛生、悪臭が国中に蔓延していた。ロンドン、マンチェスター、グラスゴーといった大都市ではそういうこともあるだろうが、小さな町や村までが同じような状態だったのは予想外のことだった。抑えた調子で書かれた冒頭部分はそれを物語っている。

以下の抜粋には、なくせるはずの状況につきまとう病気の現状がおもに目撃者の言葉でさまざまにあらわされている。それは商業都市と人口の集中する製造業地区――悪疫はだいたいにおいてこうした地域に居座るとされている――のみならず、全国津々浦々の村や小さな町の住民のあいだにも見られるのである。[4]

さらに、チャドウィックがあぶり出した社会状況は、疫病――『衛生報告書』の記述によれば「熱病」「ペスト」「悪疫」――の発生地域とぴったり重なった。あまりにも寒々とした内容だったため、共編者として名を出すことに同意していた救貧法委員会の委員はそれを撤回し、チャドウィック一人の名前で出版してほしいと頼んだほどだった。

南西部の二つの例は街の汚泥のような状況を明らかにし、またそうした不衛生な環境とその土地のおもな病気との関連性を説明している。たとえば協力者のバーラム医師はトゥルーロから次のように報告した。

セントメアリー教区にきてみると、病人の割合のみならず、死亡する者の割合さえもトゥルーロのどの地域にも劣らず大きいようだ……だが、そうであってもなんの不思議もない。家は安普請で、その多くは古い。扉や窓のすぐそばに腐ったごみが捨てられたままにされ、ごみ溜めのような場所からむき出しの排水溝を汚物が流れて塀の足元でよどんでいる。その塀とそこから奥に小さい家が立ち並ぶ隙間がただ一つの路地である。丘からの風が通らないこうした場所が病気の発生源になっている。[5]

サマセットでも「病原性の」発散気が腐った空気、つまり「瘴気」になった。そのせいで住民のあいだに多く見られた「熱病」——マラリア熱、腸チフス、天然痘、猩紅熱——は、委員補佐によると「季節を問わず発生するが、広まって流行する」時季は決まっていた。[6]

詳細に報告された全国のこのような状況を知って、議会と当局はチャドウィックのねらったとおり腰を上げた。理由の一つはアジアコレラの再流行が心配されたことだ。一八三二年にイギリスを襲って疲弊させた十九世紀最悪の疫病である。興味深いのは、チャドウィックがそのコレラを報告書からはずしていることだ。彼はこの報告書を日常的に存在する病気を扱うものと考え、異国からのめずらしい訪問者を含めなかったのである。だが、甚大な被害と政治の緊張と経済の破綻をもたらしたコレラは、『衛生報告書』に記載されていなくても重要な役割を果たした。コレラ再来の恐怖から、衛生思想の実現が喫緊の課題とされたのである。

『衛生報告書』は不衛生な環境と病気ばかりでなく貧困も扱っていたが、チャドウィックと地方の協力者は、不衛生な環境が貧困を生むのであって逆ではないと異口同音に訴えた。彼らの見たところ、不潔と極貧をつなげるのは飲酒癖だった。労働者は不衛生な生活環境と健康障害のせいで気力をなくす。現実から逃れようとして酒場にささやかな慰めを求め、賃金を飲み代に使い果たす。家族を顧みず、教会から足が遠のき、自暴自棄の自堕落なその日暮らしに陥る。こうして貧困と社会的緊張が生じるのである。

チャドウィックがデータを収集したのは、貧困者と労働者階級が反乱を起こさないよう有産階級と国家に抑え込まれていた時期だった。フランス革命はまだ記憶に新しく、一八三〇年の七月革命の熱も冷めきっていなかった。のちの一八四八年革命に向かって緊張が積み重なりつつあり、暴動やストライキが頻発し、社会主義思想が広まっていた。革命を回避できたイギリスでも、ストライキや暴動や抗議デモがくり返されるにつれて、社会的緊張が強まっていた。こうした状況のなかで、チャドウィックは「ストライキに次ぐストライキで」治安を乱す「物騒な無法者の集団を支配しているとみられる無政府主義という誤った思想」[7]の危険が頭から離れなかった。

公衆衛生は社会統制の手段として打ち出されたものだったのである。労働者の「物騒な集団」の特徴は若者が主導していることだとチャドウィックは慎重に述べている。家族を養う義務のある中高年の男性が加わることはめったにない。そこで衛生環境を整えることが非常に重要になる。死亡率が下がり、寿命が延びれば、国民の年齢構成が変わるからだ。チャドウィックの考える中高年層を現代風にたとえれば、原子炉の制御棒のようなものといえるだろう。制御棒が核分裂を制御してメルトダウンを防ぐように、所帯もちの中高年男性は熱気を抑えて社会的メルトダウン、すなわち革命に歯止めをかける。チャドウィックは次のように論じている。

［このような社会の現状は］道徳と政治について熟考が求められていることを示している。す

なわち、有害物質が国民の心身の健康を損ない、教育と精神修養を阻害する。労働者階級の成人寿命が低下して生産技術の向上が妨げられ、豊かな社会経験と堅実な道徳慣習が共同体から奪われる。そして、次代に伝えるべき教えを守り蓄えている世代、たゆまずに前を向いて進もうとする人びとが、未熟で無知で軽率で、不平だらけの短気で乱暴な若者に取ってかわられてしまうのである。[8]

このように清潔さは文明化を進め、キリスト教信仰を広める働きまでする。労働者階級を救済し、貧困と病気から抜け出させることができる。また、教育、宗教、中年層に健全な影響をおよぼし、社会の安定と階級間の調和を促進するのである。

政治への労働者階級の脅威を取り上げた『衛生報告書』には、もう一つの側面がある――年齢と性別の大きな偏りだ。チャドウィックが推進した健康状態の改善は、そもそも万人を対象にしていなかった。彼が想定していたのは、青年と壮年の男性労働者の長寿と生産性だった。公衆衛生がもちうるそれ以外の意味にはふれていない。女性、子供、高齢者は彼らの病気もろとも『衛生報告書』の大きな関心事ではなかったのである。中流階級でさえ、ほとんど扱われていない。チャドウィックは衛生改革によって「中流層《ミドリング・ソート》」が恩恵を受けることを目ざしていたが、彼らの病気の苦しみは取り上げなかった。中流層が改革から得られるものとして彼が指摘したのは、社会の安定、改善された都市環境、健康な労働者による経済繁栄なのである。

実際、経済は非常に重要な要素だった。チャドウィックの救貧法改定の目的が納税者の負担の軽減だったように、衛生改革運動の目的は富の蓄積と経済成長の促進だった。熱病は働き盛りの男性から労働能力を奪って現場を去らせる。雇用主は彼らの技術を失い、扶養される家族は公金に頼って暮らすことになる。改革を促したのは中流階級側の素朴な打算と利己心であって、そこに人道精神はなかったのである。

衛生改革運動

意外なことに、『衛生報告書』は汚物と貧困と疾病の関係について徹底した証拠を提示して終わる。つづいて先進国イギリスを脅かす不衛生な環境を立て直すための公衆衛生対策を検討した箇所はまったくないのである。チャドウィックが思い描く救済策は報告書の全体にそれとなくちりばめられているものの、具体的な行動計画は明確にされていない。なぜなら計画の立案にまで踏み込んで、肝心かなめのことが伝わりにくくなってはならないというのが彼の考えだったからだ。国民を救うためにただちに行動するべきだと政府に確信させるのが先決なのである。

『衛生報告書』が公の場で議論され、先進国イギリスの許しがたいほど不衛生な環境が明らかになると、浄化推進のための四つの取り組みがさっそくはじまった。そのすべてにサウスウッド・スミスかチャドウィック、もしくは両者がかかわった。取り組みの第一はサウスウッド・スミスによる一八四三年の都市保健委員会の創設、第二は汚物を撤去する権限を自治体にあたえる一八四六年の有害物除去法の制定、第三は一八四八年の画期的な公衆衛生法の議会通過、そして第四は同じく一八四八年の中央保健総局の創設である。チャドウィックとサウスウッド・スミスもメンバーを務めた中央保健総局は『衛生報告書』の論理にもとづいた対策を実行する目的で設置された。

チャドウィックは救貧法改定のときと同様に、市町村での疾病対策も国の管轄にした。この計画に予算を拠出し、全国の自治体に一律にしたがわせることができるのは中央政府しかなかったからである。チャドウィックの構想は、水道設備を全国の地下に敷設するという大規模で費用のかかる公共事業計画だった。

この計画にはウィリアム・ハーヴィーの発見した血液循環の仕組みが反映されていた。事実、チャドウィックは世に知られた自分の改革を「動静脈システム」と呼んでいる。システムを血液循環にたとえれば説明しやすく、また生活に不可欠なものであることも伝えやすかった。新しく敷設される送水管――動脈にあたる――が、イギリスのどの町や市にもきれいな水――健康を左右する第一係数――を豊富に運び、次に毛細血管にあたる給水管が各家庭に水を送れば、家庭では二つのことが実現される。家庭に水を引く第一の目的は、水を容易に手に入れられるようにすることだった。それまで共同の井戸から汲んだ水をバケツで運んでいたときには行き届かなかった掃除や入浴が楽にできるようになる。チャドウィックから国民への贈りものは、水道水と水洗トイレだった。水洗トイレの起源については諸説あるが、一八五二年にジョージ・ジェニングズが特許を取得した水洗トイレはチャドウィックのシステムに導入され、トマス・クラッパーという立派な名前で発売された（図11－1）。

第二の目的は、汚水を家庭から外に排出させることで達成された。あふれた屋外トイレと汚物溜めを取り払い、通りにごみを捨てる習慣もなくしたのである。水が滞りなく流れていれば、汚物はチャドウィックが解剖学でたとえたシステムの静脈――排水溝と排水管――を通って運び

図 11-1　1870 年にスティーヴンズ・ヘルヤーが考案した水洗便所「オプティマス」の模型。初期の水洗便所は疾病と闘う手段として衛生強化に貢献した。ヘルヤーは給排水設備の改善運動に参加し、1877 年に『配管工と衛生的な家』を執筆した。［ロンドン科学博物館、CC BY 4.0.］

去られていくだろう。血管と同じで、よどむことはない。有機物が腐敗して毒を発散させることもなくなる。水は絶え間なく家庭と街に流れ込み、通過し、流れ出ていく。排水管と下水管の形状を卵形にするといった近代技術によって水は効率的に流れ、導管は自然に洗浄されて詰まる心配はない。

　人間の生理機能と同じように、このシステムにも汚物の最終処理場があった。人間の排出した汚水は、田園地帯に設けられた下水の落ち口まで滞りなく流れていく。それを農民が買いとって肥料にすれば、単位面積あたりの作物収穫量が増える。他方、有害物質が空気中に発散されても、田畑を吹き抜ける風に吹き飛ばされてしまうので害はない。不衛生環境説によれば、このような空気の流れがあれば、有機物は人間の健康を脅かすことなく最終的に分解される。下水を利用した農業は、やがて水道網の設置と維持にかかる莫大な費用の一部を埋めあわせ、増加しつづける都市住民に食料を供給するだろう。

　考え方は非常に明快だが、目的を達成するにはさらにいくつかの対策が必要だった。まず、漏出の問題である。汚水が下層土に染み出したり有毒な瘴気が立ち昇ったりしないように、街路を舗装し、排水溝を埋めなければならなかった。同様に、街路は掃いたり水を流したりして清掃し、捨てられたごみは除去する。きれいにした道路は、革なめしの作業場や屠畜場や肉屋から出る有害物で汚されないようにしなければならない。家屋は壁に水漆喰を塗り、一階に床を張って、屋外からの悪い空気を通さないようにする。同時に、住民に衛生指導をして体に悪い習慣をあらためさせ、人も家もいつもきれいに保つという新しい理想を身につけさせる。下水道は健康維持のための地下敷設物というだけにとどまらず、道徳心と文明化を推進する力にもなったのである。

衛生設備の健康への効果

チャドウィックとサウスウッド・スミスの発案した衛生改革運動は第一次世界大戦までつづき、イギリスの市民生活は様変わりした。しかし、給排水システムと汚水処理設備のおかげで死や病気を免れた人がどれだけいたかを算出することはできない。この問題が複雑なのは、衛生計画が一気に実行に移されたわけでなく、数十年かけて断続的に進められたからだ。同様に、マキューンをはじめとする人口歴史学者の指摘したその他の重要な要因——食事、賃金改善、疫病の蔓延防止、天然痘のワクチン接種——と比較して、衛生設備が感染症の罹患数と死亡数の低下にどれほど貢献したかを数値化するのも不可能である。データと統計をつねに気にしていたチャドウィックでさえ、これらを算出しようとしなかった。晩年の一八七七年に衛生計画をふり返ったときも、孤児院、刑務所、船舶といった特定の場所での効果を推算するにとどまっている。国全体についての数字を出すのは、現在と同様、当時も無理だった。

それでも現代の疫学でわかっていることからすると、当時の衛生改革の推進者が採用した施策が感染症との闘いに大きく貢献したのは確かなようだ。チャドウィックが対策に乗り出す前は、腸チフスや胃腸炎やコレラといった糞口経路で感染する病気で多くの犠牲者が出ていたが、安全な上下水道の整備はこれらの病気に対する確実かつ不可欠な手段であることが現在ではわかっている。たとえば一八五〇年代を最後にイギリスでコレラの大流行が発生していないのは、決して偶然ではない。チャドウィックが衛生対策を着実に進めたおかげで、以来イギリスはコレラに耐性のある国になった――スペインやイタリアなどとは驚くほどの違いである。これらヨーロッパの大陸国に衛生設備の福音が訪れたのは遅く、コレラ流行の犠牲者は十九世紀末どころか二〇世紀になっても出つづけた。

さらに下痢性感染症の罹患数と死亡数が低下したことで、ほかの健康障害も間接的に減少した。衛生設備は公衆衛生が政策として確立されたことに寄与したのみならず、数字であらわせないとはいえ、直接的にも間接的にも「死亡率革命」に大きく貢献した。給排水管で安全な水を絶えずたっぷり供給すること、それは歴史上類のない成功を収めた改革として、世界中の公衆衛生の基本中の基本として、また文明生活の動かぬ基準として、チャドウィックの時代からいまにいたるまでつづいているのである。

チャドウィックらは、健康と病気というより大きい課題にも多大な影響をあたえた。清潔な環境を推進しようとする人びとや医師や聖職者や教師が庶民を衛生観念に目覚めさせようと啓蒙運動を進めるのにともなって、都市環境が変わっていくのが目に、いや鼻にあきらかになったのである。人びとが腐敗に危険が隠れていることを認識しはじめ、瘴気に対して自発的に防御策をとるようになったことで、市や国の条例がいっそう生かされるようになった。細菌説が不衛生環境説に取ってかわったその後の時代を分析したナンシー・トームズは著書『細菌学の福音——人と微生物のアメリカ生活史』で、衛生設備が命を守るためにいかに大切かという認識が日常生活に浸透していく様子を仔細に記している。人びとは、体、食品、生活用品、衣類、家をきれいにする生活習慣を身につけて病気から身を守った。清潔さに気を配ることが日々の欠かせない仕事になったのだ。

この点に関していうなら、水が容易に手に入るようになったことが家庭での習慣を大転換させた。それまでは、掃除といえばせいぜいたまに家のなかを掃く程度で、悪くすればそれもまったくしなかった。急に水をふんだんに使えるようになり、汚いものを徹底的に家から追い出すようになって、家庭生活は一変したのである。じつはそれはチャドウィックの目ざしていたことの一つだった。街の衛生化を進めれば、それとともに人びとは家のなかをきれいにし、体を清潔にするようになるとチャドウィックは初めから考えていたのだ。衛生思想の推進者が期待していたとおり、市民が習慣をあらためたことがヴィクトリア時代の死亡率革命を支えたのである。

チャドウィックが予想していなかったのは、衛生改革がとくに女性の生活を変えたことだった。これもまたその後の社会の変化のきっかけになったとトームズは考えている。古くから家庭のことはおもに女性の仕事だったが、衛生観念の高まりによって女性の責任はさらに重くなり、またその仕事を果たすための道具も増えた。家をきれいに掃除したり、清潔にすることの大切さを子供に教えたりして、家族全員を病気から守ることが女性の務めになった。そしてこの変化から、多くの女性が家の外となかの両方について新しい価値観を抱くことになったのである。アイリーン・クリーアは著書『衛生の美学――美の文化とヴィクトリア朝の清潔運動』で、アメリカにやってきたのちの衛生改革運動の発展を伝えている。十九世紀の最後の数十年に、ボルティモアやフィラデルフィアやボストンのような都会に住む女性、なかでも中流階級の女性は、家事と家族への責任を果たすにはその先に当然「街のハウスキーピング」の仕事があると考え、地域の衛生改善に力をそそぐようになった。そして町に衛生を害するものがあれば報告し、路地や道路の清掃を要求し、地域の衛生環境の改善を目ざす運動を興した。こうして女性たちは使命感に目覚め、組織運動の経験と自信を育んでいった。ふり返れば当然の流れだったといえるだろうが、衛生改革運動は女性の社会的責任を拡大する役割を意図せずして果たしたのである。

衛生思想と芸術

衛生思想は直接的に健康と疾病の問題に多大な影響をおよぼしたばかりではない。その影響は間接的に日常生活から離れた領域にまで届いた。それが明らかに感じられる三つの分野は、文学と絵画と室内装飾である。

文学では、チャールズ・ディケンズが衛生改革の規範的な担い手になった。小説を書きはじめて間もないころ、ディケンズはチャドウィックの新救貧法に激しく反対し、『オリバー・ツイスト』でこの法律を風刺した。しかし一八四〇年代以降はサウスウッド・スミスの説く衛生思想に共鳴し、以前はひどく反発していたチャドウィックの改革計画の実行に賛同するようになった。一八四二年に『衛生報告書』を読んだディケンズは「すばらしい報告書」と評し、共通の友人に宛てた手紙にこう書いた。「チャドウィック氏に伝えてもらえないか……その問題の重要性と影響に心から同意する、と。ただし、ご自慢の新救貧法には死ぬまで反対しつづけるが」[9]。

チャドウィックと面識をもって間もなく、ディケンズは『マーティン・チャズルウィット』（一八四三～一八四四年）と『ドンビー父子』（一八四八年）で瘴気説と不衛生環境説を小説に取り入れ、これらの説の内容を正確に描写した。ちょうどチャドウィックが中央保健総局で浄化計画の実現に心血をそそいでいた一八五〇年には、衛生改革派として彼にできる二つのことに着手した。一つは公衆衛生に関する話題を大きく取り上げる週刊誌ハウスホールド・ワーズを創刊したこと、もう一つは先頭に立ってチャドウィックの運動を市民に知らしめるスポークスマンになったことだ。この小説家には、都市衛生協会での公演で衛生改革の必要を説くという一面もあったのである。ディケンズは社会主義的な考えのもち主で、チャドウィックは既存の社会的序列を断固守ろうとする立場だったが、公衆衛生は人間の苦しみを軽減する最短の道と考えていた点で二人は同じ意見だった。

衛生改革を作品の重要なテーマとしたヴィクトリア時代の小説家はディケンズばかりではない。歴史学者は「衛生小説」と呼べそうな作品を見出している。ディケンズの作品のほかにそれに該当するのは、ジョージ・エリオットの『ミドルマーチ』（一八七一年）、エリザベス・ギャスケルの『北と南』（一八五五年）、ベンジャミン・ウォード・リチャードソンの『ヒュギエイア――健康の町』（一八七六年）である。これらの小説は不衛生な環境の弊害を問題視し、健康と美を向上させる手段として浄化を求めている。全国禁酒協会の後援者であり、ジョン・スノウ（第12章参照）と親交のあった有名な医師のリチャードソンの場合は、衛生改革運動に傾倒する活動家の立場から作品が生まれた。『ヒュギエイア』には、チャドウィックの願いが完璧に果たされた理想郷の生活が描かれている。町には悪臭もなければ酒場もなかった。

公衆衛生は絵画にも影響をおよぼした。最も重要な人物は美術評論家で社会理論家のジョン・ラスキンである。不潔を嫌い、衛生改革の推進者を称賛していたラスキンは、チャドウィックも改革の仲間と認める人物だった。不潔、病気、悪臭といった衛生にかかわる言葉を織り交ぜた『近代画家論』(一八四三年)では、健全さを美の理想とし、その名のもとに画壇の巨匠を批評した。汚物を思わせる暗い色調、健康的な太陽光ではなく蠟燭で照らされた薄暗い室内を特徴とするレンブラントは猛烈に批判された。ラスキンにしてみれば、清潔で健やかな芸術のみが美の理想のきわみに到達するのである。レンブラントの油彩画は「夢も理想もなく、清潔さもない」と具体的に不満を述べている。対照的に、J・M・W・ターナーの風景画の白く消え入りそうな明るい色彩と陽光の表現を絶賛した。ラスキンの目には、こうした作品こそが近代的で健全でロマン主義的なのである。公衆衛生の推進は芸術のスタイルと感性の変化を促し、明瞭な線と明るい色調、鮮やかな色彩を近代性と結びつけた。どんよりと暗いものは不潔で、臭ってきそうで、おぞましいのだ。また、鮮烈な色彩をつくるために最新の化学の進歩を利用したラファエル前派が出現する道筋をつけたのも衛生改革だった。

室内装飾の流行も衛生思想のもとで急速に変わった。ヴィクトリア時代中期の裕福な中流階級は伝統的に重厚かつ精緻でごてごてした暗い色調のもの、たとえばひだのたっぷりした垂れ布、どっしりした家具、敷物、絵画などで居間を埋め尽くしていた。室内には装飾品がところ狭しと置かれ、床が見えなくなるほど骨董品が並べられた。衛生改革者の審美眼では、このような室内はほこりの巣に等しく、瘴気の原子が入り込みやすく、知らずしらず不潔の温床になる。衛生改革後の室内装飾は、ラスキンやデザイナーで作家のウィリアム・モリスの趣味に合わせて、明快さと軽快さとくっきりした線が打ち出されるようになった。どこもかしこも明るく清潔になり、最新の科学とテクノロジーに歩調を合わせたモダニズムが発展したのである。

衛生観念の高まりが公衆衛生に残したもの

衛生改革は社会に重要な変化をもたらしたが、公衆衛生の基盤としては部分的な役割しか果たさなかった。チャドウィックとサウスウッド・スミスは、ドイツ人医師のルドルフ・フィルヒョーに代表される当時の社会医学からかけ離れた立場にあったからである。医学は患者個人の病気に限定せずに社会全体の病理も扱うべきだと考えていたフィルヒョーは、疾病の社会的な決定因を食事と賃金と労働環境を含む広い領域で考察する必要性を主張した。

イギリスの衛生改革者はあくまでも病気の原因は一つと説明し、公衆衛生を浄化に必要な手段としか考えていなかった。たとえば彼らは、貧困者に病気が多いのは労働環境が原因だと訴える人びとの救いにはならなかった。チャドウィックの理論では、労働の場が病気の原因になるのは悪臭を放っているときだけなのである。したがって彼は、工場に規制を設ける、児童労働を取り締まる、労働搾取工場を廃止する、一日の就労時間を制限するといったことには反対した――賃金の改善は健康問題と無関係とし、労働組合とストライキに断固として反対したのと同じである。この点で、労働と労働環境は労働者の知的、精神的、身体的健康のきわめて重要な決定要素だとした同時代のカール・マルクスとは対極の立場だった。チャドウィックの公衆衛生への取り組みに鉱山所有者と工場主が応じながら、労働者の健康と賃金と安全がいっこうに改善されなかったのは当然だったのだ。

衛生改革運動のもたらした結果は別のところにもあった。国家権力の性質が変わったこと、そして国家と国民との関係も変わったことである。哲学者で社会評論家のミシェル・フーコーならよくわかるだろうが、公衆衛生のシステムは国家による絶え間ない「まなざし」を必要とした。行政府は、建物の建設、風通しや日照を遮らないように道幅を規定した都市計画、公共の場の管理、定期的な保守管理の監督に関する規則を定める必要がある。軍の駐屯地と兵舎、軍艦と商船、保護施設、病院、共同墓地、学校といった各種施設に衛生規準を導入するための介入も重要だった。下宿屋や宿や寄宿舎もしたがわせなければならない。つまりチャドウィックの改革は確固としたトップダウン主義、中央集権主義であり、国家権力が著しく強大になった「ヴィクトリア時代の統治革命」の第一歩だったのだ。衛生思想の実現はただそれだけにとどまるものではなかった。衛生改革、公共事業の財源のための税制、建設事業から個人の行動までを規定する各種規則を統括する恒久的な大きい行政機構の設置が必然だったのである。

第12章 細菌病原説

医学の歴史において、一七八九年から一九一四年のいわゆる長い十九世紀のはじまりと終わりを比較してみれば、示唆に富んだ思考実験ができる。パリ臨床学派による医学革命が幕を開ける直前の一七八九年には、医学の概念的枠組みはヒポクラテスとガレノスが確立した説がおおよそそのまま受け継がれていた。医師が循環系と神経系について理解を深め、化学革命と周期表がアリストテレスの万物の四元素説を覆し、疫病の経験から接触伝染説《コンタギオン》が説得力を増すにつれて、体液病理説はかつての勢いを失っていった。それでもなお医学哲学、治療法、医学教育は、その間に発達した天文学の知識を組み入れた古代ギリシャの医学の枠から抜け出せずにいた。医師や教養ある人びとは疫病の原因を「腐敗した」空気、すなわち瘴気《ミアズマ》にあると説明した。

それから一九一四年までに医学に幾多の重要な発展があった。実際のところ、ソクラテスの誕生からバスティーユ陥落までの二〇〇〇年あまりのあいだよりも、フランス革命後の数十年間のほうが大きく変わったほどだ。今日の科学と基本原理をほぼ同じくする科学が発達しはじめていた。

さらに、十九世紀には医学知識の移り変わりが加速した。十九世紀後半の数十年間——およそ一八六〇年から一九〇〇年まで——で、医学哲学は大転換をとげた。その中心をなしたのが細菌病原説である。医学における細菌説は、天文学におけるコペルニクスの地動説、物理学における重力理論、あるいは生物学におけるダーウィンの自然選択説に匹敵する重要な革命だったといっても決して過言ではない。

この思考実験が有益な理由はもう一つある。おもにルイ・パスツールとロベルト・コッホが打ち出した概念を突きつけられた当時の医学界が、どれほど刺激され、また抵抗したかがより明確に理解できるのである。たとえばルイ・パスツールの娘婿ルネ・ヴァレリー＝ラドには、細菌説は生命そのものの起源と死の意味を理解する手段に思えた。ヴァレリー＝ラドは一九〇〇年に出版した著書『パスツール伝』で、パスツールの細菌説から受けた衝撃をガリレオやダーウィンを引きあいにして説明している。当時の人びとの世界に対する理解がこの新しい学説によって変更を迫られたために、受けた抵抗もまた大きかったのだと彼は考えている。

この章では細菌説がどんなものかを知るとともに、それが医学の正統の説として定着するまでの決定的な出来事をふり返る。この医学の発展は、誰よりもルイ・パスツール、ロベルト・コッホ、そしてジョゼフ・リスターという有名な三人の功績である。しかし話を進める前に、科学知識の進歩を牽引するのは決して一人の天才の功績だけではないことをあらためて確認しておかなければならない。十九世紀から二〇世紀の医学の発見は、先人たちの努力が長いあいだ積み重ねられてきた基礎があってこそ実現したのである。そして最も重要なのが、思想と組織と技術の基盤であることはいうまでもない。

思想と組織の基盤──パリの病院医学からドイツの研究室医学へ

すでに見たとおり、パリ学派は、個々の病気は独立した不変の実体であり、生物にあらわれる症状と解剖台の上で観察される病変によって分類できると考えていた。疾病分類学はパリ学派の特色であり、そこから病気の特有性という一般原理が生まれた。細菌説があらわれるには、この概念が不可欠だった。なぜならここから直接に導かれる二つの結論によって、微生物を病気の原因と見なすことができるからである。第一は、ヒポクラテスとガレノスの理論に反して、病気は全身をめぐる四体液の不均衡や腐敗が表にあらわれた現象ではなく、体の固体組織のある部分が特有の不調をきたしたものであるという考え方だ。第二は、パリ学派がそれまでの考えを否定し、ある病気が別の病気に変わることはありえないとしたことである。パリ学派の誕生前は、たとえばコレラはコレラという不変の病気ではなく、ある土地で夏になるとはやる下痢が劇症化したものが別の地域に自然発生したものだと広く信じられていた。

種の概念は動物学者や植物学者にはよく知られていた。彼らはたとえば柳が樫に、山椒魚が蛙になることは決してないのを理解していた。だが、その概念が微生物の世界にあてはめられるまでには時間がかかった。フランスの医師ピエール・フィデル・ブルトノーは種の概念をいち早く理解していた科学者の一人で、博物学で知られているすべての種子が決まった種の植物に成長するように、「病気の種子」もそれぞれ決まった病気を引き起こすと主張した。ブルトノーがこの概念を詳細に理論づけたのは、ジフテリアの研究をしていた一八二〇年代のことである。

病気の特有性を支持したおもな医学者は、フランス人だけではない。たとえばフィラデルフィア生まれのウィリアム・ウッド・ガーハードは、渡仏してパリでピエール＝シャルル・ルイのもとで二年間学んだ。フィラデルフィアに帰郷したのち、一八三七年に発疹チフスの流行で死亡した数百名の患者の遺体を解剖した結果、それまで同じ病気として扱われていた発疹チフスと腸チフスを病変の違いから区別した。

ガーハードと同じ考えだったのが、『腸チフス――その性質、感染、予防』（一八七三年）で名声を不動のものにしたイギリスの医師ウィリアム・バッドである。バッドは腸チフスには固有で不変の性質があると主張した。彼の考えでは、このことは種の概念の本質をなしていた。したがって腸チフスは一つの固定した種であって、自然発生することもなければ、別の種の病気に変わることもありえないのである。

フランスの生理学者クロード・ベルナールはさらに一歩進め、病気は固有なものであるだけでなく、動的なものでもあるとする立場をとった。つまり病気は人間の体内で進展するのである。その意味で、ベルナールはパリ学派そのものを新しい観点から批判した。著書『実験医学序説』（一八六五年）で、病院での症例は判断材料にならない、なぜなら患者の病気はすでに最終段階にあり、医師は病気のはじまりと発達を観察できないからだと述べている。しかも病院は考慮すべき環境条件が多すぎ、実験条件をできるだけ一定にしなければならない科学研究が複雑になってしまう。そこでベルナールは将来を予見するかのように、医学研究の場として別の場所を提案した――研究室である。「実験医学」には病院よりも研究室のほうがふさわしい。管理された条件下で、一つの変数のみを試験できるのは研究室をおいてほかにないからだ。したがって書斎でも病院でもなく、研究室こそがまさしく医学の認識論の場であり、医学知識の源泉なのである。

ベルナールは新しい医学の認識論によって、新しい時代へ橋を渡す重要な存在になった。病気を個別にとらえる病院の先に、微生物の世界とその病因との関係を探ることのできる唯一の場として研究室があることを見通していた。そして彼の思想はヨーロッパの医学地図が塗りかえられることも予見していた。医学の中心地はフランスからドイツに移ろうとしていた。大学や研究機関の研究室を科学進歩の場として最も重視していたのはドイツだったからである。ドイツは医学研究のみに携わる科学者の育成でも世界をはるかにリードしていた。

技術の基盤――顕微鏡と「アニマルクル」

アントニー・ファン・レーウェンフック

細菌説の基盤になったもう一つの重要なことがらは、顕微鏡の進歩である。このことについては、意外な経歴のアントニー・ファン・レーウェンフック（一六三二〜一七二三年）の功績を語らないわけにいかない。近年、科学史家は科学革命に関するこれまでの見方を変え、十八世紀から十九世紀の偉人らによる発見は、十六世紀と十七世紀の名もない人びとが築いた土台なくしてはありえなかったことを明らかにしている。こうした初期の科学の担い手は、大学教育を受けた知識人ではなく、ラテン語を知らずに土地の言葉を使う職人たちだった。彼らは自然界の探求に旺盛な好奇心をもち、発見や情報をたがいに知らせあっていた。デルフトの織物商レーウェンフックもその一人だった。

こうした忘れられがちな人びとが、その後に登場する科学の巨人——ルネ・デカルトやアイザック・ニュートン、そしてルイ・パスツールやロベルト・コッホまで——に貢献したものは数知れずある。科学分野におけるこの「下からの歴史」の研究に先鞭をつけた作家で科学史研究者のデボラ・ハークネスは、著書『ジュエル・ハウス——エリザベス時代のロンドンと科学革命』（二〇〇七年）で、これらの人びとはそれなしでは科学革命はありえなかったほど重要な三つの功績を残したと述べている。①アイデアの交換、実践、仮説の検証に関心のある者どうしで親交を結んだこと、②科学の発展に不可欠な基礎能力として——読み書きと算術にとどまらず——数学、道具、印刷のリテラシーを確立させたこと、③自分の手で実験し、自然を実地に調査するのを通例にしたことである。

レーウェンフックが科学の道に足を踏み入れるようになったのは、本職の織物商としての関心からだった。レーウェンフックは商売で扱う布地の糸を当時の拡大鏡で見えるよりももっと細かく調べたいと思った。そこで徒弟時代に身につけたレンズ磨きと金属加工の技術を生かして、倍率二七五倍の単レンズ顕微鏡を製作した。彼はこの新しい道具を仕事で用いるだけでなく、自然観察にも使って単細胞生物の世界を観察した最初の人になり、その生物を「微小動物《アニマルクル》」と名づけた。また、自分の観察記録を定期的にイングランドの王立協会に報告した。レーウェンフックはこうして微生物学の誕生に必要な技術の基礎を固めると同時に、微生物の世界への関心を喚起した。それが微生物学の誕生に発展していくのである。

レーウェンフックの発見の向こうには確かに微生物学が見えていたが、技術にもう一歩の飛躍が必要だった。とくに求められたのは複合顕微鏡の改良である。のちに二枚の補正レンズを用いる技術が生まれ、それによって倍率がぐんと高くなり、色収差による像のゆがみも解消されて対象をはっきり観察できるようになった。

センメルヴェイス・イグナーツ・フュレプとジョン・スノウ

生前は嘲笑を浴びながら、理論と実践によって細菌説への道を開いたのは、ハンガリーの産科医師センメルヴェイス・イグナーツ・フュレプ（一八一八〜一八六五年）である［ハンガリー人名は日本人名と同じく姓・名の順］。センメルヴェイスはウィーン総合病院に勤務していた一八四〇年代に、産褥熱による産婦の死亡率の高さに衝撃を受けた。産褥熱は現在では細菌感染によるものであることがわかっているが、当時は産院におけるおもな死因だった。センメルヴェイスは興味深い事実に気づいた。ウィーン総合病院の産科は二科に分かれていた。第一産科では、分娩を介助するのは医師と医学生で、彼らは医学や科学研究のための重要な仕事として解剖もしていた。第二産科では、分娩の介助は助産師に任され、助産師は解剖にかかわっていなかった。第一産科の産婦の死亡率は二〇パーセントにのぼったが、第二産科ではわずか二パーセントだった。

センメルヴェイスは医師と医学生が解剖を終えたあと、手を洗わずにそのまま第一産科へ回診に行っていることに気づいた。彼らが診察したり赤ん坊を取り上げたりするときに、解剖台で手につけてきた正体不明の目に見えない「死体粒子」を産婦に運んでいるのではないか。一八四七年に医師の一人が解剖中に誤ってメスで手を傷つけ、それがもとで死亡したのを見て、その疑いは確信に近づいた。亡くなった医師の症状は、産褥熱で命を落とした女性の症状によく似ていたのである。センメルヴェイスは医師と医学生と助産師に、産科に入室する前に塩素水で手を洗うよう指示した。手洗いはすぐさま劇的な効果を上げ、第一産科でも第二産科でも産婦の死亡率は一・三パーセントにまで下がった。

センメルヴェイスは産褥熱の原因が感染であり、目に見えない「死体粒子」に危険がひそんでいることを明確かつ決定的に示した。ところが不幸にも、周囲の反応は彼の期待を裏切るものだった。病気の原因は瘴気ではなく「腐敗有機物」だと主張しても、その有機物を特定することができなかったために、ウィーンの医学界からいかさま師となじられ、ウィーン総合病院を追われる結果になったのである。センメルヴェイスはハンガリーに帰国し、ペシュト（現ブダペスト）の産院で妊産婦を診察した。そこでも消毒を励行して患者の命を救いつづけたが、誰からも認められず、彼に倣って消毒を習慣にする者もいなかった。センメルヴェイスは精神に異常をきたし、一八六五年に精神病院に入院させられてしまう。そこで看護人に殴打され、その傷がもとで死亡した。彼の発見が認められたのは、死後何年も経ってからだった。

微生物が出産におよぼす恐ろしい影響をセンメルヴェイスが突きとめようとしていたのとほぼ同じころ、ロンドンではジョン・スノウ（一八一三〜一八五八年）がアジアコレラを伝播させるのは「アニマルクル」であるという説を打ち出していた。スノウは産科学と麻酔学の分野で優れた業績を残した開業医だったが、コレラの研究を通じて学問としての疫学の基礎を築いた一人でもある。スノウの研究の出発点になったのは、コレラの症状の観察だった。

コレラはかならず激しい腹痛と下痢と嘔吐からはじまるとスノウは確信した。この初期症状は、口から摂取された病原体が消化器を冒すことを示している。一八四八年にロンドンでコレラが流行したとき、スノウは患者に聞きとり調査をし、全員が最初の症状は消化器系の不調だと述べたことに留意した。あとであらわれた症状――脈拍の低下、呼吸困難、どろりとしたどす黒い血液、心不全、血色不良、指先のしわなど――は、どれも大量の下痢で血漿が失われたせいだと考えられる。したがってコレラの症状は生きた「微生物」、つまり「アニマルクル」が飲食物といっしょに飲み込まれ、腸内で増殖したことによるとする仮説を裏づけた。スノウの言葉では、「病状を考察すれば、コレラがどのようにしてうつるのかがわかる」[1]のである。

スノウはこの仮説を確かめるために、一八四八年から一八四九年と一八五四年のロンドンでの大流行の際に足を棒にして探偵さながらの仕事をした。一八四八～一八四九年の流行では、二つの水道会社から水の供給を受けている世帯を入念に比較した。一方のランベス・ウォーターワークス社の水は、ロンドンより上流のテムズ川から取水しているため、都市から流れ込む下水で汚染されていなかった。もう一方のサウスワーク・アンド・ボクソール社はロンドンのバタシー地区で水を汲み上げていた。この二社はロンドンのほかの水道会社と違って、水を濾過していなかった。さらに家庭を対象に顧客の獲得競争をしていたため、契約者の収入、住宅事情、衛生状態などの条件が似通っていた。したがって下流の水を飲んだ家庭が、上流から引かれた比較的きれいな水を飲んだ家庭の何倍もの死者を出したことは、きわめて示唆に富んでいた。コレラの死者数の偏りは、サウスワーク・アンド・ボクソール社が供給する汚染された水の利用状況を示す地図と明らかに一致していたのである。

一八五四年の流行時には、スノウはソーホー地区のブロードストリートの住民が使っている公共の給水ポンプを調査した。ポンプから半径二三〇メートル内のコレラの発生状況を調べたスノウは、その惨状を「この王国で起こった最も悲惨なコレラの大発生」[2]と報告した。一〇日間で五〇〇人以上がコレラで死亡し、犠牲者はそのポンプで汲み上げた水を飲んでいたことがわかった。最終的に、スノウが市に助言してポンプを使えないように取っ手をはずさせると、ソーホー地区のコレラの流行はあっという間に収まった。その後の調査では、いまでいう「患者第一号《ペイシェント・ゼロ》」がソーホー地区の外でコレラにかかった乳児だったことも判明した。この乳児をソーホーに連れて戻った母親がおむつを桶で洗い、その水をポンプ近くの汚水溜めに捨てていたのだ。

スノウの考え方に影響をおよぼしたことはほかにもあった。一つはまだ若いころに一八三一年から一八三二年のコレラの流行を間近で観察したことである。当時スノウはニューカッスルの見習い医師で、コレラの蔓延に苦しむ炭鉱夫の治療にあたっていた。炭鉱労働者のあいだにコレラが広まったことは瘴気説で説明できるのだろうかとスノウは疑問に思った。炭鉱には瘴気が発生しそうな沼や下水道はないし、坑道に腐敗有機物もなく、毒性のある発散気を発生させそうなものはいっさい考えられなかったからだ。それにもかかわらず一八三一～一八三二年と一八四八～一八四九年の二度とも炭鉱でコレラが流行したことは、コレラの原因を論理的にたどるうえで非常に興味深かった。炭鉱労働者はイギリスで最もコレラの罹患率が高い職業グループだったのである。

同様に、スノウは一八四〇年代にロンドンで麻酔学に関心をもったことから、医学界で正統とされている疫病に関する学説を疑う態度を身につけた。有毒な蒸気が発生地点から遠く離れた場所にいる人びとの健康にそれほど大きな影響をおよぼしうるとは、とうてい考えられなかった。有毒な気体がそんなふうにふるまうはずはない。一八四八～一八四九年のコレラ流行での観察で、有毒な気体を原因とする説への疑いは確信に変わった。汚染された水が決定的な原因であると解釈するほうが、はるかに矛盾なく簡潔で説得力ある答えとして難題を解決してくれるからである。

スノウは主著『コレラの伝播経路について』で、ソーホーの給水ポンプの位置と死者が出た場所の関係を示す地図を掲載して発見を発表した。現在この著作は疫学の基礎を築いたものと見なされているが、当時はまだ新しかった細菌説に大衆の目を引きつける役割は果たしたものの、スノウの生前に医学界を納得させることはできなかった。接触伝染説を否定する意見は根強く、コレラに関しても瘴気説が正統の学説としてあいかわらず支持されていた。実際、スノウと同様に一八四八〜一八四九年のロンドンの流行を調査した中央保健総局のウィリアム・ファー（一八〇七〜一八八三年）は、コレラの原因は有毒な空気と、その影響に対して住民が抵抗力をもてない環境だと結論した。

スノウの著作が信用されなかった背景にはさまざまな要因があった。当時の人びとを最も困惑させたのは、スノウが自分の説を主張する一方で、当時正統とされていた瘴気説に反論することをせず、完全に無視したことだ。このやり方がとくに問題になったのは、スノウがコレラの病因をただ一つの物質――目に見えない「アニマルクル」――に帰しながら、その存在もそれがどうやって病気を引き起こすかもまったく説明できなかったからである。この点で、スノウの支持する細菌説はもっと確固とした証拠が必要だった。顕微鏡検査法がさらに発達し、それまで目に見えなかったコレラ菌が見えるようになり、実験手法の進歩によって微生物が動物を病気にさせることが証明されて、初めて感染の機序が解明されたのである。スノウは丹念な調査で相関関係を明らかにすることはできたが、因果関係を証明することができなかった。一方、いくつもの原因があるとし、大量の医学統計を利用して証明してみせたファーの瘴気説の擁護は勝利したのである。スノウの説に心を動かされた科学者や医師は多かったが、センメルヴェイスと同じように、スノウも彼を信用しない多数の者から嘲笑された。

著名な三人——パスツール、コッホ、リスター

ルイ・パスツール

レーウェンフックが微生物の世界を探求する扉を開き、センメルヴェイスとスノウが病気の原因がアニマルクルであることを明らかにしたとすれば、ルイ・パスツール（一八二二～一八九五年）は医学の概念の革命に必要な実験的証拠を示した。パスツールは医学の目的のために顕微鏡を体系的に使用した最初の一人である。

医師でも生物学者でもない、化学者のパスツールが病気とその原因の問題に関心を抱くようになった当時、主流の理論は「病気の発酵説」だった。発酵説は瘴気説に似た説で、疫病は化学作用によって引き起こされるとするものだった。土壌と温度と湿度の条件がそろえば、腐敗していく有機物が発酵し、瘴気に似た有毒な気体を放出する。

発酵説に非常に近いのが広く支持されていた「自然発生説」だった。アリストテレスが提唱して以来、古くから信じられてきたこの考え方は、生物は同種の親である共通祖先から発生するのではなく、非生物から発生するというものだ。これにしたがえば、疫病は病気が連鎖的に伝播していくのではなく、非生物から発生するということになる。イタリアの医師で博物学者のフランチェスコ・レディは、有名な一連の実験で自然発生説の真偽を確かめようとし、その内容を一六

六八年に『昆虫の発生に関する実験』で発表した。レディはフラスコに肉と魚を入れ、半分のフラスコを密閉し、あとの半分はそのままにして空気にふれさせた。開放していたフラスコの肉と魚には蛆がわき、密閉したフラスコには発生しなかった。蛆がわくのは蠅が肉に卵を産みつけられたときだけだったのだ。卵なしに蛆は生まれず、自然発生説は相応の根拠がないとレディは主張して次のように記した。「くり返し観察した結果から、地は天地創造の数日間に全能にして至高の造物主の命令によって最初の植物と動物を生み出して以来、完全なものであれ不完全なものであれ、草や木や動物を二度と造ることはなかったということになる」[3]。

だが、レディの実験から二世紀が経っても、非生物が生命を生むという考えは主流の説でありつづけた。とくに有力な支持者は著名なドイツの化学者で、パスツールと激しく対立したユストゥス・フォン・リービヒ（一八〇三〜一八七三年）だった。古代と大きく違ったのは、自然発生説で説明できる範囲が数世紀のあいだに縮小したことだ。十九世紀には、動物とさらに昆虫さえも、生殖によって生まれることが知られていたため、自然発生説に残された領域は顕微鏡でようやく見える微小な世界のみになっていたのである。自然発生説が根強く残った理由には、ほとんど何もわかっていない領域についてこの説の誤りを証明するのは難しいということがあった。また、微生物の世界は生命と非生命の境界にあるように見えたので、物質に生命が吹き込まれると考えてもよさそうだった。さらに自然発生説には、神学からの支えもあった。天地創造――生命の起源そのもの――は、自然発生の最初の行為にほかならない。それを否定することは、信仰を否定するに等しかった。

パスツールは信仰心の篤い人だったが、自然発生説は大きな問題があるとしてその考え方を否定した。自然発生説は、自然という秩序ある世界に無秩序をもち込むものだった。もしこの説が正しいなら、病気の発生は完全に偶発的であり、まったく解明できないだろう。病因論、疫学、疫病分類学、そして病気を予防する公衆衛生は現実になんの根拠もないことになるのである。

パスツールは一八五〇年代に自然発生説にかわる理論を組み立てていった。当時、彼はフランスの農業を悩ませていた二つの関連性のある大きい問題に取り組んでいた。ワインが酢酸発酵で腐敗して酢になってしまう問題、そして牛乳が乳酸発酵で腐敗する問題である。ワインと牛乳の腐敗は化学作用によるものと一般に考えられていた。それに対してパスツールは、腐敗は微小な生物、すなわち細菌の作用によるものであることを証明した。顕微鏡で細菌の存在を確認し、研究室で培養したのである。またワインやビールの発酵と腐敗とを関連づけ、この二つが同じ作用であることも明らかにした。要するに発酵も腐敗も細菌の作用であり、触媒による化学反応ではないのである。

さらに、これらの細菌は同じタイプの既存の細菌と共通の祖先をもつこともわかった。パスツールは仔細な観察と培養によって、細菌には形態、栄養、脆弱性の違いから種別があることを明らかにした。こうして研究を進めていった結果、加熱して細菌を死滅させれば腐敗は起こらず、ワインや牛乳の風味が保たれることが発見された。パスツールはいくつかの化学薬品で微生物を死滅させようとして失敗し、熱にたどりついたのである。この低温殺菌法は、彼にちなんで「パスチャライゼーション」と呼ばれている。

パスツールはこの業績によって、化学者から微生物学の創設者への転換を果たした。研究成果は三編の著作で発表され、誕生間もない細菌学に多大な影響をあたえた。一八五七年の『いわゆる乳酸発酵についての報告』、一八六六年の『ワインに関する研究』、そして一八七六年の『ビールに関する研究』は、乳酸、酢酸、アルコール発酵の秘密を明らかにするものだった。

生物学を永久に変えることになったこれらの研究をなしたのち、パスツールは医療と公衆衛生における その意味を探りはじめた。疫病に関して、自然発生説の支持者はたとえばコレラは地域的な原因で発生すると考えていた。先述したとおり、この立場ではコレラは「夏期下痢症」の重度なものにすぎない。これに対し、パスツールはパリ学派の特有性の理論と自分の微生物の観察とを結びあわせ、コレラのようにそれまでその地域になかった病気が発生するのは、細菌がもち込まれることのみによると主張した。

パスツールはその原理を、レディの着想をうまくかたちにした簡単な実験で証明した。まず滅菌したフラスコに肉汁を入れて煮沸し、なかの微生物をすっかり死滅させる。フラスコには白鳥の首のような湾曲した細い管がついていて、空気がフラスコのなかのものにふれないようになっている(図12-1)。そしてこうして無菌状態にした肉汁に微生物が自然発生するかどうかを観察する。パスツールは、あらかじめ微生物を死滅させておけば、フラスコの管を壊して空気を入れないかぎり細菌は発生しないことを明らかにした。空気にふれさせて「種がまかれ」れば、あっという間に肉汁に細菌が増殖したが、しっかり密閉されていれば、フラスコとそのなかの肉汁はいつまでも無菌状態を保ったのだ。パスツールはこの発見の医療と公衆衛生における意味をすぐに見てとった。傷口からの感染や病気の予防に応用できるのである。彼は次のように述べている。

「細菌が存在せず、よく似た親もない世界に微細な生物が出現したと断言できるような環境は知られていない。あると主張する人は思い違いをしているか、実験の仕方がまずいか、誤りに気づかないか、その避け方がわからないのだ」[4]。

さらに固い意志で取り組んだのは、一八六五年に脳卒中で倒れて左半身が麻痺したのをものともせずにつづけた一八六八年から一八七〇年の研究である。この時期にパスツールは発酵に関する理論の医療分野への応用を見きわめるために、病気の研究にとりかかった。最初に着手したのは意外な生きもの、蚕とその病気だった。ワインにつづいていま一度、フランスの主要産業である絹織物産業に打撃をあたえる問題に着目したのだ。そして綿密な顕微鏡検査によって、蚕を冒す病気が細菌を原因とする二つの病気——微粒子病と軟化病——であることを突きとめたと確信した。その後の顕微鏡検査法の発達

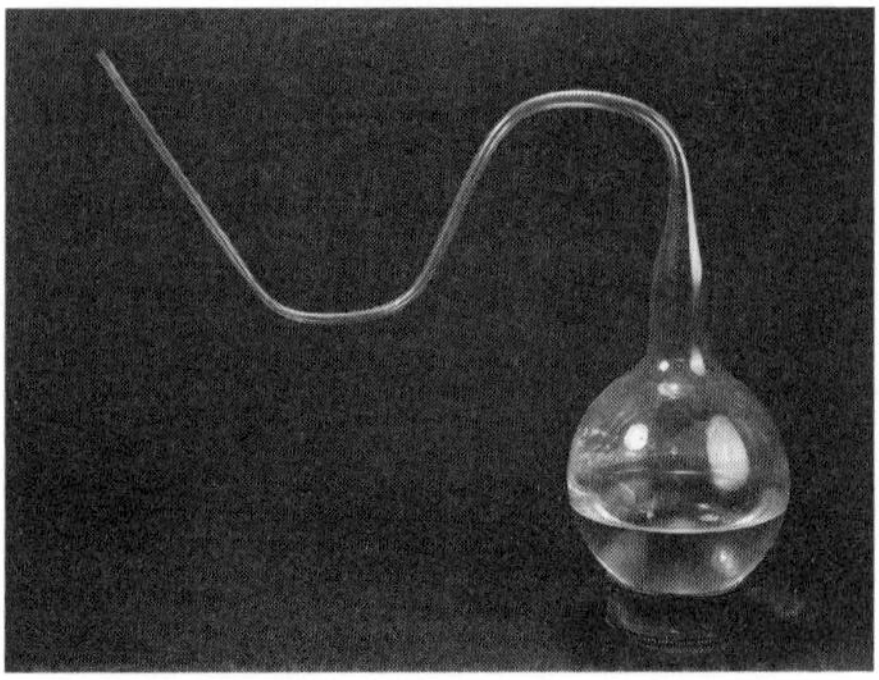

図 12-1 ルイ・パスツールが考案した白鳥の首型フラスコ。パスツールはこれを用いて自然発生説を反証した。［ウェルカム・コレクション、ロンドン、CC BY 4.0.］

と研究技術の向上によって、微粒子病の原因は微胞子虫という菌類のような寄生微生物、軟化病の原因はウイルスであることが判明している。それでも当時の人びとには、目に見えても見えなくても微生物が病気の原因だとわかったことが重要だった。

パスツールの研究の基礎になった概念——接触伝染、微小動物、細菌、病気の特有性——は彼自身の創出したものではない。また、ほかにも細菌学に貢献した科学者はいた。フランスのカシミール・ダヴェーヌとイギリスのジョン・バードン・サンダースンも、顕微鏡で観察した微生物が病原体であると提唱している。そもそも十八世紀の初めには、すでにケンブリッジ大学の植

物学者リチャード・ブラッドリーが微小な生物を「アニマルクル」あるいは「虫」と呼び、それが疫病を引き起こす原因ではないかと疑っていた。ブラッドリーはすべての生命は卵か種から発生すると考え、ロンドンでペストが絶えたのは一六六六年のロンドン大火で悪疫を引き起こすアニマルクルの卵が死滅したからにちがいないとの説まで発表している。

細菌を英語で「ジャーム（germ）」［植物の芽、種子という意味もある］ということからもわかるように、植物学、農学、園芸には細菌説の正しさを証明する要素がいくつもあった。十九世紀前半には、医学分野での進歩を先どりするかのように、植物の病気の原因になる菌類の働きについて活発に議論が交わされた。とくに一八四五年のじゃがいも飢饉をきっかけに、植物の病理学と病気の原因になる生物への関心がにわかに高まった。こうした議論はパスツールの耳にも届き、蚕の病気の問題を打開するための有用な知識になった。

とくに重要なのは、分離し、培養した微生物を動物に接種すると同じ病気が再現され、その微生物が病原体だと証明できたことである。パスツールはこのようにして、ある病気がどんな微生物の作用によるものかを確認し、さらにほかの病気にも応用できる手法を確立した。

蚕の病気の次にパスツールが目を向けたのは、家禽コレラと炭疽だった。どちらもおもに動物の病気で、人間が命を落とすことは少ないが、微生物を分離し、培地で培養し、培養した微生物を使って病気を再現する過程は、人の健康を守るうえで病気そのものの重要性以上に革新的な意味があった。

パスツールの研究によって、一八七〇年代には細菌説が主流になったが、臨床医のあいだではなおも相当な抵抗があった。彼らは目に見えない生物が破壊的な疫病の原因になるとする考えに当惑していた。ルドルフ・フィルヒョーのような卓越した科学者でさえ、細菌説を受け入れなかった。病原体をさすさまざまな言葉――小球、細菌、バクテリア、滴虫、ビブリオ、ウイルス、微小動物、バチルス――が入り乱れ、ほとんど同じ意味で使われているのも人びとをまごつかせた。細菌説がまだ賛否の分かれる説だった時期に、支持者が細菌説をどうとらえていたかは、アメリカ人医師ウィリアム・H・メイズの一八八〇年の言葉にあらわれている。

あらゆる伝染病は人間の体内に生物、すなわち酵素微生物が侵入することで引き起こされると私は考える。その生物は同種の生物を再生する能力があり、考えられないほど微小である。地球のすべての生命が先行する生命から生じたものであるように、ある病気は先行するその病気から生じたものだ。いかなる細菌も新しく発生することはできないから、猩紅熱も自然に発生することはない。樫の木は樫から、葡萄は葡萄から生まれるように、腸チフスは腸チフス菌から、ジフテリアはジフテリア菌から発生する。そしてカモメが鳩の卵から生まれないのと同じように、猩紅熱はチフス菌からは発生しないと私は考える。[5]

細菌説の正しさを証明したのに加え、パスツールは公衆衛生策としてのワクチン接種を普及させ、実験免疫学という学問の基礎を築いた。第7章で見たとおり、およそ一世紀前にエドワード・ジェンナーが天然痘の研究から初のワクチン接種の道を開いた。パスツールはさまざまな病気に対するワクチンを生産する手法を開発したのである。彼が「二度なし現象」と呼んだ現象には普遍性があるとパスツールは考えた。のちにいう獲得免疫のことである。この原理はあらゆる伝染病に対するワクチン開発の基礎になるだろうと彼は期待していた。

ワクチン接種とは、病気の原因になる微生物の全体もしくは一部を人為的に体内に入れ、同じ微生物が自然に体内に侵入したときに攻撃できるように免疫系を「訓練」することである。ワクチンはあらかじめ免疫系に抗体をつくらせる。つまり侵入してきた生体――細菌、ウイルス、寄生虫――を認識して破壊するように免疫細胞に教える働きをする。

当然、本当に病気にかからせることなくどうやって免疫を活性化させるかが問題になる。ジェンナーは、牛痘への免疫反応が天然痘の予防にもなる交差免疫を発見した。パスツールはそれとは違って、生きた病原体の病毒性を弱めて接種する方法を開発した。弱毒化には加熱が一つの方法になる。また、異種宿主に病原体の微生物を接種し、その体内で増殖させる過程を数世代くり返すのも一つである。こうして弱毒化された微生物を接種すれば、害をおよぼすことなく免疫反応を促すことができる。

免疫の仕組みがまだ解明されていなかった時代に、パスツールは二度なし現象の作用と弱毒化の利点をどうやって思いついたのだろうか。ここでも農産物に関する知識、とくに細菌説にとって重要な種と土壌との類似を利用したのである。作物を育てるとき、たとえば小麦を同じ畑でつづけて栽培すると土壌の栄養分が枯渇し、小麦はしだいに生育不良になる。パスツールはこの知識を細菌に応用し、弱毒化した細菌はそれを接種された動物の体内で軽い感染を起こしているあいだに血液中の栄養分を消費するだろうと考えた。すると血液はやせた畑のようになって、細菌の生長を支えられなくなる。そこに毒性のある同じ病気の種を接種しても、生長と増殖に必要な栄養は弱毒化された細菌が先に消費してしまっているので、病気は二度と起こらない。今日の言葉でいえば、その動物は免疫を獲得したのである。

二度なし現象と弱毒化という二つの概念は、医学と公衆衛生の歴史において最も重要な発見だった。パスツールはジェンナーに負うところが大きいと認めながらも、ジェンナーが天然痘だけに適用した方法を普遍化したと自負していた。そしてさまざまな感染症のそれぞれに対して免疫をつくるワクチンが開発されることを予見した。それは現実になり、麻疹、百日咳、破傷風、ジフテリア、季節性インフルエンザ、腸チフス、狂犬病、ポリオなど、多くの感染症に対抗するワクチンがこれまでに開発されている。

さて、それではいずれどんな感染症にもワクチンができるのだろうかと問いたくなる。パスツールは、ワクチンをつくれるかどうかは、その病気から自然に回復した患者が以後その病気に対する強い免疫を獲得したかどうか、彼の言葉でいえば、二度目がないかどうかで決まると考えていた。たとえばコレラやマラリアのように、罹患したことのある者が次に同じ病気に攻撃されたときに撃退できなければ、その病気のワクチン開発は難しい。ワクチン接種は数多くの病気の抑制や根絶に有効な策だとパスツールは考えていたが、あらゆる病気の解決策になるとは思っていなかった。

パスツールが家禽コレラの原因菌の研究中に弱毒化を発見したのは、幸運な偶然のおかげだった。だが、彼が助手に何度となく教え、一八五四年にリール大学での講演に集まった科学者に語ったとおり、「こと観察の分野においては、幸運は準備ができていてこそ訪れる」のである。パスツールは暑い夏に家禽コレラ菌の培養液をうっかり一週間放置してしまった。その細菌を鶏に注射したところ、予想に反して鶏は家禽コレラを発症しなかった。あらためて病毒性の強い細菌を培養しなおし、それを同じ鶏を含む多数の鶏に注射してみた。すると驚くべき発見があった。古い培養菌（弱毒化された菌）を注射されていた鶏は家禽コレラを発症しなかったのだ。その鶏は免疫を獲得していたのである。他方、放置された古い培養菌を注射されていなかった鶏はみな病気になって死んでしまった。

実験をくり返しても同じ結果だったため、パスツールは培地の細菌の病毒性が夏の暑さで変質した、つまり弱毒化されていたのだと判断した。これは公衆衛生におけるきわめて重大な発見の一つだった。微生物の病毒性は不変ではなく、調整したり抑制したりして免疫付与に利用できるのだ。さらに広く生命科学においても、パスツールは生物学の変革に貢献した。当時はおもに自然の事物を蒐集する学問と見なされていた生物学を、研究室で真理を追究する実験生物学へと変えたのである。また、ダーウィンの変異と突然変異の概念が病理学と医学でどんな意味をもつのかを具体的なかたちにして示したことにもなった。

その後の進歩により、ワクチン接種による免疫獲得技術はさらに種類が増えた。家禽コレラを研究していたアメリカの科学者セオボールド・スミスは一八八六年に、加熱して殺した家禽コレラ菌にも免疫を付与する効果があることを発見した。以来、医学者は病気の予防に、弱毒化した生きたウイルスや細菌と並んで死んだウイルスや細菌も用いるようになった。微生物そのものではなくその一部を使用するワクチンも開発されている。

家禽コレラの研究で弱毒化の原理を発見したパスツールは、ほかの病気にも同じ方法を試した。おもに羊、ヤギ、牛がかかる家畜伝染病の炭疽に注目し、その弱毒化ワクチンをつくろうとした実験は非常に有名である。炭疽の原因菌である炭疽菌は、少し前にロベルト・コッホが分離していた。パスツールはコッホが用いたのと同じやり方で炭疽菌を加熱して培養し、毒性を弱めようとした。その結果はウィリアム・ディターレ監督が一九三六年に制作したパスツールの伝記映画『科学者の道』に生き生きと描かれている。一八八一年五月、パスツールはプイイ・ル・フォール村で二四匹の羊に弱毒化した細菌を接種した。次のステップは、ワクチン接種済のこの二四匹と、接種していない対照群の二四匹に病毒性の強い生きた炭疽菌を注射し、経過を比較することだ。その結果、ワクチン接種した羊は元気なままだったが、接種されなかった羊は全部死んだのである。

次にパスツールは弱毒化の新しい方法の開発に取り組んだ。この研究は一八八〇年代初めに狂犬病に関する一連の実験ではじめられた。現在では、狂犬病の病原体は細菌ではなくウイルスであることがわかっているが、パスツールの時代にはそのころの顕微鏡の倍率では見えないほど小さいウイルスの存在はまだ知られていなかった。だが彼のいうとおり、幸運の女神は「準備のできている者」に微笑むものだ。目に見えず、まだ知られていなかったタイプの微生物の研究を進めるうちに、パスツールは狂犬病ウイルスの弱毒化に成功したのである。その手順は、まず狂犬病にかかったキツネからウイルスを分離し、それを自然状態では狂犬病にかからない動物——この場合はウサギ——の体を通過させるというものだ。ウサギからウサギへウイルスを移す操作を何度もくり返した結果、変異したウイルスを培養できた。それを接種したキツネは狂犬病を発病せず、狂犬病のキツネからじかに分離した生の狂犬病ウイルスに対して免疫を獲得していたのである。狂犬病は人間のあいだで流行する心配はあまりないが、かかった場合の苦痛は激しく、致死率は一〇〇パーセントに近いため、恐ろしい病気として医学界でも高い関心をもたれていた。

狂犬病ワクチンが初めて人間の体で試されたのは、一八八五年七月のことだった。狂犬病の犬に噛まれたジョゼフ・マイスターという九歳の少年がパスツールにたすけを求めてきたのである。だがワクチンはまだ実験中で、試験もすんでいない開発段階にあったため、少年に接種してよいものかどうか、パスツールの助手のあいだでも意見が分かれた。優秀な助手のエミール・ルーは実験に参加するのを拒んだ。しかしパスツールは少年の傷のひどさから、このままでは苦しみながら死を迎えるばかりだと判断した。これで彼の心のなかでは倫理的な問題に決着がついた。狂犬病の潜伏期間が長いことを利用して、パスツールは開発したばかりの弱毒化ウイルスを少年に接種した。少年はたすかり、狂犬病の動物に噛まれて深い傷を負いながら、命をとりとめた初めての患者として有名になった。

家禽コレラと狂犬病に関するパスツールの功績が医学と公衆衛生にもたらした影響は、誰の目にも明らかだった。彼の偉業を称えて一八八七年にパスツール研究所が設立され、パスツール自身が所長に就任した。パスツール研究所は、パリ本部と各地の研究施設での生物医学研究を通じて公衆衛生の向上と、さらに病気の根絶をも目ざしてワクチン開発に従事している。

エドワード・ジェンナーは世界で初めてワクチンをつくったとき、天然痘根絶のためにそのワクチンが使われる未来を思い描いていた。それからほぼ一世紀後、弱毒化の方法を開発したパスツールは、さまざまな病原体に対するワクチン開発の可能性を開いた。やがて天然痘と炭疽と狂犬病だけにとどまらず、ポリオ、麻疹、ジフテリア、破傷風、流行性耳下腺炎（おたふくかぜ）、百日咳、風疹など、数えきれないほど多くの病気にもワクチン接種ができることが明らかになった。今日、天然痘は根絶され、ポリオもあと少しというところにきている。公衆衛生の観点から見た疑問は、ワクチン接種という戦略がどこまで通用するかだ。ワクチン接種はあらゆる感染症に有効な策なのだろうか、それともかぎられた病気にしか有効でないのだろうか。その差はどこにあるのか。ジェンナーが種痘を開発してから二世紀以上もたつというのに、人類が根絶できた感染症がたった一つでしかないのはなぜなのか。この問題については第18章でさらに詳しく取り上げたい。

パスツール研究所の設立で、現代医学のもう一つの側面に気づかされる。それは医学がしばしばナショナリズムの対立の場になることだ。十九世紀に火花を散らしたルイ・パスツールとロベルト・コッホのライバル関係はその典型的な例である。二人はそれぞれフランスとドイツの医学の代表であり、象徴だった。独仏の敵対関係は二人の科学者を競わせただけでなく、パリのパスツール研究所とベルリンのロベルト・コッホ研究所、そしてフランスの科学界とドイツの科学界をも対立させたのである。

ロベルト・コッホ

パスツールよりも二〇歳ほど若く、化学者としてではなく医師としての訓練を受けたロベルト・コッホ（一八四三〜一九一〇年）は、細菌病原説の確立に決定的な役割を果たした二人目の人物である。若いころにコッホが科学者として病原性微生物に注目したのは、その時代にはもっともな選択だった。一八七〇年代に科学の最前線でさかんに議論されていたのは種々の「細菌説」だったからだ。ゲッティンゲン大学の医学部でコッホを指導した教授のヤーコプ・ヘンレは、「生きた伝染物質」、すなわち生物が病気の原因だとする説の支持者だった。

コッホが一八七〇年代半ばから取り組んだ最初の科学研究は、炭疽とその原因である棹状の細菌の調査だった。当時「脾脱疽《ひだっそ》」と呼ばれた炭疽は、細菌病原説の確立に主要な役割を果たした。パスツールとコッホがこの病気に関心をもったのには、いくつもの理由があった。第一に、炭疽は農業と畜産業に深刻な経済的打撃をあたえるおそれがあった。この病気はフランス、ドイツ、イタリア、ロシア、スペイン、アメリカの広い地域で流行し、多数の羊や牛が犠牲になったばかりでなく、羊飼いや皮なめし職人、牛飼いなど、家畜と密接な関係のある仕事をする人びとも発病することがあった。たとえばコッホが初期の勤務地であるボルシュタインですごした四年間に、同地では五万六〇〇〇頭もの家畜が炭疽で死んでいた。

炭疽菌を研究したのにには技術的な理由もあった。この細菌は並外れて大きく、一八六〇年代から一八七〇年代の顕微鏡の倍率でもはっきり確認できるという利点があった。パスツールとコッホの前にも、フランスの医師カシミール・ダヴェーヌ（一八一二〜一八八二年）が顕微鏡を使って研究の先陣を切り、感染した家畜の血液中に疑わしい微生物を発見していた。パスツールもコッホも、ダヴェーヌの発見にもとづいて研究を進めている。

コッホはまず炭疽で死んだ羊の血液を調べてその血液を健康な動物に接種し、その動物が炭疽を発病したことを確認したのち、血液と組織に多数の炭疽菌を観察した。次に着手したのは固体培地で微生物を培養し、それを培地と健康な実験動物の両方で継代培養することだった。炭疽菌を接種された実験動物はいずれも発熱、麻痺、腸や肺の障害といった炭疽の症状を示した。また血液中に炭疽菌が見つかり、死亡率はきわめて高かった。こうしてコッホよりも前にダヴェーヌが推測していたとおり、この細菌が本当に病気の原因であることが明確になった。コッホの研究はパスツールの研究を補完し、細菌説を再現性のある確固とした基礎の上に成立させた。

　だが、コッホはさらに次のステップに進み、炭疽菌が芽胞を形成することを発見して炭疽の複雑な病因を解明した。芽胞は耐久性が高く、家畜が草を食む牧草地の土のなかで生きつづける。このことから、コッホは病気の動物が放牧されていた牧草地で草を食べた羊や牛が炭疽を発症する謎を解き明かした。じつのところ、炭疽は動物から動物へ直接感染するよりも、放牧によって感染するほうが多かったのである。そこで予防措置として、コッホは芽胞の形成と感染の広がりを抑制するために、病気で死んだ動物を焼却するよう奨励した。そしてこれらの研究結果をもとに、最初の論文「炭疽菌の生活環にもとづく炭疽の病因」を一八七六年に発表した。この論文はコッホに世界的な名声をもたらし、医学細菌学の基礎テキストの一つになった。ただし、人間の病気の原因になるおもな病原体のなかで、炭疽菌のように芽胞を形成する細菌はまれであることがわかった。ほかには破傷風菌とボツリヌス菌がある。

　病原体と考えられる微生物の研究を炭疽からほかの微生物にも広げるためには、現在の技術だけでは限界があるとコッホは感じていた。一つの要因は彼自身の研究環境にあった。研究費がかぎられていたため、炭疽菌の発見も自宅の裏庭につくった狭い実験室にこもって成しとげたくらいだったのだ。だがもっと大きな問題は、顕微鏡検査法に克服すべき四つの問題が残されていることだった。倍率の低さ、不十分な照明、透明な細菌の見えにくさ、そして液体培地での細菌の運動性である。

　コッホは光学機器メーカーのカールツァイス社の協力を得て、顕微鏡の非点収差を解消する新しい光学ガラスや油浸系レンズを使用した。また、細菌を「固定」する方法も開発した。細菌を固定液に浸してからスライドの上で自然乾燥させると、細菌が運動して視野から外れる問題を解決できた。さらにスライドに固定した細菌をサフラニンやメチルバイオレットなどの染料を用いて染色し、透明な細菌を観察しやすくした。細菌は種によって吸収する色素が違うので、染色すればその識別もできる。コッホはこれらの技術革新によって、微生物の形態を高分解能で詳細に観察できるようになり、科学者として初めて細菌の写真を発表した。

炭疽菌の論文を発表してからの三年間に、コッホは顕微鏡検査法を改良したのに加えて、固体培地を開発した。最初はパスツールと同じように、細菌を動物に接種し、取り出してまた接種するのを何世代もくり返す方法で単一菌種だけの培養、すなわち純培養を得ていた。だが炭疽菌の研究を進めるあいだに、純培養を実現する別の手法を開発した。研究環境を簡素化して考慮すべき条件を減らし、実験を管理しやすくしたいと考えたからだ。そこでコッホは、動物の体外で微生物を効率的に生育させる固体培地を考案した。栄養分を溶かした水をペトリ皿に入れ、寒天で固めたものである。培地が固まったら、そこに調べたい細菌を含む液をそそいで培養する。固体培地では微生物の選別が容易で、雑菌が混入しにくい。また、対象の微生物の発生過程を顕微鏡で観察しやすいという利点もあった。これは微生物学の歴史においてきわめて重要な一歩であり、感染症研究の進歩の揺るぎない土台になった。近年の研究論文では、固体培地の恩恵が次のように表現されている。「それまで扱いにくく混乱をきわめていた細菌の世界が、研究者の手と目によって自由に制御できるようになった」[6]。

コッホは一八八〇年に帝国衛生局の医官になり、貧弱な研究環境からようやく解放された。それ以来、設備の整った研究室をあたえられ、勤勉で才能ある三人の助手の協力も得られるようになった。ゲオルグ・ガフキー、ユリウス・リヒャルト・ペトリ、フリードリヒ・レフラーの三人は、コッホのその後の発見に重要な役割を果たしている。

恵まれた研究環境を手に入れたコッホは、結核の研究に着手した。結核は当時の最大の死因でありながら、厄介きわまりない謎に包まれていたが、そこがとくにコッホの関心を誘った。謎とは、肺疾患を生じる肺結核と、粟粒結核または「播種型」結核と呼ばれる結核はルドルフ・フィルヒョーが唱える説のとおり別々の病気なのか、それともルネ・ラエネクが主張するように一つの病気なのかということである。手に入れられる証拠だけでは、この論争に決着をつけることはできなかった。世界中の研究所が懸命な努力をつづけていたが、結核の病原体はまだ発見されていなかったからだ。その最大の原因は、結核菌と呼ばれるようになる微生物が、大きくて視認しやすい炭疽菌にくらべてはるかに分離が難しいことにあった。

結核菌は炭疽菌よりもずっと小さいが、問題は顕微鏡の倍率だけではないとコッホは気づいた。それよりも致命的な問題は、結核菌がほかの細菌と同じ方法で染色できなかったことである。コッホはその悩みを次のように書いている。「結核菌はほかの細菌とは性質の異なる特殊な壁に覆われているらしく、染料がその壁を越えて浸透するには、アルカリかアニリン、もしくはそれに似た物質がなければならないようだ[7]」。

染色方法を工夫したすえに、コッホはそれまで誰も見たことのなかった結核菌を世界で初めて発見し、感染した組織のすべてに結核菌が認められることを確認した。だが、この菌が結核の原因であることを証明するには、相関関係だけではなくもっと厳密な証拠が必要だとコッホは考えた。結核患者に結核菌が認められるだけでは不十分で、結核菌が病気を引き起こしていることを

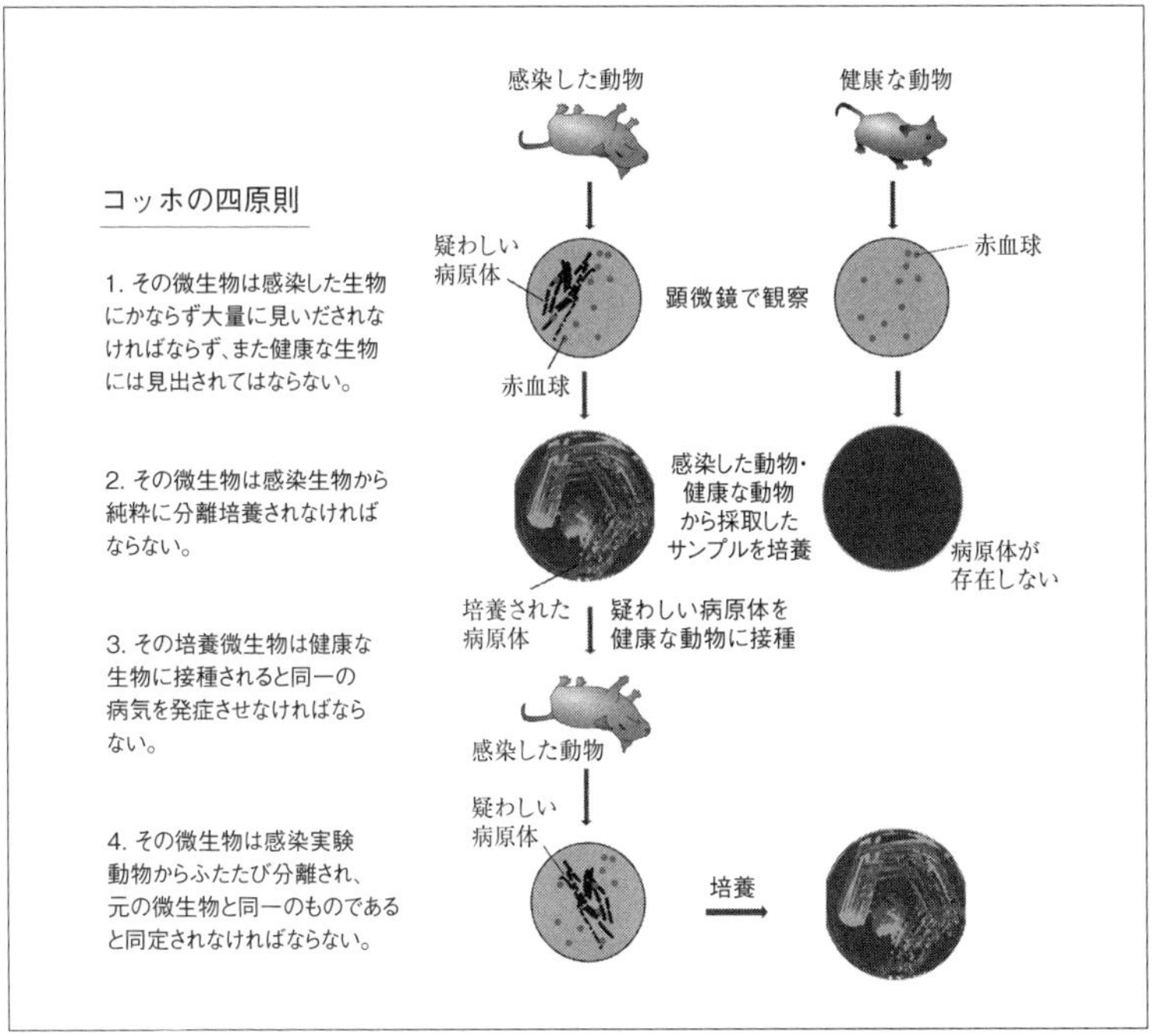

コッホの四原則
1. その微生物は感染した生物にかならず大量に見いだされなければならず、また健康な生物には見出されてはならない。
2. その微生物は感染生物から純粋に分離培養されなければならない。
3. その培養微生物は健康な生物に接種されると同一の病気を発症させなければならない。
4. その微生物は感染実験動物からふたたび分離され、元の微生物と同一のものであると同定されなければならない。
感染した動物
健康な動物
疑わしい病原体
赤血球
顕微鏡で観察
赤血球
感染した動物・健康な動物から採取したサンプルを培養
病原体が存在しない
培養された病原体
疑わしい病原体を健康な動物に接種
感染した動物
疑わしい病原体
培養

図 12-2 コッホの四原則は病気とその病因である微生物との因果関係を証明するために定められた。
［Mike Jones 画、CC-SA3.0、Bill Nelson 改変］

証明しなければならない。炭疽菌を発見した過去の研究でさえ、この厳しい基準を満たしていなかった。

分離した細菌が病気の原因であることを反論の余地なく証明するために、コッホは厳密な規準を定め、それを一八八二年の有名な論文「結核の病因論」で発表した。この論文は細菌説の確立に重要な役割を果たしただけでなく、さらに医学史においても最も重要な論文の一つに数えられている。発見された微生物がその病気の原因であると確定するためにコッホが定めた四つの基準は「コッホの四原則」として知られる（図12－2）。

この原則は明快で、研究中の結核菌がこれらすべてを満たしたことから、十九世紀の最も重大な病気の原因である結核菌をコッホの研究チームが発見したことが科学界に認められた。これによりコッホは微生物学の手法を統一したのである。

一八八三年にエジプトでコレラの流行が発生し、コッホはこれを機会ととらえた。新しく開発した手法で病原微生物を分離し、結核に次ぐ重大な病気の原因を突きとめられるにちがいない。ドイツ、フランス、ベルギーの各国はさっそくエジプトへ調査団を送り、コレラの病原体を世界に先駆けて発見しようと争った。フランスは早々に調査団の主要メンバーの一人が感染して亡くなるという悲劇に見舞われたうえ、エジプトのコレラ流行が下火になって時機を逸してしまった。コッホのドイツ調査団はやむなくインドへ向かった。そしていまだコレラが猛威をふるうインドでコレラ菌の分離に成功し、その細菌がコレラの病原体であることの疫学的証拠を示したのである。ただし皮肉なことに、コッホは、発見したコンマ形の細菌がコレラの病原体であることを確かめることはできたが、自分の定めた厳格な四原則を満たせなかったと発表した。コレラは人間しか感染しないため、コレラ菌を実験動物に接種しても発症させることができないとわかったのだ。コッホの四原則は適用できれば強力な証拠になるが、コレラはこの原則に限界があることを示した。

ともあれ一八八三年までに炭疽、結核、そしてコレラの病原体が分離され、それらが病気の原因であることが証明された。その後もパスツールとコッホが開発した方法を用いて、腸チフス、ペスト、赤痢、ジフテリア、猩紅熱、破傷風、淋病など、人間の病気の原因になる病原体がつぎつぎと分離された。一八八〇年から一九一〇年の三〇年は「細菌学の黄金時代」と呼ばれている。新しい顕微鏡検査技術によって数多くの病気の謎が解き明かされ、接触伝染説の正しさが完全に証明され、細菌説が動かしがたい真実として認められた時代である。

ジョゼフ・リスター

ところが疫病の原因が解明されたにもかかわらず、皮肉にも患者にはほとんど恩恵がなかった。医学が感染症に対して無力な状態を脱するのは、第二次世界大戦後にペニシリンとストレプトマイシンの開発とともに抗生物質の時代が幕を開けるまで待たなくてはならなかったのである。それでも内科治療が細菌説から得るものが初めは無に等しくても、外科治療については事情はまったく違った。細菌説という新しい知識にもとづいた、いわば「外科革命」が直接に恩恵をもたらしたのだ。その立役者は細菌説の確立に主要な役割を果たした三人目の科学者、ジョゼフ・リスター（一八二七〜一九一二年）である。

リスターはグラスゴー大学で外科教授を務めていたころ、手術は成功したにもかかわらず、術後に傷口の腐敗（化膿）で死亡する患者が多いことに衝撃を受けた。パスツールの理論、また種子とそれを生長させる土壌の比喩を知ったリスターは、外科手術を受けた患者の命を救う方法がそこから見つかるのではないかとすぐに気づいた。パスツールの白鳥の首型フラスコに入れた肉汁に細菌が発生しなかったなら、傷口を空気中の塵による汚染から保護できれば、細菌が傷口で発生するはずはない。

リスターの時代まで、外科手術は三つの要因によって大きく制限されていた。痛み、失血、そして敗血症の危険である。人体の三つの主要な体腔――腹腔、胸腔、頭蓋腔――は、外傷や戦

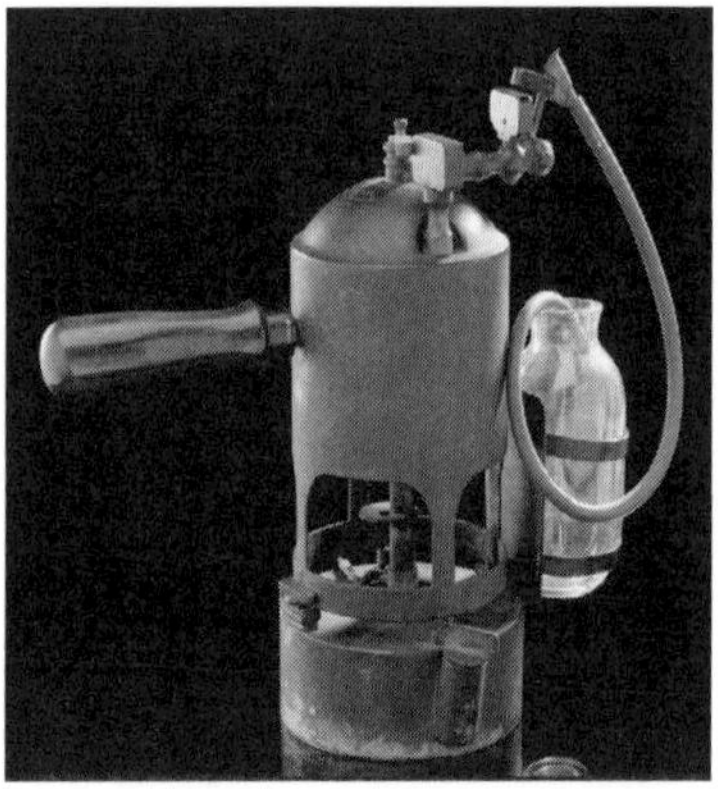

図 12-3 ジョゼフ・リスターの石炭酸噴霧器。1871 年にリスターがヴィクトリア女王の膿瘍の治療をしたとき、この噴霧器は石炭酸の霧で手術室を滅菌環境にした。［科学博物館、ロンドン、CC BY 4.0.］

争での負傷などで切迫した状態になったとき以外は手術してはならないと考えられていた。痛みと失血は原則的に緩和する方法があった。事実、一八四〇年代には麻酔薬——エーテルと亜酸化窒素——が初めて手術に使われ、一八四六年にボストンのマサチューセッツ総合病院とロンドンのユニバーシティ・カレッジ病院で世界初の無痛外科手術が行われている。だが、傷口が腐敗するのは通常の治療の過程では避けがたく、防ぎようがないと考えられていた。当時、それは死にかけた組織から毒素が放出されて自然発生するとされていたのである。

一八六〇年代にはリスターはすでに発酵作用と自然発生に関するパスツールの理論を理解し、それが外科手術に重大な意味をもつと考えていた。実際、パスツール自身が後年の論文「細菌説と医学および手術への応用」で、自分の発見と手術との関連性について詳述している。傷の腐敗は患者の体で自然発生するのではなく、塵に乗って空気中を運ばれてくる微生物によって外から汚染されるために生じる。それならば手術後の汚染を防ぐ手だてはあった。パスツールが提唱し、リスターが実行した一つの解決法は消毒だった。微生物を殺すことでそれが傷口に付着するのを防ぐ方法である。リスターは一八六七年の論文「手術における消毒の原則について」で消毒法を提案した。通常、患者が手術後に死ぬのはもとの疾患のせいでも手術後の回復が思わしくないせ

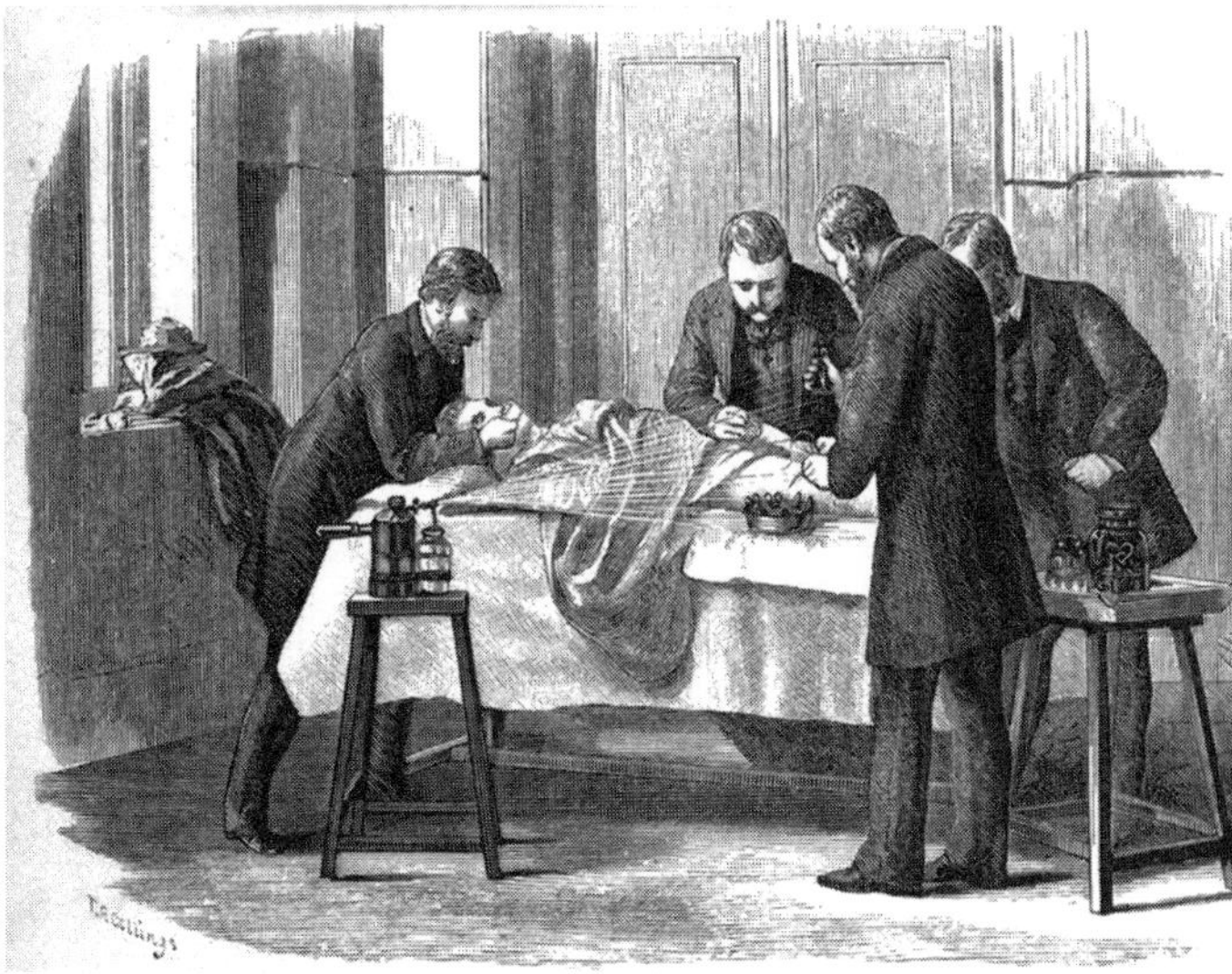

図 12-4 1882 年のイラストには、リスターの石炭酸噴霧器、通称「パフィング・ビリー」が使用されているところが描かれている。［ウェルカム・コレクション、ロンドン、CC BY 4.0.］

いでもなく、手術中の汚染による「二次被害」のせいだと彼は指摘した。これは医原病であり、リスターはそれを「病棟熱」と呼んでいた。

リスターの革命的な手法は、医師は手術前に手をよく洗うこと、手術器具を消毒すること、石炭酸《フェノール》の水溶液を患者の周囲に噴霧し、傷口にも直接噴霧することだった（図12－3、図12－4）。リスターは患者の命を救うこの方法を普及させるために懸命な努力をつづけた。論文を書き、イギリスやアメリカで多数の講演をこなし、医師らを納得させるために実演を披露した。当初、医師らはリスターの考えを笑い、受け入れようとしなかった。外科医は石炭酸が手や目に炎症を起こすといって嫌がり、器具の消毒は時間がかかるばかりでなんの得にもならない雑用だと面倒がった。そもそも目に見えない微細な生物が頑健な大人を死なせる原因になるというのも、なかなか信じてもらえなかった。しかし、リスターの消毒法を用いたときの術後生存率は驚くほど高かったため、彼の主張はしだいに支持者を増やしはじめた。産科医がリスターの方法を取り入れると、産褥熱は大幅に減少していった。そしてついにリスターはヴィクトリア女王のお墨付きを得た。女王はわきの下にできた大きな膿瘍を切開させるとき、リスターの消毒法の使用を認め、さらに一八八三年にはリスターを叙勲し、ナイト爵を授けたのだ。こうして、かつては緊急時の最後の手段でしかなかった手術が通常の治療の一環になり、細菌説は医療の現場で実用化され、目に見える効果を上げたのである。

ところが、リスター式消毒法は間もなく科学に足を引っ張られた。リスターの方法は、パスツールが切り開いた実験科学にもとづく微生物学から得た知識を応用していた。だが、誕生したばかりの実験科学の精神を医師に認めさせるには厳密さに欠けていた。最大の問題は、リスターが有効性を確かめるための実験をせず、統計もとっていなかったことだ。リスターは、石炭酸を使用すると患者の回復率がはるかによいようだという印象から進捗を記録したが、それ以外に厳密な検証に耐える資料を提出しなかったのである。また、リスター式石炭酸噴霧器にはすでに述べた欠点があった。噴霧される石炭酸は酸性で刺激性があるうえに、批判者がテストしたところ、殺菌力があまり高くないことが明らかになった。

もっと根本的なところで足を引っ張ったのは、ドイツの外科医である。彼らは一八八〇年代までにリスターの方法とは別の消毒法を考案した。ドイツの消毒法も細菌説にもとづいていたが、彼らが参考にしたのはルイ・パスツールではなくロベルト・コッホだった。当時は一種の「発酵作用」と考えられていた傷の化膿にコッホもパスツールと同じく関心をもっていた。コッホは微生物が化膿の原因であることを証明し、やはり外科手術におけるその意味に目を向けた。しかし、コッホの方法はもとになる論理がパスツールおよびリスターのものと異なっていたため、彼の方法にしたがう者はフランス人のパスツールとスコットランド人のリスターの「消毒法」との違いを強調するために、コッホの技術を「無菌法」と名づけた。

無菌法は研究室の実験環境から着想され、その原理を手術に応用したものだった。実験に影響する条件を減らして実験を管理しやすくするのと同じように、手術室を最近の侵入を許さない完全に人工的な環境にすることで手術を管理しやすくするのである。同様に、無菌法の推進者は手術室を細菌の侵入を許さない完全に人工的な環境にして、医師が手術を管理しやすいようにした。消毒法が採用されはじめたころは、外科医は患者の自宅や見学者のいる手術室で普段着のまま素手で手術し、滅菌に石灰酸噴霧器を使うのみだった。コッホの無菌法の推進者は、一八六〇年代に先行して手術に導入された消毒法が実地で教訓を得ねばならなかった欠点を突いて、研究室実験と同じ管理を手術室でも実現する無菌法のほうが科学的だと考えた。

消毒法と無菌法はどちらも細菌説にもとづいているが、逆方向から発想されたものだった。だが、医療の現場では二つがしだいに統合されていった。一八九〇年代になると、リスター派の外科医も手袋とマスクとガウンをつけ、手術器具を滅菌するようになった。リスターから一世紀半がたった今日では、無菌法を採用する外科医も手術の前後に抗生物質を患者に投与する。石炭酸噴霧器こそ使わないが、根本はまさに消毒法と同じだ。こうして一方ではパスツールとリスター、もう一方ではコッホとその推進者が開発した手法が統合され、近代的な手術法が確立したのである。

「研究室医学」と専門職としての医師

クロード・ベルナールが予見したとおり、研究室の作業台は新しい医学の象徴になり、医学認識論の中心の座に就いた。二〇〇〇年近くのあいだヒポクラテスとガレノスの古典的な教えにあった医学の権威は、病院が主導権をにぎった一〇〇年を経て、油浸レンズや染料、ペトリ皿、そして十分な数の医学者と助手がそろった研究室に居場所を移したのだった。

細菌説は医師に重要な影響をおよぼした。まず、医学教育に大きな改革があり、ドイツ式の研究室と基礎科学が重視されるようになった。アメリカではジョンズ・ホプキンズ大学やペンシルベニア大学、ハーバード大学やミシガン大学などの医学校が真っ先にこの新しい思想を取り入れた。これらの大学では、医学からさまざまな専門分野、たとえば微生物学、寄生虫学、熱帯医学、薬学、細菌学などが派生した。

こうした厳格な医学教育に数々の科学的発見がもたらす権力が結びつき、アロパシー医療［体にあらわれた症状と反対のものをあたえることで症状を取り去るという考えにもとづく医療。ホメオパシー医療（同種医療）に対する概念で、逆療法とも呼ばれる］派の医師が多くの学派との競りあいに勝って、新しい社会的権威を手にした。時のパラダイムになった生物医学は知識として信頼され、また公共政策の強力な道具にもなったため、医師は政府や医薬品産業や公衆衛生サービスから注目され、地位が向上した。

細菌説によって、医師と患者の関係もゆっくりとだが根本から変わった。患者の病歴をたどる昔ながらの全体観的なアプローチにもとづく診断、治療計画、症例管理は、新しい技術の誕生にともなって姿を消した。治療記録は体温計や顕微鏡、聴診器、検査報告書から導き出される数字とグラフの記載されたカルテにかわった。患者の全体を診るのではなく、病気を観る治療計画が普通になったのである。

細菌説の家庭生活への影響

歴史学者のナンシー・トームズが『細菌学の福音』で述べているように、微生物の世界の発見は家庭の日常生活も変えることになった。第11章で見たとおり、汚物と悪臭を健康を害するものと見なし、除去するように呼びかけた公衆衛生運動によって改革の第一段階はすでにはじまっていた。トイレ、排水管、洗面台、モップが家庭を衛生的に保つ道具として世にあらわれた。

細菌説がもたらした改革は、不衛生環境説と衛生改革の基礎になったものとは異なる思想にもとづいていた。だが現実には、細菌説のもとにある種子と土壌の関係の比喩が、汚物を除去すべしという公衆衛生運動家の主張を後押しした。衛生思想は汚物が腐敗と瘴気を発生させると教えたからである。また衛生思想とならんで「細菌学の福音」も、新聞、雑誌、冊子、書状、講演を通じて一般大衆に根気よく教え込まれた。公衆衛生運動は特定の病気に関する運動、たとえば「結核との闘い」も推進した。人びとはこうしたことに尻を叩かれるようにして、微生物がいつなんどき体内に侵入して病気を引き起こすかもしれないことを知り、家庭を微生物のひそむ危険な場所と見なすようになった。家庭環境と日常の習慣は改善すべきものになったのである。

パスツールとコッホの発見から、細菌との闘いに備えるために住居の整備が進められた。水漏れのない下水管、排水トラップ、陶器製の便器、タイル貼りの浴室、洗面台、台所のリノリウムの床などはその一部だ。これらは初期の公衆衛生運動の対象ではなかったが、細菌との闘いとそのために求められる清潔さのこまごました規準から不可欠なものになった。一方、結核菌への警戒を怠らない用心深い人びとは、咳をするときに口を覆い、痰を吐くのを控え、手や体を頻繁に洗った。「結核恐怖症」のような新しい不安にとりつかれて、礼拝のときにほかの信者と同じ杯で聖体拝領するのを拒否する者もあらわれる始末だった。人びとの不安はブラム・ストーカーのような作家の作品にもあらわれている。ストーカーの短編『見えざる巨人』と一八九七年の『吸血鬼ドラキュラ』は、ヴィクトリア時代の人びとが抱いていた伝染病への恐怖を描いたゴシック小説である。

まとめ

細菌病原説は、医学の歴史においてまちがいなく決定的な進歩だった。病気の性質の新しい理解、顕微鏡検査法の発達、公衆衛生対策としての予防接種、そして要求される清潔さに見合う日常生活の改善を促したのである。だが、細菌説は二つの点で弊害もあったといえるだろう。一つは、公衆衛生が病気の社会的要因——貧困、栄養、教育、賃金、住宅——に注目した「水平な」計画から、特定の微生物を対象にした間口の狭い「垂直な」運動に変わったことだ。このような垂直な取り組みでは、特定の病原体とそれが引き起こす病気を撲滅するという、ネガティブな目標ばかりが注目され、社会全体の健康と福祉を増進するというポジティブな目標が見過ごされるおそれがある。すでに公衆衛生運動は社会医学に背を向け、不潔さとの闘いに職場環境や賃金の問題は含まれなくなった。細菌説の出現は、微生物だけを対象にしたごく限定的な目標に集中する口実になった。

細菌説の結果として表にあらわれたもう一つの問題は、倫理的なジレンマである。医学の歴史で初めて、研究室での研究に膨大な数の実験対象が必要になった。パスツールは研究を進めるために、ウサギ、マウス、モルモット、犬、牛、鶏に微生物を接種する必要があった。とくにコッホの四原則は、健康な動物に病毒性と致死性のある微生物を接種することを要求した。倫理的な規準のない時代には、実験動物に不必要な苦痛を制限なく強いることもしばしばだった。さらに人間が実験動物として利用される場合もあった。医学研究が厳しい管理と規制の対象になったのは、ナチスによる「医学目的の」人体実験や、タスキーギー梅毒実験〔一九三二年から一九七二年までアメリカのアラバマ州タスキーギーで実施された人体実験。無料の医療サービスが受けられると偽って黒人の梅毒患者数百名を研究に参加させ、適切な治療をせずに放置して経過観察をつづけ、大きな倫理問題になった〕などの事件が起こってからである。

さらに二〇世紀後半を見ると、病気そのものの理解が複雑になったことが挙げられる。感染症と慢性疾患は長いあいだ別々の分類に属するものと考えられていたが、近年の発見によって、二つの区別は思ったほどはっきりしていないことがわかってきた。多くの「慢性」疾患は、細菌感染がもとで引き起こされる。そのことが初めて判明したのは消化性潰瘍で、この発見は病気の理解と治療の方法を大きく転換させた。現在、たとえば各種の癌や1型糖尿病、アルツハイマー病といったほかの慢性疾患についても、これに似た機序があるかどうかの調査が進められている。これらの病気も微生物が引き金になっていると判明する日がくるかもしれない。細菌説はその創始者が予想もしなかったところでふたたび病理学に光をあてているのである。

第13章 コレラ

コレラの原発地はインド亜大陸のガンジス川とブラマプトラ川のデルタ地帯で、コレラがこの亜大陸に昔から存在したのかどうかについてはいまも議論がつづいている。本書の目的に関係するのは、コレラが十九世紀初めまではインドの地域流行病であって、一八一七年の大流行まではほかの地域で発生していなかった点である。その大流行からほどなく、コレラはインドを出発して世界を股にかけた破壊的な遍歴を開始し、一八三〇年にはヨーロッパに達した。そして、相次ぐ七度のパンデミックの歴史がつくられることになった。

1　一八一七～一八二三年　アジア
2　一八三〇年代　アジア、ヨーロッパ、北米
3　一八四六～一八六二年　アジア、ヨーロッパ、北米
4　一八六五～一八七五年　アジア、ヨーロッパ、北米
5　一八八一～一八九六年　アジア、ヨーロッパ
6　一八九九～一九二三年　アジア、ヨーロッパ
7　一九六一年～現在　アジア、南米、アフリカ

十九世紀の幕開けまでコレラがインドに閉じ込められていたのは、病因であるコレラ菌（図13－1）が繊細で長旅に耐えられないためだった。それから数十年のうちにインドと西洋のあいだで人の移動が大幅に増え、移動に要する時間も革命的に短くなった。その要因はいくつかあるが、決定打になった三つの出来事は、イギリスによるインドの植民地化にともなう軍事活動と商業活動の活発化、インドのムスリムがメッカへ赴く「ハッジ」などの巡礼と宗教行事、鉄道や蒸気船やスエズ運河による輸送革命である。

これらの出来事によってコレラ菌は西洋に到達したが、到着するが早いか繁殖できたのは、好都合な条件がそろっていたからだ。社会を疲弊させる疫病は、決してでたらめに流行するのではない。社会と、経済と、政治と、環境の条件に乗じて蔓延する。糞口感染するコレラの場合、産業革命とその病理が有利な条件を生んだ。コレラが蔓延した原因は、産業化の初期につきものの無秩序で無計画な都市化、急激な人口増、給水設備が不十分かつ不衛生な過密な貧民街、劣悪な住環境、粗末な食事、汚物の散在、下水設備の欠如である。マルセイユ、ハンブルク、バレンシア、ナポリといった港湾都市に上陸したコレラ菌には、申し分のない条件が待っていたのである。

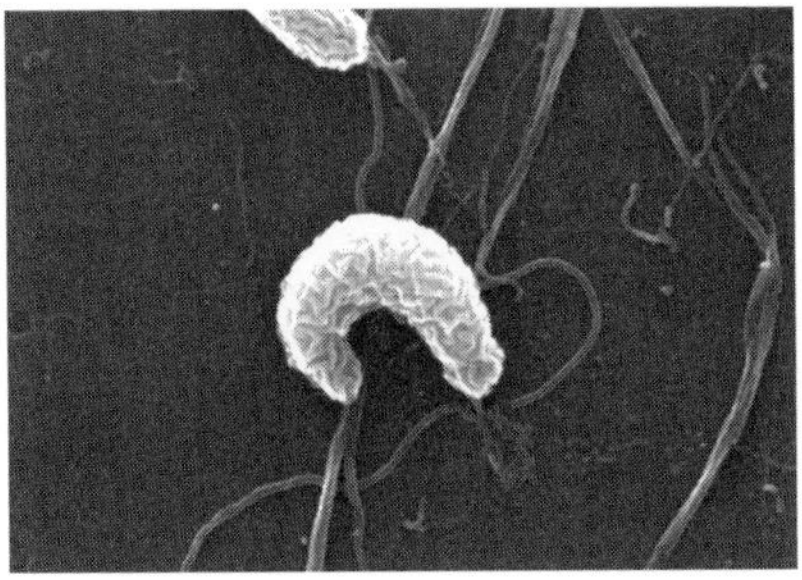
図 13-1　アジアコレラの原因菌であるコンマ形のコレラ菌（*Vibrio cholera*）の電子顕微鏡写真。［Louisa Howard 撮影。ダートマス大学電子顕微鏡施設］

十四世紀から十八世紀前半までは、ペストが最も恐れられた病気だった。十八世紀を通じて天然痘がそのあとを継いだ。そして十九世紀に最も恐れられた病気がコレラである。実際、コレラに遭遇して間もない時期に交わされた議論は、コレラの到来は「ペストの再来」に等しいのかという疑問をめぐるものが多かった。コレラの通称のうち、この病気が呼び起こす恐怖をよくあらわしているのが、コレラ疫、コレラ窒息、「流れ者」「怪物」「青コレラ」「コレラ陛下」などである。

コレラが恐れられたのには多くの理由がある。東方から未知の侵入者として突然あらわれたことがその一つで、そのために「アジアコレラ」とも呼ばれた。また、凄絶な症状、高い致死率、突然の発症、壮年期の成人を襲う傾向も危機感を掻き立てた。コレラへの激しい恐怖は、読者にはすでにおなじみであろう一連の反応——集団脱出、暴動、集団ヒステリー、生贄探し、経済の崩壊——を引き起こし、疫病による混乱をいっそう拡大させた。

十九世紀は、相次ぐ革命の勃発により社会の緊張が非常に高まった時代であり、「反乱の世紀」とよく呼ばれる。一八三〇年の革命の波、一八四八年から一八四九年にかけて続発した革命、イタリアとドイツの統一、パリ・コミューンなど、社会の急激な変動が一〇〇年のあいだに起こった。コレラはちょうどこの時期に発生し、まぎれもなく政治的な緊張を高めたことから、ヨーロッパを席巻したコレラも革命の一つの誘因だったのではないかと以前は多くの歴史学者が考えていた。だが、この見方が妥当でないことはいまでは明らかである。因果の連鎖は逆向きだった。つまり、革命や戦争の勃発と社会の騒乱がコレラの生存にぴったりの条件を生んだのだ。コレラは革命の引き金になったのではなく、革命の跡をたどって移動した。アジアコレラが行動をともにしたのは、暴動を起こして革命の口火を切った民衆ではなく、革命鎮圧のために動員された軍隊だった。

今日では、十九世紀にヨーロッパの革命を引き起こしたのがコレラでないことははっきりしているが、振り子が逆の方向へ振れきってしまうこともある。コレラは革命の誘因ではなかったばかりか、長期的な影響さえまったく残さなかったとする意見があるのだ。この見方によれば、コレラは衝撃的な出来事で、短期的には相当な騒乱と狂騒を引き起こしたが、長期的に残したものは少なく、ペストや天然痘とは比較にならないという。相反するこれらの見方のどちらが正しいかを判断するには、まずコレラの病因と症状、機序、治療について調べる必要がある。

病因、症状、芸術への影響

コレラは一八八三年にコッホが発見したコレラ菌を原因菌とし、凄絶な症状で知られる。大半の人はコレラ菌を経口摂取しても、胃液が病原体を破壊してくれるので症状があらわれない。だが、体内に入ったコレラ菌の数が多い場合、あるいは胃腸の不調、熟れすぎた果物の摂取、アルコールの過剰摂取などで消化機能が低下している場合は、侵入してきたコレラ菌が胃を難なく通過して小腸に達する。そしてそこで増殖して小腸の内側を覆う粘液に付着し、感染が成立する。

すると免疫系が反応してコレラ菌を攻撃するが、菌は死ぬときにエンテロトキシンという毒素を産生する。この毒素は自然界でも最強の毒の一つで、腸壁の機能を逆転させる働きをする。腸管を通じて栄養素を血流へ送り出すのではなく、血液の無色の液体部分、すなわち血漿を消化管へ流出させ、直腸を経由してどっと排出させるのである。

この血漿の流出がコレラ患者に特有の「米のとぎ汁様便」の原因になる。米をといだときのように白濁した水様便は大量に排出され（多いときは一時間に一リットルも）、しかも通常は激しい嘔吐をともなうため、いっそう体の水分が失われる。その激しさは、水道の蛇口からほとばしるように口から液体が噴き出すともいわれるほどだ。その結果、血液量減少性ショックによる失血死に等しい状態になる。

消化管からの大量の水分の排出を合図に、突然発病する。発症前の潜伏期間は短く、数時間から数日しかない。乾性コレラと呼ばれる極端な症例では、水分がきわめて急激に失われて即死してしまう。コレラはなんの前ぶれもなく発病するので、公共の場で不意に症状に襲われることもめずらしくない。コレラがとりわけ恐れられた一因はここにある。犠牲者の味わう凄惨な苦痛が衆目にさらされるからだ。ほかの病気と一線を画すコレラの特徴は、人体を冒すこの凄まじいスピードにある。見るからに頑強で健康な人が、昼食を終えたかと思うと夕食を待たずにもがき苦しんで死んだり、列車に乗って目的地に着く前に絶命したりするのである。

このような突然の発作がコレラを特別な病気にしている。大方の人に馴染み深い「普通の」地域流行病というよりも中毒に似ていて、病態の全体が殺鼠剤の作用に近いとさえいえる。十九世紀には、この白色の粉末砒素が鼠退治に広く使われていた。そのためコレラの苦痛に満ちた症状のすべてが、犯罪を疑われても無理のないものに見えた。それだけでも恐ろしいのに、コレラには治療法もなく、十九世紀には患者の半分近くが命を落としたことが恐怖をますます増幅した。

コレラのぞっとするような症状は、体内の水分の喪失とそれが全身におよぼす破壊的な影響の直接的な結果である。十九世紀の医師は、潜伏期を経たこの病気が二段階の経過をたどることに気づいた。「悪寒」段階、そして「逆行」段階である。最初の段階は激烈な症状を呈して八時間から二四時間つづき、患者の容貌が激変する。この段階が長引くほど、予後は悪い。水分の排出とともに脈拍が弱まっていき、血圧が急速に下がり、体温が三五度台に下がって、体にふれると冷たく感じるようになる。顔はみるみる青ざめてしぼみ、死相のように、あるいは長患いでやつれきった病人のようになる。まだ息のある患者の体も「死体化」し、見分けがつかないほど人相が変わることが少なくなかったという。虚ろな目は落ちくぼみ、黒い隈に縁どられて充血し、まぶたは半ば閉じたままになる。皮膚にしわが寄り、頬はこけ、もはや閉じることのできない青ざめた唇の奥に歯がのぞき、舌は干からびて分厚く、靴の革のように硬くなる。めまいとしゃっくりの発作に間断なく襲われ、癒すことのできない乾きが苦痛をいや増す。

瀉血を試みた医師は、血液がどす黒いタール状になり、粘度が高すぎて循環できないことに気づいた。筋肉は酸素が届かないせいで収縮して激しく引きつり、場合によっては筋肉も腱も断裂し、腹部に焼けつくような痛みを生じる。ヴィクトリア時代のコレラの権威A・J・ウォールはこう述べている。「極端な症例では、筋肉組織全体に影響がおよび、ふくらはぎ、太もも、腕、前腕、腹部と背部の筋肉、肋間筋、首の筋肉までやられてしまう。患者は苦痛で身悶えし、ベッドでじっとしていることができず、うめき声をもらすので、周囲の者も非常に辛い」[1]。筋肉の引きつりで死んでしまうことも少なくない。喉頭部の筋肉がひどく収縮し、嚥下も呼吸もできなくなるのだ。患者は窒息寸前の苦痛に苛まれながら、必死で呼吸しようとのたうちまわる。患者にとってもそばにいる者にとってもさらに痛ましいのは、患者は意識がはっきりしていて、心臓の停止と窒息による死が刻一刻と迫る恐怖を嫌というほど味わうことだ。

悪寒段階を経て、比較的穏やかな逆行段階に移行した患者も、予後は決してよくはない。悪寒段階の症状は落ち着き、いったんは好転することさえある。体温が上がり、あるいは発熱し、引きつりと排泄は減少し、脈拍も回復し、皮膚に血の気が戻る。患者は全体に回復途上にあるように見える。ところがそうはいかず、いまや患者はひどく衰弱してたびたび譫妄状態に陥り、一連の合併症にきわめてかかりやすくなっている。肺炎、髄膜炎、尿毒症、手足指や鼻やペニスといった末端部分の壊疽などの合併症のうち、最も命を脅かすのは尿毒症で、十九世紀にはコレラ患者の死因の四分の一近くを占めた。尿毒症は血液が濃くなって腎臓を通過する循環が阻害されるために起こり、やがて腎不全、尿閉、毒血症に進行する。

患者が死亡したあとも、コレラは恐怖を掻き立てつづける。この病気が背筋を凍りつかせるのは、生きている患者が死体のように見え、死んだ者が生きているかのように見えるからだ。コレラの奇怪な特徴は、死後に激しい筋肉収縮を生じ、四肢の震えと痙攣がいつまでもつづくことである。そのため遺体を載せた荷車は人の生気を感じさせ、悪い企みなのではないか、生き埋めにする気ではないかと、見る者を不安にさせた（図13-2）。

コレラの病理的な特徴は文化にも独特な影響をあたえた。東方の異国からきたこの侵入者はあまりに汚らしく不名誉な病気だったため、ほかの疫病のようにオペラや小説や絵画で描かれることがなかったのだ。第14章で見るように、結核は多くの文学作品や芸術作品を生み、美や天才や霊性とは何かを考えるのにふさわしい出発点と見なされた。現実にどんな苦痛をもたらそうと、キリスト教神学とブルジョワ階級の「規範的な」感性に「したがって」肉体を衰弱させる肺の病だった。

図 13-2 ガブリエレ・カスタニョーラ『パレルモのコレラ』（1835 年）。荷車に積まれていく死者は、筋肉をまだ不気味に引きつらせていた。パレルモでは 1830 年代の二度目のコレラパンデミックで 2 万 4000 人が死亡したとされる。［ウェルカム・コレクション、ロンドン、CC BY 4.0.］

梅毒もロマン主義の芸術家に愛された。ただし梅毒は容貌を損ない、反道徳的で、命までも奪う病気なので、つむじ曲がりな愛だといえる。それでも梅毒は社会のあらゆる階層を偏りなく襲ったし、放蕩のイメージが奔放な人物を連想させもした。放埒者にとって「花柳病」は名誉の勲章、征服の印であり、偽善的な因習に挑む思想の自由を象徴するものでもあった。十九世紀の小説家ギュスターヴ・フローベールと詩人シャルル・ボードレールは、梅毒持ちであることなどどこ吹く風のそぶりだった。

あらゆる病気のなかで最も社会に衝撃をあたえたペストにさえ、それを埋めあわせるような芸術に資する特質がある。コレラと違って、ペストが多くの命を奪うのは社会の頂点から底辺まですべての階級においてだったし、症状は凄惨でも糞便のたぐいはかかわらない。これまで見てきたように、ペストは芸術のあらゆる領域で神と人間の関係を、そしてまた人生の意味を深く考えさせる無数の作品を生んできた。

それにくらべると、コレラはどうしようもなく汚い異国産の貧乏人の病気だった。コレラの流行は犠牲者にとっても、アジア並みの不潔さと貧困を容認している社会にとっても、不名誉で、恥辱で、劣等の烙印《スティグマ》を押されるものだった。後期のパンデミックが起こったころには、コレラの機序と糞口感染することがおおよそ理解されており、したがって社会がとるべき対策は明らかで、実現不能なほど難しくもなかった。必要なのは下水道、安全な水、水洗トイレであり、悔悛でも神のとりなしでもない。同じように、コレラに感染したヒロインが絶頂の場面で内臓の中身を舞台にぶちまけるオペラなど想像できない。ジャコモ・プッチーニ作、一八九六年初演のオペラ『ラ・ボエーム』の、肺病を患うミミの美しい死にはとうていかなわないのだ。

コレラが芸術で扱われたこともなくはないが、ほかの病気と同じように描くわけにいかないのは当然だった。やり方としてはもっぱら社会への影響に焦点をあて、病気そのものの詳細は省くのである。イタリアの小説家ジョヴァンニ・ヴェルガは、自然主義の小説『マストロ・ドン・ジェズアルド』(一八八九年)で、シチリア島全土にコレラが広まった経過を追いながら、病室には立ち入らず、患者の苦痛も描かないという選択をした。コロンビアの作家ガブリエル・ガルシア＝マルケスも『コレラの時代の愛』(一九八五年)でこの病気を主題に据えつつ不快な描写を避け、不穏な社会背景として描くにとどめた。

同じ作家の二つの作品を比較すれば、コレラとほかの疫病の違いがもっとはっきりわかるだろう。トーマス・マンは『魔の山』(一九二四年)で結核を、『ベニスに死す』(一九一二年)でコレラを扱った。『魔の山』では優雅なサナトリウムの生活を細大もらさず観察し、主人公ハンス・カストルプの病状の経過と知的開眼を丹念にたどる。ところが一九一〇年から一九一一年のコレラの流行を題材にしたときは、この病気を性的に倒錯した作家グスタフ・フォン・アッシェンバッハの最後の「獣的堕落」の象徴とした。それでもマンはコレラの症状を暴露して末期のフォン・アッシェンバッハを辱めるのを控え、デッキチェアで眠ったまま安らかに息絶える初のコレラ患者として医学上の偉業を遂げさせてやった。この中編小説を一九七一年に映画化したルキノ・ヴィスコンティ監督も、ベネツィアの美にコレラの汚らしい病理が侵入するのを許さなかった。コレラはとにかくおぞましすぎて、描写に耐えないのである。

治療

コレラの突然の発症、重篤さ、急速な進行に、十九世紀の医師はなす術を知らなかった。あらゆる手を尽くしても、苦痛の緩和や延命にはかばかしい効果はなく、なんとか患者の命を救おうとして思い切って荒っぽい手段に頼るしかないこともたびたびだったが、それもなんの役にも立たなかった。

初めは体液理論の原理、とくに自然治癒力とそれと対をなす原則、すなわち症状は自然の治療法のあらわれとする説にもとづく処置が施された。ヒポクラテスとガレノスの教えにしたがえば、コレラ特有の激しい嘔吐と下痢は体内の毒素を排出しようとする体の戦略なのである。そこで医師はその自然の力を増強しようとして、最も強力と考えられていた催吐剤と下剤を投与した。催吐剤にはトコン、下剤にはアロエ、センナ、カスカラ、ひまし油などがあった。

さらに医師は正統医学を象徴する静脈切開を行った。当時、瀉血には多くの利点があった。全身に効果がおよび、目的は明確で、医師が確実に加減でき、二〇〇〇年の歴史がある。ところが、コレラの治療に用いるには問題があった。急速に血漿を失いつつある患者には血流らしい血流がなく、静脈を見つけにくいのである。そこで太い血管を切開せざるをえず、静脈のみならず動脈も切り開かれた。

この病状では瀉血に効果は見込めないとわかり、医師は実験的な措置をつぎつぎと試した。そのなかで有望だったのは一八三〇年代に考案された方法で、皮肉にもそれが現代のコレラ治療の基礎になった。その方法とは、補水である。コレラ患者が危険な速度で水分を失っているのは明らかだったため、多くの医師が体液の流出を増大させる正統の治療法とは逆に、水分を補おうとした。ところがただ大量の水を飲ませただけなので、すでに消耗していた患者はさらに激しく嘔吐してしまい、結局、おもな効果は死を早めたことだけだった。

外科的な方法として考案されたのが瀉血の逆といえる処置だった。血管から液体を放出させるのではなく、血管に水分を注入するのである。だが初期のこの補水のやり方では、患者の予後は少しも変わらなかった。医師は水分の適正な投与量がわからずにしばしば過剰にあたえ、心不全を引き起こしてしまったのだ。そのうえ病原体の存在も、水を滅菌する必要があることも知らなかったので、敗血症も誘発した。

さらに塩分濃度の問題があった。自然に思いつくのは同等のもの、つまり血液と同じ浸透圧の液体の投与である。しかし、あいにく体組織は浸透圧の高い液体しか吸収しないので、塩分濃度は体液よりもかなり高くなければならない。十九世紀を通じてくり返されたのは、血管に注入した液体がただ腸へ流れ、すでにおびただしく排出されている米のとぎ汁様の排泄物をさらに増やしただけという結果だった。

ようやく一九〇八年になって、イギリスの医師レナード・ロジャーズが二つの新しい処置を導入した。まず「コレラベッド」の製作である。中央に大きな穴をあけたベッドの下にバケツを置いて米のとぎ汁様の排泄物を受け、失われた水分量を測る。これによって、適切な量の水分を心臓停止を起こさないように少しずつ投与できた。同じくらい重要だったのがロジャーズの二つ目の発明で、食塩を蒸留水に溶かした浸透圧の高い溶液を使用することである。溶液は患者の体内にとどまり、敗血症も起こさなかった。これらの発明によってコレラの致死率は半減し、二五パーセントになった。その後もさらに工夫が加えられ、塩と糖と電解質を清潔な水に溶かして経口補水をする方法が開発された。経口補水が有効なのは、溶液中のブドウ糖のおかげで腸の塩分吸収力が増し、それとともに水分も吸収しやすくなるからである。この単純で、安価で、簡単にできる方法がコレラの死者数をさらに引き下げ、一九七〇年代に広く採用されて以来、コレラ治療の柱になっている。

不思議なのは、なぜ補水の試みが完全な失敗に終わりながらも一〇〇年ものあいだくり返されてきたかである。その理由は、多くの場合は失敗する補水がときどき奇跡のようなすばらしい効果を一時的に発揮することがあったからだ。そういうときには、重篤な患者でさえ回復するかに見えた。苦痛な引きつり、窒息寸前の苦しみ、体温の低下が急に軽減したのである。患者はベッドの上で起き上がり、しゃべったり遺言を書き直したりする時間をもてたが、やがて決まって症状がぶり返し、病気はまた進行した。

十九世紀のコレラの治療法のなかで最も苦痛が大きかったのは、酸浣腸だろう。ロベルト・コッホがコレラ菌を発見したあと、一八八〇年代に医師のあいだに過剰な楽観が一気に広がって実践された方法である。敵の正体と敵の体内での居場所がついに突きとめられ、また（ジョゼフ・リスターが示したとおり）細菌は酸に弱いことがわかっているのだから、侵入した敵を成敗して患者の健康を回復するには、腸を石炭酸《フェノール》で満たせばよいという論法だ。コッホもリスターもそのようなやり方を奨励してはいないが、彼らの理論を支持するイタリア人医師らが一八八四年から一八八五年の流行のときにこの処置を試みた。酸浣腸はコッホの発見とリスターの実践の論理にしたがう実験的治療法だと考えたのである。ところが、結果は惨敗だった。細菌病原論のような科学の進歩も、性急かつ不注意に研究室から臨床へ応用すれば、致命的な結果を招きかねないのである。

疫学とナポリの例

コレラ菌は自由生活型の細菌ではなく、人間のほかに病原保有体《リザーバー》がない。西洋に到達するには、蒸気船と大勢の人の移動に便乗した。乗員と乗客の腸に棲みつき、寝具や衣類や持ちものに付着し、排泄物に混じって運ばれたのである。ヨーロッパや北米の港町に到着すると、コレラ菌は陸上へ運ばれるか、港の海水中に排出された。最初期の症例は港に常駐するか頻繁に出入りする人に多く見られ、とくに温暖な時期に発生しやすかった。そのころの患者は、汚水をたっぷり摂取した貝類を生食した人、水夫と乗客の衣類を洗う洗濯女、港に近い市街地の宿屋や料理店の主人などで、彼らの不運な感染がいわゆる「散発的コレラ」のはじまりを告げた。散発的コレラとは、大規模な流行ではないが、近隣や家族や家庭内で人から人へ直接に一人また一人とうつっていく感染のことだ。一八八五年のベネツィアは、そのようなコレラの集団発生と流行の長期化がどのように起こるかを物語る好例である。それは一本の通りからはじまった。ある宿屋の女将が一階で料理して客に食事を出し、二階では病気で寝ている息子の世話をしていた。息子は下痢と嘔吐がひどかった。そのあと女は階下に戻り、手を洗わずに客の注文に応じた。運がよければ感染はしだいに下火になり、街は大惨事を免れる。一八八五年のベネツィアはまさにそうだった。

運が悪ければ、病気は衛生状態に応じて感染の連鎖を広げ、より広範囲に拡大する。不潔で過密な貧民街は絶好の環境だった。その代表的な例が十九世紀のナポリである。イタリア屈指のこの港町は、ベンガル地方からの迷惑な侵入者にヨーロッパで最も頻繁に、最も手ひどく襲われた。イタリア最大の都市ナポリは、一八八〇年には人口が五〇万人近くに達していた。問題は、当時この都市が衛生環境の改善を終えていなかったことである。一八八四年には、「長い十九世紀」にナポリを襲った八度のコレラ流行のなかでも最も有名な大流行に見舞われようとしていた。

ナポリ湾に面したナポリは円形劇場のような地形で、低地の地区と高台の地区に二分されていた。低地地区は円形劇場の「舞台」部分にあたり、平野に広がっている。高台地区はその背後にせり上がる半円形の丘につくられ、そこにはナポリ社会の富裕層が悲惨な疫病の蔓延とは無縁の衛生的な地域に暮らしていた。地元の医師は、高台地区を別の町と見なしていた。

伝染性の病気が猛威をふるったのは低地地区だった。十二の行政区のうち四区――メルカート、ペンディーノ、ポルト、ビカリア――にまたがるこの地区は、貧困と不衛生な環境で有名だった。五九八本の通りが縦横に走る迷路のなかで、四五六七棟の建物に三〇万人が密集して暮らしていた。地区選出の議員レンツォ・デ・ゼルビがここを「死の地区」と呼んだのも無理はない。コレラは襲来するたびにこの地区で集中的に蔓延し、死者もこの四区の住民が圧倒的に多かったのである。たとえば一八三七年には、住民一〇〇〇人あたりのコレラによる死亡率はナポリ市全体で八だったところ、ポルト区は三〇・六だった。一八五四年、一八六五～一八六六年、一八七三年、一八八四年、一九一〇～一九一一年にも同じパターンがくり返されている。

要するにコレラは、結核や梅毒やインフルエンザのように社会のあらゆる階級を区別なく襲う病気ではなかったのである。糞口感染するコレラは、その伝染の仕方から「社会病」の典型例といえる。住居は劣悪、水は安全でなく、人が密集し、手を洗わず、栄養失調があたり前で、社会に顧みられない環境に暮らす貧しい人びとを選んで襲うからだ。

そのような都市の病理のうち、ナポリで最も顕著だったのは過密さだった。丘陵と沼地と海に囲まれた古都ナポリ、その一部である低地地区は十九世紀にはもはや拡張する余地がなかった。さらに自由放任主義政策によって、人口増という切迫した問題が悪化した。ナポリ市には成長計画も、建築規準も、衛生に関する規制もなく、そのため建設熱に浮かされたこの地区では、庭園、公園、開けた空間が姿を消し、石材がなだれ込んだ。上へ上へと伸びる家屋が狭い通りの両側に隙間なくひしめきあい、道幅は人が三人並んで歩けないほどで、建物の一階にはまったく日が差さない。急ごしらえの建物の多くは荒廃が進み、石造建築の残骸を積み上げたように見えた。「代表的な例はメルカート区のヴィコ・フィコ通りである。そこは通行人の頭上にいつも満艦飾の洗濯物がかけられ、雫を滴らせている。通りは長さ五〇メートル、幅三メートルで、高さ三〇メートルの建物が両側に軒を連ねる。真夏でも泥と湿気だらけで、道の真ん中をどす黒い水がゆっくりと渦を巻いて流れている。市の職員はここを一度も訪れたことがない」[2]。これではナポリを訪れた人がヨーロッパで最も驚愕した都市と述べたのも当然だった。マーク・トウェインは、ここは天を摩するがごとくで、アメリカの都市を一つずつ三つ積み重ねていったかのようだと書いている。いたるところに「人だかり」「人の群れ」「集団」「群衆」があり、どの通りもニューヨークのブロードウェイさながらだった[3]。

だが、屋外よりももっと驚かされるのは建物の内部だった。一八八四年のブリティッシュ・メディカル・ジャーナル誌に掲載された記事によれば、その「不潔」で「猥雑」な貧民街はヨーロッパでも最悪で、これに匹敵するのはカイロの最も劣悪な居住区だけだという。ヴィコ・フィコ通りの過密状態は凄まじく、七人が住む部屋の平均面積はわずか五平方メートルで、天井は長身の人がまっすぐに立てないほど低かった。二枚の藁のマットレスが敷き詰められ、それぞれが数人の寝床になる。そのような貧民窟では、住人は乏しい食料の足しにするための鶏と住みかを共有していた。

こんなありさまでは、健康が害されるのは目に見えていた。病人の寝ている部屋が、寝室や台所や食料庫や居間としても使われるのである。洗っていない手や寝具や道具を介して、細菌が人から人へ直接広がる機会はいくらでもあった。しかも食料品も同じ狭苦しい部屋に保管されたので、患者の排泄物で汚染されやすかった。米のとぎ汁様の便は見た目では気づきにくく、ナポリの安アパートの薄暗がりのなかでは、なおさらわかりにくかった。

一八五〇年代のロンドンでコレラの発生機序を初めて解明したジョン・スノウ（第12章参照）は、狭苦しく不衛生な住居に住む労働者階級が危険だと訴えた。コレラ患者の排泄物は通常の便のような臭いも色もなく、安アパートの内部は薄暗いため、汚れた寝具や衣類のせいで手が汚れるのは避けられず、その手はめったに洗われない。コレラ患者の世話をする人は、知らないうちに乾いた排泄物の一部が口に入り、手にふれるあらゆる物や食べものや道具を共有する人にそれをうつすことになる。貧困者の家に最初のコレラ患者が発生すると、たちまち感染者が続出するのはそういうわけだとスノウは主張した。

洗浄用の設備のないことが、危険をさらに増大させた。低地地区の家は上水道も下水道も通っていなかった。そのせいで住人は衛生に気を使わず、居室は人間と動物の出す汚れが溜まりに溜まっていた。また、当時は瘴気《ミアズマ》説が信じられていたというのに、汚水はただ通りに捨てられるだけだったのでいつも悪臭がし、雲霞のごとく群がる蠅がまた細菌をあちらこちらへ運んだ。いうまでもなく、こうした住居には鼠をはじめとしてありとあらゆる害獣と害虫がはびこっていた。

なかでも最も悪名高かったのは「倉庫《フォンダキ》」と呼ばれる共同住宅である。低地地区の貧民街全域に点々と建ち、一〇万人ほどが暮らしていた。当時ナポリを訪れた人の目には、そこは人間の惨苦のきわみを象徴していた。スウェーデン人医師のアクセル・ムンテは、一八八四年のコレラ流行のときに志願して救援活動に従事したことからこの地区を熟知しており、フォンダキを「人間にとって地上最悪の住居」と表現している。[4] ムンテの評価を裏づけるかのように、イギリスのタイムズ紙もフォンダキの典型的な部屋を次のように描写した。

洞穴の入り口からなかへ降りていくのを想像してほしい。内部には一条の光も差し込まない……。崩れかけた黒い壁に四方を囲まれ、腐った藁の混じった汚物の上に、二家族、三家族、四家族もが何もせずにただ寄り集まっている。洞穴のなかでもましな場所、つまり湿り気が届きにくい場所はまぐさ棚と飼い葉桶が置いてあり、そこにいろいろな動物が繋がれている……。その向かい側に積み重ねられた板とぼろ布がベッドがわりだ。片隅に炉があり、家事道具が床に散らばる。このおぞましい光景のなかで動いているのは、半裸で髪をふり乱した女たちと、素っ裸でごみのなかを転げまわる子供らと、呆けたように床の上に伸びて寝ている男たちの群れだ[5]。

コレラ菌は家庭のこうしたさまざまな要因によって住居内に拡散した。そのうえ、イタリア南部の港は農業に下肥が用いられていたことで汚染されやすく、市場に出まわっている農産物は命と健康を脅かす危険があった。十九世紀のヨーロッパでは多くの都市がそうだったが、ナポリでも近郊の農民が早朝に市街地へきて、人間と動物の排泄物を通りで集めて肥料にした。そのあと市場の屋台で売られる野菜は未処理の人糞で育てられ、農家の荷車に乗ってコレラ菌を街へ運んだ。さらに農民がそこにひと手間かけるので、農作物はいっそう危険なものになった。市場へ行く途中で、レタスなどの葉物野菜を蓋のない下水溝に漬けるのである。尿のアンモニアが売り物の野菜を新鮮に保ってくれるからだ。そういうものを食べているとすれば、感染症に対してまるで無防備といわざるをえなかった。

ナポリの資源に対する人口の過剰は有名で、その余波で労働者の賃金はやりきりないほど低く、組合を結成して交渉しようという気力も湧かなかった。イタリア南部の農村地帯の貧しさが、ナポリへの人口流入がつづく原因だったからである。小麦が不作だったり値下がりしたりするたびに、人口流入は加速する。その結果、産業基盤がないに等しく、また働き口が見つかる見込みもほとんどなかったにもかかわらず、ナポリは農村の困窮者を引き寄せつづけた。ナポリ銀行の頭取でのちに公共事業担当大臣になったジローラモ・ジュッソの言葉では、「ナポリはイタリア最大の都市ではあるが、その生産能力と住民の数のあいだにはなんら直接的な関係がない。ナポリは生産ではなく消費の中心地だ。それが民衆の困窮のおもな原因であり、困窮が気づかないほど徐々に深刻化していく原因でもある[6]」。

アメリカ国務省の評価では、イタリアの平均賃金はヨーロッパで最低であり、ナポリの賃金はイタリアの大都市で最低だった。アメリカ領事によれば、工業労働者の平均収入では衣類を年に一度新調することもままならなかった。非熟練男性労働者が通常の一日十時間から十二時間の労働で稼ぐ金は、マカロニ四キロ分にすぎない。靴を一足買うには四日間の労働が必要だった。それでも港湾労働者、土木作業員、冶金労働者、鉄道と路面電車の従業員などの労働者は、比較的恵まれた立場にあった。安定した職に運よく就いていたからである。

社会的ピラミッドをさらにくだれば、資本の乏しい小さい町工場で働く大勢の男女がいた。零細の町工場は機械化と移民の流入により競争が激しくなり、生産性が下がる一方だった。この階層に属するのは、その日暮らしの靴職人、お針子、鍛治屋、パン職人、荷物運搬人、皮なめし職人、帽子職人である。召使い、門番、漁師もいる。ただし漁師の数は多すぎた。何十年も前から目の細かい網で漁をつづけてきたため、いまや汚染されたナポリ湾は魚が減っていたからだ。

もっと厳しかったのは、路上で生活費を稼ぐ者の生活だった。新聞の売り子、栗や飴やマッチや靴紐の呼び売り商人、使い走り、洗濯婦、水運搬人、そして汚水溜めをさらい、家庭のごみを片づけて代金をもらう掃除人……。当惑するほど種々雑多な仕事で、物品や労働を売って糊口をしのいでいる者たちである。経済学者が「零細起業家」と呼ぶ彼らが、この都市の顕著な特徴である大きい浮動人口を形成していた。ナポリが巨大な市場のように見えたのは、彼らがいたからである。彼らは遊牧民のように暮らし、生活と仕事をちょくちょく新しくしながら街のなかを渡り歩いた。

だが、ナポリ市民の困窮度を最も端的にあらわしたのは、あらゆる社会階層のなかで最大かつ最底辺の層、すなわち恒常的失業者である。市会議員は、五〇万人の市民のうち二〇万人（四〇パーセント）に職がないことを知っていた。朝目覚めても、次の食事がいつになるかわからない人びとだ。ナポリの街に物乞いと娼婦と犯罪者があふれていたのは、彼らの不運な境遇のせいだった。そして病気の犠牲になったのもこの層の人びとだったのである。貧困は彼らの罹患率の高さに直接結びついていた。栄養失調と低栄養のせいで抵抗力と免疫が弱まり、感染症にかかりやすくなるのである。

ことコレラに関しては、貧しい人びとのおもな食料が安く手に入る熟れすぎた果物と腐った野菜だったことが大きな要因になった。このような食べものばかり食べていれば、胃の不調と下痢を起こし、消化時間が短くなってコレラにかかりやすくなる。消化時間が重要なのは、胃の内部の酸性環境が細菌を殺し、コレラ菌に対する体の最初の防衛線になるからだ。前述したとおり、消化不良の問題があると、コレラ菌は胃を通過するあいだも死なず、生きたまま小腸へ入っていく。

はっきりしているのは、コレラが低地地区の貧しい区にひとたび入れば、人から人へ、安アパートから安アパートへと、広まる経路に事欠かず、「散発的コレラ」のクラスターができていくことだ。コレラの散発的な発生を爆発的な大流行に変えたのは、上水道の汚染である。この点でも、高台地区と低地地区には厳然たる差があった。住民は違う水源の水を飲んでいたのだ。高台の住民は、よく管理された自宅の貯水槽に雨水を溜めて使っていた。低地地区の住民は危ない水源の水に頼っていた。とくに重要だったのは一日に四万五〇〇〇立方メートルの水を供給する三本の送水路だったが、この水がひどく汚染されていた。その危険性をよくあらわしていたのがカルミニャーノ水路である。この水路は四三キロ離れたモンテサルキオの湧水から水を運んでいた。水は田園地帯の開水路を流れてアチェッラの町を通過し、ふたたび野を越えてナポリの水門へ達する。そこから分岐した配水管が低地地区の二〇〇〇個の貯水槽に水を供給した。住民はたいてい中庭にある貯水槽にバケツを沈めて水を汲み、渇きを癒したり必要なところに使ったりした。

ところが、水源から貯水槽までのあらゆる場所に汚染の危険があった。木の葉や虫やごみが飛んできて、むき出しの水路に落ちる。農民は水路で麻を晒し、衣類を洗濯し、家庭の汚物と農場の動物の死骸を捨てる。また、畑の泥と肥やしが多孔質の石を通して染み出たり、雨のあとに直接水路に流れ込んだりする。さらに悪いことに、市街地の真下では配水管と下水本管が並行していた。いずれも多孔質の石灰岩でできていたため、内容物が徐々に混ざりあってしまった。水はしばしばヘドロで茶色く濁った状態で配水され、やがてヘドロは中庭の貯水槽の底に沈殿した。

貯水槽のなかでも汚染はつづいた。配水管と同じく石灰岩でできた水槽では、地表の水が土を通ってきて内部に浸透する。多くの建物で汚水溜めが貯水槽の隣に置かれていたため、たちまち両者のあいだで大量の細菌が交換された。さらに、住人は汚物を捨てるときにいつも注意深いとはかぎらない。汚水溜めは管理が行き届いていないためにしょっちゅうあふれ、内容物が貯水槽の水に混ざった。最終的に家庭のバケツで水を汲むというだけのことでも、医学的に問題があった。めったに洗われないバケツは、水を汲み上げる以上に細菌を水中に落とす。汲み上げた水は茶色く、悪臭を放ち、ぎょっとするようなものでいっぱいだった。

こうした多くの原因のせいで、低地地区の貯水槽の水はすこぶる評判が悪く、いやな臭いと目につく混合物が悪評に輪をかけた。水を運ぶのが一番楽な一階の住人は貯水槽の水を家事のみに使い、飲料水は離れているが心配の少ない共同の水飲み場まで汲みに行った。上階の住人はバケツの水を運び上げるのが重労働だったため、貯水槽の水をより多くの用途に使い、それだけ死者と病人を多く出した。

ナポリの都市環境は、程度こそ違えど、衛生改革前の十九世紀ヨーロッパの平均的な大都市と同じような状態だったので、ナポリでもコレラは典型的なパターンをたどった。コレラは暖かい春か夏に到来して散発的に発生し、あちらこちらにクラスターをつくるが、医者や市の保健担当者に診てもらう住民はほぼ皆無で、市当局には気づかれないことが多かった。こうして病気は広がり、おそらく何日かかけて近隣に連鎖的に伝染していったあげくに、コレラ菌が水道水に混入した。そしてジョン・スノウがロンドンで示したように、爆発的な大流行になり、犠牲者は低地地区の貧しく不衛生な区の住民に偏っていた。一八三七年と一八八四年のような凄まじい大流行のピークには、この病気だけで一日に五〇〇人が亡くなった。いずれも夏の暑い盛りで、渇きを癒すために水が最も多く飲まれる時期だった。

何週間かすると流行は徐々に下火になって終息に向かったが、その理由は解明されていず、コッホも多くの「コレラの謎」の一つとした。それでもおもな要因がいくつかあったようだ。一つは季節である。胃腸を冒すほかの病原体と同様に、コレラ菌も耐寒性がなく、また秋になれば人は夏ほど水を飲まない。さらに、コレラ菌は汗に混ざってかなりの期間生きつづけるが、涼しくなれば汗をかかず、ありがたいことに患者の数が減る。秋には熟れすぎた果物もあまり食べなくなる。そしてこれまで強調してきたとおり、人口全体が満遍なく感染の危険と隣りあわせだったわけではない。疫病が流行の頂点に達したときに最も苦しむのは、職業、居住環境、既往症、食習慣、体型などのせいでリスクの高い人びとである。病気にかからずにすむ人には、ある程度の抵抗力がある。コレラは、最も病気に弱い人と最も危険にさらされる人を襲ってしまうと、燃料がつきかけた火のようになるのである。

こうした「自然発生的」な理由のほかにも、共同体内のコレラ流行が終息に向かったのには、市と国の衛生当局による対策もそれなりの役割を果たしただろう。衛生対策は奏功した場合もあったが、そうでないことも多かったようだ。一八三〇年代にパンデミックが最初に西洋に達したとき、各国がまず乗り出したのは、防疫線と検疫というペスト対策と同じ強制的な防疫策による自衛だった。イタリア政府は一八八四年にもこうした手段に訴えて、細菌の侵入を国境で食い止めようと懸命に努力した。ところがこの種の戦略は、一八三〇年代にも一八八〇年代にも逆効果だとわかった。大勢の市民が街を脱出したことで経済が大打撃を受け、コレラと社会の混乱を広めただけだったのである。それでコレラに対しては、ペストと同じ措置はとられなくなった。

コレラ流行期に打たれてもっと効果を上げた対策もある。ボランティアや市当局による組織的な援助活動が行われ、一部地域で毛布や食料や医薬品などの援助物資を配ったのがその一例である。さらに市当局は大人数の集会を禁じ、埋葬を規制するほか、通りを清掃して汚水溜めをさらう作戦を実施し、硫黄を燃やして燻蒸し、悪臭を放つ工場を閉鎖し、患者のための隔離施設を開設した。

どの要因がどの程度ものをいったのかは知りようがない。いずれにせよ、コレラは自己抑制の性質があり、数週間暴れまわるとしだいにおとなしくなって沈静することがわかった。一八八四年のナポリでは、最初の患者はおそらく八月後半に発生し、九月初めには流行の勢いが頂点に達した。最後の犠牲者が埋葬されたのは十一月十五日だった。この都市を二か月半のあいだ攻め立てた疫病はおよそ七〇〇〇人の命を奪い、一万四〇〇〇人を苦しめた。

コレラの恐怖——社会の緊張と階級対立

コレラが通過した都市では社会の緊張が高まり、暴動や騒乱が頻繁に起こった。理由の一つは、前述したとおり病と死の苦しみが人びとに著しく不平等にのしかかり、貧困層が圧倒的に多く襲われたことである。多くの人にとって、裕福な人びとが病苦を免れているらしいのは不可解であり、胡散臭かった。患者と死者が続出する地域で患者を訪問し、感染防止策を実行する医師や司祭や当局の役人が感染せずに動きまわれるのはなぜなのか。

彼らが感染しないのには、疫学から見てまっとうな理由があった。非常事態中に外部から介入してくる者は、流行地域の住民と同じ条件下になかった。流行地域を訪れる役人、医療従事者、教会関係者がコレラにかからないのは、彼らには感染する危険がほとんどなかったからだ。彼らは訪問先のような安アパートで暮らしていない。病人と同じ部屋で食事をしたり寝たりせず、中庭の貯水槽の水も飲まない。地元の市場に並ぶ果物や野菜や魚介類も食べない。そして、彼らは手を洗っていた。

それでも恐怖にとらわれた住民からすれば訪問者は十分に疑わしく、彼らは文字どおりの階級闘争で貧者を抹殺しようとしているのだという噂がたちまち広まった。なにしろコレラの症状と突然の発症は毒殺を疑いたくなるようなものだったし、厳しい埋葬規制で地域内での埋葬が許されず、家族の遺体がまだ生きているかのように四肢をうごめかせているのに、弔いの儀式もなく運び去られてしまうのも怪しく思えた。そもそもこれまで姿を見せたこともなかったよそ者が、急に貧者の健康と生活習慣に関心をもつのはなぜなのか。意図がわからなかった。さらに共同体内で突然病気がはやりだし、よそ者が入り込んでくる頻度が増すほど、病気の勢いが増すように見えた。ひどい苦境にある人びとの頭のなかで、因果関係と相関関係がごたまぜになっていた。

しかし、一八八四年のナポリで民衆に陰謀説が広まったことで最も大きい教訓になったのは、疫病が集団発生してからの数週間の役人らの行動だろう。市当局が送った一団はいまなら医療従事者と感染予防班と呼ばれるものだったが、彼らのふるまいは敵地に乗り込む軍隊さながらだったのだ。権力を見せつけようと武器をちらつかせ、ときには夜間に貧民街を訪れて、取り乱す住人に重症の親族を引き渡すよう命じ、遠く離れた病院に隔離しようとする。もちろん治療のためだったが、そこは死を待つだけの場所だと噂されていた。彼らは患者の家族に、貴重な寝具や衣類を焼却のために引き渡すことと、消毒係による建物の燻蒸と清掃を承諾することも強制した。

市職員の態度は無用なまでに権柄づくだったため、総じて批判的に報道され、熱意は認めるがやり方がまずかったと責められた。市長がのちに認めたとおり、彼が許可した手順は何よりも不信感と反感を広めてしまったのである。

　住民には市当局が彼らのために行動しているとはとても思えず、独自の結論をくだした。低地地区は「階級憎悪」により騒然とし、官僚は「下層階級は彼らを救済するための措置に対して途轍もない抵抗を示す」と嘆いたと新聞は報じたが、それも無理はなかった[7]。民衆の抵抗はいくたびも行動に移され、彼らはさまざまなかたちで公然と服従を拒否したのである。その一つは食物に関連することだ。市は未熟の果実と過熟の果実を食べないように勧告する注意書きを掲示した。そして勧告を実践させるべく、市場の屋台を厳しく検査し、疑わしい産品を没収したり廃棄したりした。それに対し、ナポリ市民は食物に関連する一連の示威行動を公共の場で行った。市庁舎の前に集まり、いちじくやメロンなど、思い思いの果物の籠を地面に置く。そして数人が進み出て、禁じられた果実をむしゃむしゃ食べてみせる。観衆は拍手喝采し、誰が一番の大食いかを賭ける。その間ずっと、役人への罵詈雑言をわめき散らした。

　また、市の職員が疫病を一掃するために硫黄燻蒸で消毒しようとするのを妨害する住民もいた。燻蒸は民衆に嫌悪された。刺激性の煙は不快で、しかもドブネズミの大群が街路に燻し出されるからだ。非常時に奉仕活動をしたフランス人はこう記している。

> 　決して忘れられないのは……例の硫黄燻蒸だ。低地地区は平時でも新鮮な空気が足りない。コレラの襲来により、ナポリの高台の最も高い場所でさえ息ができなくなった。日が落

ちるやいなや、いたるところで硫黄が燃やされるからだ――あらゆる大通り、路地、横丁で、それに公共の広場の真ん中でも。あの硫黄の煙のひどかったこと！　硫酸が鼻と喉を灼き、目にしみ、肺をカラカラにした。[8]

そこで市民は集まって市の職員の任務遂行を阻止し、点火された途端に火を消したのだった。低地地区の住民は、集会を禁じる市の規制にも抵抗した。茨の冠を被り、聖人の像を掲げた何百人もの悔悛者の行列が区内の通りを行進し、警察が解散命令を発しても応じようとしなかった。九月に伝統的なナポリの守護聖人の日がやってくると、人びとは集い、山のような果物とぶどう酒でいつもどおりに祭日を祝った。

さらに大きな衝突を招いたのが、胃腸の不調、つまり下痢の症例はすべて市役所に届け出るべしという公衆衛生条例への反発だった。市と区の当局は、断固たる不服従の壁にぶつかった。隠匿という疫病がコレラという疫病の前に立ちはだかったのだ。低地地区のいたるところで、家庭内のコレラ発生を市当局に報告することを家族が拒み、燻蒸の炎から家財を守った。それでも、呼んでもいないのに医師が武装した護衛を連れてあらわれると、住人は彼らを建物に入れず、バリケードを築いて立てこもった。見ず知らずの人間の看護に身を任せるくらいなら、いまいるこの場所で死ぬほうがましだと考えたのである。住人が集まってきて、阿片チンキやひまし油の小瓶を携えてやってきた不運な医師にそいつを開けて自分が飲んでみろと迫る事件が数知れず起こった。中身は毒だと思い込んでいたからである。

そのあとで暴力沙汰になることもたびたびだった。医師と護衛が到着しただけで、たちまち騒ぎが起こった。敵意に満ちた群衆が集まってよそ者の前に立ちはだかり、人殺しと罵った。医師や担架運搬人が階段から突き落とされたり、殴られたり、石を投げつけられたりすることもあった。緊急事態のあいだ、地元紙の紙面は「騒乱」「暴動」「反乱」の文字で埋まり、低地地区の住民は「野蛮人」「衆愚」「愚かな賎民」「暴徒」と呼ばれた。激怒した住人たちに石を投げつけられて大勢の護衛と医師が負傷したことに、市長も気づいていた。

医療の介入が拒絶され、そこから大規模な騒乱に発展したこともあった。コレラが勢いを増してきたころにメルカート区で起こった騒ぎがその一例である。八月二六日、市のアントニオ・ルビノ医師は感染した子供を診るために、不衛生で有名な貧民街に警察官とともに派遣された。出迎えた群衆は石を手にして身構え、叫んだ。「やっちまえ！　やっちまえ！　あいつらは俺たちを殺しにきた！」。

ルビノと護衛を救出したのは、通りがかりの道路清掃人の通報で駆けつけた憲兵隊である。そのころには群衆は数百人に膨れ上がり、憲兵の到着は騒ぎを煽っただけだった。医者を襲おうとして集まった人びとは、いまや憲兵に石を投げつけて鬱憤を晴らした。騒ぎは市街戦にまで発展し、部隊が武器を抜いて発砲したことでようやく鎮圧された。

翌日に起こった事件も当時の状況を物語るが、さいわい流血にはいたらなかった。チェルヴィナーラという食料雑貨品店の店主が、幼い息子をコレラのためにコノッキア病院で亡くした。悲しみに打ちひしがれ、息子は殺されたと思い込んだチェルヴィナーラは兄弟とともに武器をとり、主治医を殺してやるつもりで病院へ乗り込んだ。司祭のとりなしで、事態は収まった。司祭が武器を病院の用務員に渡すよう説得したのである。これを皮切りに、まだ息のある親族を連れ戻そうとしてコレラ病棟に乱入したり、死んだ家族の復讐をしようとしたりする事件が数件起こっている。

九月に流行が頂点に達すると、コレラ病院はたちまち本格的な暴動の現場と化した。そのころにはコノッキア病院は満床になり、ナポリ市は新しい施設を二か所に開いた。ピエディグロッタ病院とマッダレーナ病院である。近隣の住民はこれらの施設を憎んだ。市による疫病の封じ込め活動のなかでも、コレラ病院は最も忌避された。ナポリ市民にとって、いまだかつて誰もそこから生還したことのない死と恐怖の場所だったからである。瘴気説が信じられていた当時、コレラ病院は発散気を放出する、万人にとって危険な場所と思われていた。人口過密な地区の真ん中に毒性ガスの発生源を設置するのは、明らかに悪意の仕業としか見えなかったのだ。

軍病院を伝染病の治療用に転用したピエディグロッタ病院では、九月九日の開業初日に暴動が起こった。病院の周囲に群衆が集まり、最初に担架を担いで到着した職員は、運んできたものを地面に下ろして退散することを余儀なくされた。群衆は出だしの成功に勢いづいて膨れ上がり、標的を増やした。市当局の計画を妨害するために急いでバリケードを築き、舗道の敷石や棒や火器などで武装した。大勢の警官隊が到着しても攻防戦は収まらず、隊は多数のけが人を出して撤退し、騎馬隊と交代した。騎馬隊はバリケードを強行突破しようとし、やはり押し戻された。騒ぎがようやく収まったのは、教区の司祭らが市は開院を強行しないという吉報をもって調停役を務め、民衆の勝利を認めたおかげだった。

一週間後にマッダレーナ病院が開院するときも、同様の騒動がくり広げられた。担架の運び手は激しい妨害に遭い、住民は上階の窓辺に集まってテーブルやら椅子やら、マットレスやら石やらを窓の下の不運な運搬人に投げつけ、重傷者も出た。群衆がここでも道路をバリケードで封鎖したため、市は病院の開業を見送らざるをえなかった。

同じころ、市に二か所あった刑務所でも暴動が発生した。囚人たちが命を見捨てられたと思い込んだのである。示しあわせたわけでもないのに、両方の刑務所でほぼ同時に騒ぎが起こり、収監者は守衛を襲い、所長を拘束したあと門を開けろと要求し、屋根から発砲した。戦闘用に装備した軍隊が大々的に投入されて、ようやく権威と秩序が回復された。

住民挙げての暴力的な抵抗が市内のあちこちでくり広げられたせいで、市の公衆衛生計画は頓挫した。市が何かをはじめようとするたびに激しい反発に遭い、ナポリはほぼ無政府状態に陥った。イギリスのタイムズ紙の論評によれば、港町ナポリはコレラよりたちの悪いもの、すなわち「中世さながらの無知と迷信」に取りつかれていた。九月半ばには、市長がナポリの司教枢機卿にたすけを求めた。ローマ教皇庁が目の敵にするイタリア王国の最大都市で、世俗の指導者が教会に頼ったのだ。イタリアの教会と国家が手を携えた、この前例のない協力体制を通じて、公衆衛生計画が新しい後援者のもとで軍の出動なしに少しずつ進められていった。

ナポリは医療ボランティア一〇〇〇人の到着にもたすけられた。派遣したのは、民間の寄付者や慈善活動家がナポリの非常事態と闘うために設立した非政府組織である。「白十字」は、今日の国境なき医師団のような役割を果たした。組織の使命は非常事態への対応、すなわち患者の在宅治療と家族への支援である。ナポリ当局ともイタリア政府ともつながりのない国際機関として、白十字はたちまち民衆の信頼を得て社会の緊張をやわらげ、一八八四年のコレラ禍で相当数の犠牲者を看護した。

コレラに見舞われたヨーロッパの多くの都市が、ナポリの騒乱と同様の出来事を経験した。ただし、不信感は一方向だけのものではなかった。「反乱の」十九世紀は、社会経済的エリートのあいだに「危険な階級」へのおそれが広まった時代だった。すでに貧困階級と労働者階級は、政治的にも倫理的にも危険な存在であることを自ら示していた。それがいまコレラによって医療体制の危機ももたらすことが露呈されたのである。

したがって、この世紀の過激な階級弾圧のなかでも最も激烈だった二つの事件の背景にコレラの流行もあったのではないかと推測することもできる。事件はいずれも、社会的緊張が著しく高まったパリで勃発した。一八四八年の二月革命では、ルイ＝ウジェーヌ・カヴェニャック将軍の率いる政府軍が反乱軍を叩きつぶした。一八七一年の「血の一週間」には見境のない殺戮がくり広げられ、アドルフ・ティエールがパリ・コミューンを崩壊させた。コレラは体制側のこうした過剰な反応の直接の原因では決してないが、流行が去ったばかりの当時はまだひどく恐れられており、危険な階級を警戒すべきもう一つの理由になった。おそらくこの大衆への嫌悪が緊張を高める一因になり、その緊張がカヴェニャックとティエールの弾圧で爆発したのだろう。二人はフランスの首都の労働者階級を打倒すべき敵と見ていたのである。

公衆衛生とコレラ――都市の改造

十九世紀のコレラとの闘いで講じられたペスト対策は早々に挫折したが、コレラの流行によって長期的な公衆衛生対策が生まれたのは確かである。最も影響力と効果が大きかったのは、一八三〇年代に理論が確立して第一次世界大戦までに段階的に実施されていったイギリスの衛生改革運動だった。第11章で見たように、コレラは衛生思想の発展に寄与した唯一の疾病ではないが、エドウィン・チャドウィックが詳しく検討した重要な要因だった。『衛生報告書』を書いたときも、それにつづく都市の改革運動においても、チャドウィックが第一に念頭に置いていたのはコレラの再来を防ぐという目標だった。

ヨーロッパのどの都市でもコレラの襲来後に衛生思想が根づいたが、そのかたちはときに大きく違っていた。とくに抜本的かつ徹底的だったのがパリとナポリの取り組みで、この二つの都市は改造されたというよりも再建されたといってよい。

オスマンのパリ大改造

現代のパリは、いまに残るコレラの遺産の一つである。第二帝政下、ナポレオン三世はセーヌ県知事のジョルジュ＝ウジェーヌ・オスマン男爵に、パリ中心部の不潔な貧民街を解体し、帝国の首都にふさわしい健康的で近代的な都市を建設する任務を託した。この壮大な計画により、地下下水道が掘削されるとともに、地上には広い並木街路の道路網が張りめぐらされ、一連の庭園と公園、橋、そして一直線に並ぶ壮麗な近代建築が配置された。退去させられた住民は、都市問題もろとも周辺地域へ追いやられた。

この再建の動機の多くは、病気とは無関係である。オスマンの目的の一つは、自ら監督した「大改造」を通じて壮大な公共事業プロジェクトを立ち上げ、大勢の労働者のために雇用を創出することにあった。また、この都市の長い革命の歴史に終止符を打つことも意図された。広い並木街路ができれば、軍隊が縦横無尽に移動しやすくなると同時に、バリケードが築けなくなるからだ。新しい街は、帝政にふさわしい力と威光を誇示してくれる。だがオスマンが回想録で明らかにしているように、改造の決定的な原動力となったのはコレラの再来を阻止する決意だった。無秩序、未開、アジアを連想させるこの病気を第二帝政下で流行させるわけにはいかなかったのである。

ナポリの改造——リサナメント

衛生問題への取り組みがパリ改造の一要因だったのに対し、ナポリの改造——通称「リサナメント」事業——はもっぱらコレラを撥ね返せる都市にすることをねらって構想された。ナポリの他に類のない特色は、一つの医学上の目的だけのために、ある医学哲学——バイエルンの衛生学者マックス・ペッテンコーファーの瘴気説を取り入れた理論——に沿って再建された都市であることだ。

ナポリで一八八四年にコレラが大流行したころには、先進国では保健衛生の進歩のおかげでコレラはほぼ消滅していた。だとすれば、この招かれざる客の再訪を許したナポリは、衛生、住宅、食事、収入が恥ずべき状態にあると認めざるをえないことになる。しかもその年にヨーロッパの大都市で深刻なコレラ禍に見舞われたのがナポリだけだったのは、まさに恥の上塗りだった。イタリアを代表するこの港町は国際報道の注目の的になり、低地地区の社会状況が詳細に報じられることになった。

イタリア国王ウンベルト一世は、大流行のさなかだったにもかかわらず、低地地区の悪名高い貧民街を訪ね、「大手術」による介入という意味で「スベントラメント」［腹を裂いて内臓を抜きとること。刑罰や拷問に使われた手法でもあった］を命じた。国王の弁では、コレラ菌が巣くうあばら家の撤去、すなわち「摘出」が必要だったのだ。イタリア議会は君主の約束を実行に移し、一八八五年にナポリの「リサナメント」――健康の回復――法案を可決した。そして一八八九年に最初のつるはしがふり下ろされてプロジェクトが始動し、工事はそれから約三〇年にわたって一九一八年まで断続的に進められた。

瘴気説にもとづくフォン・ペッテンコーファーの理論によれば、コレラ菌がナポリにもたらす危険はジョン・スノウとロベルト・コッホが示唆したような飲料水の汚染ではなかった。病気がはじまるのはコレラ菌が住民の腸に入ったときではなく、街の地下水に達したときだ。地下で適度な温度と湿度の条件がそろえば、菌が発酵して有毒な発散気を放出し、それを住民が吸い込む。住民のうち感染しやすい者が罹患し、罹患者の半数が死ぬ。

ナポリの設計者はこの分析にしたがって、ナポリを金輪際コレラと無縁な都市にしようと構想した。健康に何重もの効果をおよぼすのは、清潔な水を豊富に供給することだった。飲料水のためよりも地下の土壌を下水による汚染から守るため、また通りや排水溝や下水道に水を流し、コレラ菌を含んだ排泄物を安全に処理するためである。清潔な水が供給できるようになると、次に技師は流した水を抜き去るための下水道と排水管の一大ネットワークを地下に建造した。

地下水道の建設が終わり、設計者の関心は地上へ向けられた。地上での最初の仕事は過密な安アパートを解体して人口の「間引き」をし、瓦礫を利用して路面の高さを一階から二階へかさ上げすることだった。土壌と住民のあいだに隔離層をつくり、蒸気を地下に閉じ込めて空気中に毒を発散させまいと考えたのである。

リサナメントの仕上げに、狭く曲がりくねった小路だらけの市街地が太い並木街路で二分された。この大通りはレッティフィーロ通り（ウンベルト一世通り）と呼ばれ、卓越風の方向に沿って建設された。この並木街路と直角に一連の大通りを交差させ、そこに並ぶ建物は十分に間隔があけられた。この全体がナポリの「健康な肺」になる。市の心臓部に空気と陽光を送り、土壌を乾かし、発散気に悪さをさせずに有害な空気をすっかり運び去るというわけだった。

このように地下と地上の両方から守られた改造後のナポリは、アジアコレラの再襲撃にもびくともせず、ただ一つの感染症を撃退するために再建された唯一の大都市になろうとしていた。

都市改造――その評価

さてここで、都市改造はコレラ予防という大きな目的の達成にどれくらい有効だったのかと考えずにはいられない。結論からいえば、パリの場合もナポリの場合も功罪相半ばだった。パリの公衆衛生による防衛策は、一八九二年の五度目のパンデミック到来で試された。この年、コレラが大発生したハンブルクは、ヨーロッパで深刻な損害を被った唯一の都市になった。パリはハンブルクよりもましだったが、工業化の進んだヨーロッパ北部の他都市ほど完全に被害を免れたわけではなかった。改造されたパリ中心部では感染者が散発的に発生した程度で、大きな被害はなかった。だがその一方で、オスマンの事業には大きな欠陥があり、「郊外《バンリュー》」と呼ばれる周縁地域に移住させられた労働者の暮らしぶりや衛生状態まで考慮されていなかった。過密、劣悪な住居、貧困などの問題が残り、一八九二年に再来したコレラは第二帝政の自画自賛を見直さざるをえないほどの流行をこれらの地域で引き起こした。コレラはパリ中心部から締め出され、周縁へ送り込まれたのである。

ナポリの場合、最終審判はもっと厳しい。一九一一年の六度目のパンデミックが試練になり、リサナメントの欠点が構想と実行の両面であらわになった。構想面では、この改造計画は時代遅れだった。計画の基盤になった医学理論は、着工時にはすでに世界の医学者の幅広い支持を失っていた。ペッテンコーファーの瘴気説にもとづく理論は、一八八九年にはパスツールとコッホの細菌病原説に取ってかわられていたからである。病気の原因についての理解が新しくなっているなら、リサナメントが地下水と土壌と発散気に注意を向けるばかりで、飲料水の清潔さを顧みなかったのは時代遅れのようだった。それだけでなく、この計画は実行面にも不備があった。結局、完了を見なかったからだ。時とともに事業資金のかなりの部分が使途不明な流用によって消え失せ、おまけに「予算削減《ストラルチ》」のために当初の野心的な計画は縮小されてしまった。

こうして一九一一年のナポリは一八九二年のパリほどコレラをうまく食い止められず、西ヨーロッパで最後の大流行に打ち勝てなかった。この災禍の詳細は、イタリアの当局が国家レベルでも自治体レベルでも隠蔽の方針をとり、流行の発生を否定したために残念ながら詳細不明なままである。アジアコレラの流行を認めるのは後進性を自認するに等しく、あまりに不名誉なことだった。また、都市改造計画に充てられた資金の一部の不正流用も認めざるをえなくなり、野党（無政府主義者、共和主義者、社会主義者）の指摘する腐敗が証明されてしまう。さらにコレラの流行を認めれば、イタリア経済は大きな打撃を被ることになる。イタリアから外国への移民の道が閉ざされ、イタリア統一の五〇周年祝賀行事に参加する観光客も激減するからである。そのような事態が一つでも起こる危険を冒さないために、ジョヴァンニ・ジョリッティ首相は箝口令を敷き、統計の捏造を命じた。コレラはまたやってきたが、今度は無言で訪れたのだった。

新たな生物型《バイオタイプ》――エルトール型コレラ菌

一九〇五年、コレラの新しい生物型がエジプトで分離され、検疫所の名にちなんでエルトール型と命名された。この検疫所で、メッカから戻った巡礼者の腸から発見されたのである。エルトール型は、六度のパンデミックを引き起こした古典型コレラ菌が占めていた生態的ニッチをしだいに侵食している。一九六一年にはじまり、いまなおつづく七度目のパンデミックの病因であるコレラ菌O1エルトール型は、この病気の性質を変えた。二つの大きく異なる生物型を区別するために、ここでは十九世紀の細菌を「コレラ菌」、二〇世紀から二一世紀にかけて七度目のパンデミックを引き起こした病原体を「エルトール菌」と呼ぶことにしよう。

この新しい菌株は多くの特徴により進化上の利点がある。最も重要なのは、古典型のコレラ菌よりも病毒性がずっと弱いことだ。一八九九年から一九二三年の六度日のパンデミック（古典型コレラ菌によるもので最後）と、一九六一年以来の七度目のパンデミック（エルトール菌によるもので最初）の症例をくらべると、重症コレラになるのは前者で患者の十一パーセントであるのに対し、後者ではわずか二パーセントだった。後者でも十九世紀の古典型と同じく、米のとぎ汁様便、嘔吐、激しい引きつりなどが見られるが、それでもエルトール型のほうが病態が穏やかだ。急激に発症することはなく、症状も激烈ではない。合併症が比較的少なく、予後ははるかに希望がもてる。そして感染を拡大させるのは、何か月も菌を隠しもっている大勢の無症状病原体保有者と回復患者なのである。

二〇一一年の著書『コレラの時代のアフリカ』でのマイロン・エチェンバーグの表現では、この病気は「風体を変えている」ので、初めはコレラではなく「パラコレラ」だと思われたほどだった。

一九九一年にペルーではじまった流行では、感染者の四分の三が無症状だったと疫学者は結論した。この不顕性感染の発生率の高さがエルトール型の大きな特徴で、封じ込めの取り組みの妨げになった。感染を広めやすい人が健康に見え、検査機関で便を調べなければ感染に気づかないため、検疫も隔離も無意味だった。ここからエルトール型コレラは「氷山病」とも呼ばれた。診断をくだされた患者は巨大な氷山の一角にすぎず、症状がほとんどなくて気づかれない多くの感染者が水面下に隠れているからである。

こうした特徴のすべてが、この病気の伝染性を古典型コレラにくらべて劇的に高めた。十九世紀の古典型コレラでは、患者はあっという間に動けなくなり、感染者の五〇パーセントが命を落とし、回復後は感染源にならなかった。高い致死率は糞口感染する病原体に不利だった。病原体は病毒性を弱める性質があると決まってはいないが、糞口感染は宿主が動きまわらなければ起こりえないので、感染者を急激に動けなくし、死なせてしまう病原体には負の選択圧がかかる。エルトール菌は突然変異によって生まれ、それまでコレラ菌が占めていた生態的地位を首尾よく埋めたのである。

第七次パンデミックの発生

一九三五年には、エルトール菌は地域流行病の病原体としてインドネシアのセレベス島（現スラウェシ島）に棲みついていた。だが、一九六一年になって島のはるか外でアウトブレイクが発生するようになる。この年、エルトール型コレラは西へ向かってゆっくりとたゆみない世界周遊の旅に出発した。一九六〇年代前半には、中国、台湾、韓国、マレーシア、東パキスタン（現バングラデシュ）、東南アジア全域でこの菌株によるコレラの流行が発生した。一九六五年にはボルガ川流域とカスピ海および黒海の沿岸に到達し、とくにソ連の都市アストラハニで猛威をふるった。それからイラク、アフガニスタン、イラン、シリアを飲み込み、中東全体へ広がってトルコ、ヨルダン、レバノンを襲い、北アフリカへ進出してエジプト、リビア、チュニジアで大流行した。一九七〇年に、世界保健機関（WHO）は二七か国がエルトール菌に襲われたと報告した。だが、罹患数と死亡数の正確な数値を算出するのは不可能だった。国際社会で負わされるスティグマや輸出停止や観光業の冷え込みを恐れた多くの国が、国際保健条約に反して感染症の流行を隠蔽したからである。それでも感染者三〇〇万人から五〇〇万人、死亡者数万人の数字が広く認められている。

エルトール型コレラのパンデミックが起こってから二〇年のあいだに、三つの大きな出来事があった。一つは吉報で、経口補水療法が開発されたことだ。二〇世紀前半に、イギリスの衛生学者レナード・ロジャーズは補水が救命措置になりうることを示した。だが残念なことに、浸透圧が体液のそれよりも高い高張食塩水を点滴するには訓練を受けた医療スタッフが必要で、貧困国ではそのような人材が不足していたため、大半のコレラ患者がこの新しい療法を利用できなかった。一九六三年にパキスタンの医学者らが、点滴のかわりに食塩とブドウ糖の経口補水液を用いる方法を完成させた。費用はごくわずかで、清潔な水さえあれば誰でも液を用意して患者にあたえることができる。パキスタンの医師は、患者の心臓が動いていて、塩と砂糖を清潔な水に溶かすことさえできれば、もはやコレラで死ぬことはないと宣言した。

逆に、パンデミック初期のあと二つの出来事は凶報だった。一つは、一九七一年にコレラが初めてサブサハラ・アフリカ地域に到達したことである。コレラはギニアを襲ってから西アフリカ全域を征服し、同年だけで一万人の感染者と何百人もの死者を出した。公衆衛生当局がすぐに見てとったのは、エルトール型コレラは流行国の社会経済状況によって勢いを増し、大陸全域に広がってアフリカの地域流行病になるだろうということだった。また、アフリカ中に広がったコレラがラテンアメリカにとっても脅威になることを見抜いた。まさにそれが二つ目の凶報である。

エルトール菌が広めるコレラの流行は、人のあいだを経めぐる古典型のコレラ菌による流行ほど深刻な被害をもたらさなかった。だが、貧困、過密、不衛生、安全な水の確保の遅れのせいで、世界中でより頻繁にアウトブレイクが発生するようになっている。「社会病」であるコレラは現在、弱者が顧みられず、ことに政治的な危機が重なってWHOのいう「複合緊急事態」にある社会でのみ流行が発生している。

リタ・コルウェルとコレラの環境病原巣の発見

第七次パンデミックの最大の進展は、コレラが侵入者から地域流行病に変わったことである。エルトール型コレラは一九七〇年以降もアジアとアフリカから姿を消さなかった。もはや「アジアコレラ」と呼ぶにはふさわしくなく、発展途上地域全体に常在するようになった。

エルトール型コレラの機序は、微生物学者のリタ・コルウェルと共同研究者によって一九六〇年代後半から徐々に解明された。コルウェルが発見したのは、エルトール菌の進化上の利点が弱毒化だけではないことである。別の重要な要素は、人間の腸が唯一の病原保有体であるコレラ菌とは異なり、環境中での耐性が高いことだ。エルトール菌は塩水と淡水の両方の水域環境——沖合の海域、河口、川、湖、池——に生息できる。そしてコルウェルのいう「ヒト-環境-ヒト感染」で伝播する。しかもこの経路は、古典型コレラのよく知られた唯一の感染経路である糞口経路に取ってかわるのではなく、それを補うのである。

環境中に常在するコレラは、人間界にいつでも「飛び火」できる。社会や気候や衛生状態の条件さえそろえば、もとの経路——糞便で汚染された飲食物を介したヒト-ヒト感染——を取り戻せるのだ。

温帯気候と熱帯気候では、エルトール菌は糞便に混じって未処理の下水から川や沿岸海域に流れ込んで水域環境に達すると、アメーバや動物プランクトンやカイアシ類の体表や体内で片利共生関係を形成し、首尾よく増殖する。水棲生物は病気にならない。エルトール型コレラに苦しめられるのは人間だけなのである。

エルトール菌の好む病原保有体であるプランクトンと藻類を二枚貝や魚、あるいは鴨、鵜、鷺などの水鳥が食べるとエルトール菌はその体内へ移動し、それらの生物が新しい宿主になって菌を広める。とくに鳥類は内陸の川や湖へ細菌を運び、脚、翼、排泄物から撒き散らすので、沿岸から遠く離れたところにもエルトール菌の病原保有体ができる。おもに浮き草、藻類、ほていあおいがエルトール菌の生活環にかかわる淡水植物だが、この細菌は堆積物のなかでも増殖できる。

人間に飛び火するかどうかを決定するのは、気候要因と人間の活動である。温暖な気候、海水温の上昇、赤潮は細菌の増殖を促し、人間が魚や甲殻類を食べたり、汚染された水を浴びたり飲んだりすれば菌を摂取してしまうおそれがある。気候変動、夏季、エルニーニョ現象のような気象条件のせいで養分の豊富な海面の温かい水や潮が循環すると菌は数を増し、人間の体内に入りやすくなるのである。

ペルーにおける現代のコレラ

エルトール型コレラの機序は、ある重要なアウトブレイクのときに詳細に記録された――一九九一年にはじまったラテンアメリカでの流行である。一九七〇年代に第七次パンデミックがアフリカへ広まったのを見た疫学者らが予見したとおりのことが起こったのだ。発生中心地はペルーだった。コレラはペルーで猛威をふるったあと、勢いを弱めながらも南米全域へ拡大していった。この流行は晴天の霹靂だった。公衆衛生にかかわる差し迫った問題がほかに山積し、しかもこの一〇〇年、コレラがラテンアメリカを襲ったことがないのはわかっていたから、二〇年前の疫学者の予測など、とうの昔に忘れ去られていたのである。

ペルーの医師は不意を突かれた。コレラについて彼らが知っているのは、医学生時代の教科書で覚えたことだけだった。一九九一年一月二二日、ペルー人内科医のウォルター・オルティスは重症のダニエル・カキを治療した。カキは若い農場労働者で、よろめくようにしてチャンカイの病院にやってきた。症状から診断がつけにくく、食中毒か、蜘蛛に咬まれたか、肺炎が疑われた。医師として南米で最初にエルトール菌に出くわしたオルティスは、こう述べている。「通常の治療法はすべて試したが、患者は悪くなる一方だった。なんの病気なのか、皆目見当がつかなかった」。一週間後、何千というペルー人が不調を訴え、保健省はコレラの流行を発表した。ダニエル・カキは公式に認められた最初の患者になった。

コレラのアウトブレイクに直面した疫学者らは、まず定石どおりにコレラが外国から輸入されたと考え、アジアから航海してきた船が汚染されたビルジ水［船底に溜まる汚水］を排出した可能性に的をしぼった。ところが、南北アメリカにふたたびコレラをもち込んだ船は一隻も見つからなかった。実際、疫学の観点から見ても、ただ一つの出来事が原因である可能性はゼロだった。エルトール型コレラは、古典型コレラのようにペルーのある一地点で爆発的に発生してから広がったのではなく、ペルー沿岸一〇〇〇キロに点在する六つの都市――ピウラ、チクラーヨ、トルヒーヨ、チンボテ、チャンカイ、リマ――で同時に発生したからである。

その後の遺伝子検査により、ペルーの病原体はアフリカを起源とし、一九七〇年代にアフリカ人がなだれを打って移民した時期から存在することがわかった。アフリカで分離されたエルトール菌がペルーの水域環境に存在することも確認された。外国から入ってきた病原体ではなく環境中の病原体がラテンアメリカを苦しめたのだ。

一九九一年一月のペルー海域の気象条件は、エルトール菌が活動するのに理想的だった。夏が到来し、エルニーニョ現象がつづいたからである。ビブリオ属細菌の増殖に最も適するのは夏の暑い時期であるうえに、人びとは水が安全であろうがなかろうが、渇きを癒すために大量に飲む。人間に飛び火したのは、漁師が水揚げした魚介類を市場に出したときだ。エルトール菌はヒト－環境－ヒトの感染サイクルを一巡し、貝類などの軟体動物と魚類の体内にひそんで街に到着した。そしてヒト－ヒト経路で感染拡大した。生の魚介類がさながらトロイの木馬のようにエルトール菌を内臓に隠して運び、リマをはじめとする都市の住民へ届けたのだ。とくに疑われたのが、生魚をライム汁、玉ねぎ、とうがらし、ハーブ類でマリネしたセビーチェという料理である。畜肉や鶏肉の数分の一の値段で買える魚は人びとのおもなタンパク源だったから、セビーチェは食卓に欠かせない一品だった。ペルー保健省はセビーチェの販売を禁止し、家庭でもセビーチェを避けることを国民に徹底させようとした。

コレラの病理はすでに解明され、経口補水による予防も治療もできたにもかかわらず、翌年中に二二〇〇万人の人口のうち三〇万人が罹患した。原因はペルーの都市が貧しく、過密で、不衛生が放置されていたことにある。「古典型」のコレラ菌にきわめて好条件だった十九世紀のロンドン、パリ、ナポリといった都市を思わせる状況だったのだ。リマのニュース雑誌のカレタス誌は毎日一五〇〇人が感染していた一九九一年三月にその類似をはっきり指摘している。「十九世紀のロンドンの衛生状態は、今日のリマのそれと恐ろしいほど似ている」[11]。

ペルーの首都のインフラは都市化に追いついていなかった。リマの人口は七〇〇万人に膨れ上がり、そのうち四〇〇万人が住む貧民街は、面積も、水も、下水設備も不十分だった。ニューヨーク・タイムズ紙は「プエブロ・ホーベン」と呼ばれるリマの貧民街の住居環境についてこう報じた。「ダンボールの小屋が並ぶだけで、屋根はなく、床は泥にまみれ、電気も水道もきていない。子供たちは道路のごみの脇で遊ぶ。犬がごみの山を漁る」[12]。住民のうち二〇〇万人は、未処理の下水が流れ込む川へ汲みに行くか給水車を待つほかに水を手に入れる手立てがなかった。そして、その水を汚い貯水槽やタンクに貯めた。

不幸なことに、リマの貧困は一九八〇年代を通じて指数関数的に広がっていた。ペルー経済が「真っ逆さまに急落」と報じられたほど急激に悪化したためだ。工業と農業の生産量は減少し、失業者と不完全就業者が激増して労働力全体の八〇パーセントに達し、インフレーション率が年四〇〇〇パーセントに急上昇してハイパーインフレに陥り、実質賃金は半減した。栄養失調と飢餓が広がり、結核や胃腸炎などの感染症にかかる人が急増した。

状況を著しく悪化させた一因として、経済危機をきっかけに激化し、いまなおつづくゲリラ闘争も挙げられる。二つの革命派武装組織間で武力衝突がくり返されるなか、ペルー軍が両方を壊滅させようとして戦争状態になった。ともにしっかりと組織化され、真っ向から対立した二つの革命派勢力は、一九八〇年設立の毛派共産党センデロ・ルミノソ（輝ける道）と、最後のインカ皇帝の名をかたる親ロシア革命運動組織トゥパク・アマル革命運動である。武力闘争の死者は二万人に達し、田園地帯の治安の悪化により農業生産が滞り、すでに過密状態の都市に移住者が流入した。

アメリカの民主党議員ロバート・トリチェリは、ラテンアメリカの感染症に関する議会の調査を主導し、ペルーの医療危機が深刻化した原因は明らかだと結論づけ、コレラは貧困による「社会病」の典型だと説明した。トリチェリの指摘によれば、一九八〇年代を通じて、世界銀行、国際通貨基金、アメリカ合衆国国際開発庁は第三世界の国々に「構造調整」政策を要請し、自由放任主義の経済政策を採用するよう圧力をかけた。せっつかれたラテンアメリカ諸国の政府は自由市場の力を選ぶ一方で、保健、住宅、教育への公的支出を削減した。この政策が経済成長ではなく貧困をもたらし、コレラを勢いづかせたのである。トリチェリは以下のように述べている。

コレラの流行は、人間にあらわれた債務問題であり、開発政策を一〇年以上導いてきたトリクルダウン説を否定するものです……。

コレラの原因はもっぱら不適切な衛生状態にある。それは人びとが清潔な水を手に入れられないからです。コレラはラテンアメリカの失われた一〇年の産物なのです[13]。

トリチェリが唯一ふれなかったのは、コレラ大流行の前夜、ペルーのアルベルト・フジモリ大統領が俗に「フジショック」と呼ばれる極端な緊縮財政措置を実行し、経済危機の深刻化を決定的に後押ししたことだった。フジモリの経済政策顧問を務めた経済学者のエルナンド・デ・ソト・ポラーさえこの措置が招いた事態を嘆き、一九九一年二月にこう言い切った。「この社会はまちがいなく崩壊しようとしている[14]」。

一九九〇年代のラテンアメリカは、「現代型」コレラと「古典型」コレラの違いも明らかにした。エルトール菌によるコレラの流行は古典型コレラ菌のそれよりも致死性がはるかに低く、古典型コレラのように終末的な恐怖や暴動や集団脱出を引き起こしはしなかった。一九六〇年代以降の時代には、ラテンアメリカでも、アフリカでも、アジアでも、十九世紀のヨーロッパ諸都市をアジアコレラが通過したときのような社会的動揺は生じなかった。

その反面、現代型コレラは長期にわたる痛ましい傷跡を残す。直接的で明らかなのは、少なくない数の死者だけでなく、広く感染者を出すことだ。さらに、脆弱な医療体制に重すぎる負荷をかけ、乏しい資源をほかの目的から奪い、貿易、投資、観光、雇用、公衆衛生に打撃をあたえて経済を麻痺させる。キリスト教の観点から見れば、コレラの流行は信仰熱の高まりを促す。たとえばペルーでは、全土を席巻したコレラは民に対する「神の呪い」と受け止められた。民衆はコレラを「聖書に由来するもの」、エジプトの災厄の現代版と見なしたとメディアは報じている。事実、リマのケアセル誌ははっきりと主張した。「わたしたちはいま、七つの災厄に見舞われたエジプトのファラオも敬遠するような経験をしている」[15]。

だが、それら以上にいつまでも残るのは、再流行のおそれである。古典型コレラと違い、第七次パンデミックは終息の気配を見せないままですでに半世紀以上つづいており、貧困、安全でない水、不衛生が解消しない場所ではいつ爆発的な大流行が起こってもおかしくない。まさにWHOは二〇一八年に、「毎年、世界中でおよそ一三〇万人から四〇〇万人が罹患し、二万一〇〇〇人から一四万三〇〇〇人が死亡している」と報告した[16]。

アジア、アフリカ、ラテンアメリカに集中するこの脅威は、さらに気候変動に関連する危険もはらんでいる。有効なワクチンのような技術の介入や、社会生活の向上と公衆衛生改革を目ざす大規模な計画がないままでは、地球温暖化によって環境中のエルトール菌が増加し、流行の頻度と規模が増すのは確実だろう。現代のコレラは制圧からはほど遠く、果てしなく再流行をくり返すかもしれない感染症だといえる。

二〇一〇年以降のハイチ

二〇一〇年に流行がはじまり、二〇一八年半ばにまだつづいているハイチのコレラ禍は、現代型コレラの脅威をあらためて認識するうえで重要である。コレラをカリブ海地域にもち込んだのは、国連の平和維持ミッションでイスパニョーラ島にやってきたネパール人兵士だった。ところが政治的、財政的な影響を恐れた国連は、ネパールからの派遣隊の一部が軽症のコレラにかかっていたことをなかなか認めなかった。あろうことか、平和維持部隊は排泄物をアルティボニット川に流すという、あってはならないことをした。この川は流域の住民に欠かせない水源で、家庭用、農業用、飲用の水を供給しているのである。事情通によれば、アルティボニット川をそんなふうに汚染させるのは乾ききった森に火を放つに等しい行為で、大災厄になるのは目に見えていた。

二〇一〇年十月に最初の火が放たれ、西半球の最貧国ハイチはコレラが根を下ろすのにうってつけの場所を提供することになった。ハイチ国民は健康な生活に必要な条件のすべてを欠いていた。空腹と栄養失調、そして貧困にともなうありとあらゆる病気にすでに散々苦しめられ、そのうえ医療と衛生のインフラは整っていなかった。そしてハイチ国民は、この半球で一世紀以上発生していなかった病気に抵抗できる「集団免疫」ももたなかった。

二〇一〇年一月に発生した大地震で、細菌の感染路がいつ開いてもおかしくない状況になっていた。地震の衝撃で人びとは住む場所を失い、老朽化した上水道と下水道は壊れ、診療所と病院の脆弱なネットワークが機能しなくなっていたのである。エルトール菌はまんまとそこへ侵入し、人間という新しい宿主を得て爆発的に増殖した。数週間のうちにハイチ国内のすみずみに感染が広まり、十五万人が罹患し、三五〇〇人が死亡した。

どんな封じ込めの努力も甲斐がなかった。人口の大半が安全な水を入手できず、診療所では経口補水用パックも点滴用補水液も抗生物質もたちまち底をついた。その間、公衆衛生関係者の国際的コミュニティは抗コレラワクチンの倫理性と有効性をめぐって堂々めぐりの議論にふけるばかりだったが、どのみちワクチンの流通は承認されていず、数も不十分で役に立たなかった。物理的な安全が確保できないことも、救援活動の大きな足枷になった。

その後も自然災害がつづき、コレラによる危機を劇的に高めた。豪雨で水源があふれて表面流出を起こしたのに加え、二〇一六年十月にはカテゴリー4の大型ハリケーン・マシューが土地を崩落させ、一連の壊滅的な被害をもたらした。何十万という国民が家を失い、医療機関は甚大な被害を受け、既存の下水道と排水溝のネットワークが破壊された。その一方で、年月を経ても居座りつづけるコレラはしだいに国際報道で扱われなくなり、援助疲れが博愛精神を抑えつけ、NGOは撤退していった。二〇一八年には、一〇〇〇万人近い人口を抱えるハイチで、控えめに見積もってもすでに一〇〇万人の感染者が発生し、一万人が死亡している。ただし、この驚くべき数字も暫定値にすぎない。流行はまだ終わっていないからだ。この原稿を書いている二〇一八年春の現在、入手できた最新の情報では、新しい感染者が二月に二四九人、三月に二九〇人出ている。[17]
ハイチのコレラは、弱毒型であるエルトール菌への懸念も掻き立てる。弱毒性は自然選択では有利だとはいえ、今後、病毒性を強めた菌による流行はないという保証はない。ハイチでは第七次パンデミックのあいだに、軽症者と無症状者の割合が小さくなっていき、医師らは重度の脱水（重症コレラ）の発生率が相当に高くなっていると指摘した。最近の研究が示すとおり、コレラのゲノムの特徴の一つは「変化しやすく、遺伝子が大幅に組み替えられた結果……ゲノム配列にいわゆる不連続変異《シフト》と連続変異《ドリフト》が起こりやすい」ことだ。[18] このように可塑性が非常に高いエルトール菌は予測不能であり、将来、十九世紀を彷彿させる凄まじい流行が再来しないともかぎらないのである。

Generation Experiments," in *Studies in History and Philosophy of Science*, Part C: *Studies in History and Philosophy of Biological and Biomedical Sciences* 45 (March 2014): 35.

4. 出典は以下。Robert Gaynes, *Germ Theory: Medical Pioneers in Infectious Diseases* (Washington, DC: ASM, 2011), 155.
5. 出典は以下。Nancy Tomes, *The Gospel of Germs: Men, Women, and the Microbe in American Life* (Cambridge, MA: Harvard University Press, 1998), 26–27.
6. Thomas Schlich, "Asepsis and Bacteriology: The Realignment of Surgery and Laboratory Science," *Medical History* 56, no. 3 (July 2012), 308–334. 以下で閲覧可能。https://www.ncbi.nlm.nih.gov/pmc/articles/PMC3426977/.
7. 出典は以下。Tomes, *Gospel of Germs*, 184.

第 13 章

1. A. J. Wall, *Asiatic Cholera: Its History, Pathology and Modern Treatment* (London, 1893), 39.
2. Frank Snowden, *Naples in the Time of Cholera* (Cambridge: Cambridge University Press, 1995), 17.
3. Mark Twain, *Innocents Abroad* (Hartford, CT, 1869), 316. ［マーク・トウェイン著「赤毛布外遊記」（抄）、『マーク・トウェイン』所収、柴田元幸訳、集英社（集英社文庫ヘリテージシリーズ ポケットマスターピース）、2016 年／『イノセント・アブロード —— 聖地初巡礼の旅』（上・下巻）、勝浦吉雄、勝浦寿美訳、文化書房博文社、2004 年／ほか］
4. Axel Munthe, *Letters from a Mourning City*, trans. Maude Valerie White (London: J. Murray, 1887), 35.
5. "The Sanitary Condition of Naples," *London Times*, September 27, 1884.
6. ナポリ市議会議事録に残る 1881 年の予算報告から。1881 年 7 月 14 日。*Atti del consiglio comunale di Napoli*, 1881, 371.
7. Giuseppe Somma, *Relazione sanitaria sui casi di colera avvenuti in sezione Porto durante la epidemia dell'anno 1884* (Naples, 1884), 4; "Plague Scenes in Naples," *New York Times*, September 14, 1884.
8. "Un mois à Naples pendant l'épidémie cholérique de 1884," *Gazette hebdomadaire des sciences médicales de Montpellier* 7 (1885): 125.
9. "Southern Italy," *London Times*, September 4, 1884.
10. 出典は以下。Roger Atwood, "Cholera Strikes 1500 a Day in Peru," *Los Angeles Times*, March 24, 1991, p. A8.
11. 出典は以下。"Peruvian Cholera Epidemic Spreading through Lima Slums," *Globe and Mail*, February 15, 1991, p. A12.
12. Nathaniel C. Nash, "Cholera Brings Frenzy and Improvisation to Model Lima Hospital: Amid Poverty, a Disease Is Growing Fast," *New York Times*, February 17, 1991, p. 3.
13. United States Congress, House Committee on Foreign Affairs, Subcommittee on Western Hemisphere Affairs, *The Cholera Epidemic in Latin America*, Hearing before the Subcommittee on Western Hemisphere Affairs of the Committee on Foreign Affairs, House of Representatives, One Hundred Second Congress, First Session, May 1, 1991（第 102 連邦議会、第 1 会期、下院外交委員会、西半球問題小委員会の公聴会、1991 年 5 月 1 日）(Washington, DC: US Government Printing Office, 1991).
14. 出典は以下。Nathaniel C. Nash, "Fujimori in the Time of Cholera: Peru's Free Fall," *New York Times*, February 24, 1991, p. E2.
15. 出典は以下。Atwood, "Cholera Strikes 1500 a Day in Peru."
16. "Fact Sheet: Cholera," World Health Organization, February 1, 2018, http://www.who.int/en/news-room/fact-sheets/detail/cholera.
17. UN Offices for the Coordination of Humanitarian Affairs, "Haiti: Cholera Figures (as of 27 April 2018)," April 27, 2018, ReliefWeb, https://reliefweb.int/report/haiti/haiti-cholera-figures-27-april-2018.
18. J. Glenn Morris, Jr., "Cholera—Modern Pandemic Disease of Ancient Lineage," *Emerging Infectious Diseases* 17, no. 11 (November 2011): 2099–2104, https://wwwnc.cdc.gov/eid/article/17/11/11-1109_article.

6. Raymond A. P. J. de Fezensac, *A Journal of the Russian Campaign of 1812*, trans. W. Knollys (London, 1852), 38.
7. Ségur, *History of the Expedition*, 258.
8. Carl von Clausewitz, *The Campaign of 1812 in Russia* (London: Greenhill, 1992), 11–12. [『ナポレオンのモスクワ遠征』、カール・フォン・クラウゼヴィッツ著、外山卯三郎訳、原書房、1982 年（『一八一二年のロシヤ戦役』〔みたみ出版、昭和 19 年刊〕の改題複製)]
9. Fezensac, *Journal*, 39.
10. Ségur, *History of the Expedition*, 258.
11. 同上。233.
12. Dominique Jean Larrey, *Memoir of Baron Larrey* (London, 1861), 120.
13. George Ballingall, *Practical Observations on Fever, Dysentery, and Liver Complaints as They Occur among the European Troops in India* (Edinburgh, 1823), 49.
14. Ségur, *History of the Expedition*, 195.
15. 同上。184.
16. Stephan Talty, *The Illustrious Dead: The Terrifying Story of How Typhus Killed Napoleon's Greatest Army* (New York: Crown, 2009), 156.
17. Leo Tolstoy, *The Physiology of War: Napoleon and the Russian Campaign*, trans. Huntington Smith (New York, 1888), 41–43.
18. Ségur, *History of the Expedition*, 339.
19. Fezensac, *Journal*, 53.
20. Tarle, *Napoleon's Invasion*, 201.
21. Tolstoy, *Physiology of War*, 56–57.
22. Ségur, *History of the Expedition*, 79.
23. Jean Baptiste François Bourgogne, *Memoirs of Sergeant Bourgogne (1812–1813)*, trans. Paul Cottin and Maurice Henault (London: Constable, 1996), 56–57.
24. Tolstoy, *Physiology of War*, 84.
25. Larrey, *Memoir*, 135.
26. Ségur, *History of the Expedition*, 231.
27. Talty, *Illustrious Dead*, 205.
28. 出典は以下。Adam Zamoyski, *1812: Napoleon's Fatal March on Moscow* (London: Harper Collins, 2004), 51.
29. Larrey, *Memoir*, 167.
30. D. Campbell, *Observations on the Typhus, or Low Contagious Fever, and on the Means of Preventing the Production and Communication of This Disease* (Lancaster, 1785), 35.
31. 出典は以下。Talty, *Illustrious Dead*, 167.
32. Rudolf Carl Virchow, *On Famine Fever and Some of the Other Cognate Forms of Typhus* (London, 1868), 9.
33. Fezensac, *Journal*, 88, 126.
34. 同上。148–149.
35. Bourgogne, *Memoirs*, 77.
36. Charles Esdaile, *Napoleon's Wars: An International History, 1803–1815* (London: Allen Lane, 2007), 13–14.

第 10 章

1. 出典は以下。Asbury Somerville, "Thomas Sydenham as Epidemiologist," *Canadian Public Health Journal* 24, no. 2 (February 1933), 81.
2. 出典は以下。Charles-Edward Amory Winslow, *The Conquest of Epidemic Disease: A Chapter in the History of Ideas* (Princeton: Princeton University Press, 1943), 166.
3. George Weisz, "Reconstructing Paris Medicine: Essay Review," *Bulletin of the History of Medicine* 75, no. 1 (2001): 114.
4. 以下より抜粋。"Inaugural Lecture at the Paris School of Medicine by M. Gubler, Professor of Therapeutics," *Lancet* 93, no. 2382 (1869): 564–565.
5. Eugène Sue, *The Mysteries of Paris*, vol. 3 (London, 1846), 291–292. [『パリの秘密』(全 4 巻)、ウジェーヌ・シュー著、江口清訳、集英社（世界の名作)、1971 年／『パリの秘密』、ユージェーヌ・シュー著、関根秀雄訳、東京創元社（世界大ロマン全集)、1957 年／ほか]

第 11 章

1. Edwin Chadwick, *Report on the Sanitary Condition of the Labouring Population of Great Britain*, ed. M. W. Flinn (Edinburgh: Edinburgh University Press, 1965; 1st ed. 1842), 210.[『大英帝国における労働人口集団の衛生状態に関する報告書』、エドウィン・チャドウィック著、橋本正己訳、日本公衆衛生協会、1990 年]
2. Thomas Southwood Smith, *Treatise on Fever* (Philadelphia, 1831), 205, 212.
3. 同上。206.
4. Chadwick, *Sanitary Report*, 80. [チャドウィック『大英帝国における労働人口集団の衛生状態に関する報告書』]
5. 同上。81.
6. 同上。84–85.
7. 同上。266–267.
8. 同上。268.
9. 出典は以下。Socrates Litsios, "Charles Dickens and the Movement for Sanitary Reform," *Perspectives in Biology and Medicine* 46, no. 2 (Spring 2003): 189.

第 12 章

1. John Snow, *On the Mode of Communication of Cholera* (1855). UCLA Department of Epidemiology, Fielding School of Public Health, "The Pathology of Cholera Indicates the Manner in Which It Is Communicated," http://www.ph.ucla.edu/epi/snow/snowbook.html.
2. 同　上。"Instances of the Communication of Cholera through the Medium of Polluted Water in the Neighborhood of Broad Street, Golden Square," http://www.ph.ucla.edu/epi/snow/snowbook2.html.
3. 出典は以下。Emily C. Parke, "Flies from Meat and Wasps from Trees: Reevaluating Francesco Redi's Spontaneous

第5章

1. Daniel Defoe, *Journal of the Plague Year* (Cambridge: Chadwyck-Healey, 1996), 111–112.［『新訳ペスト』、ダニエル・デフォー著、中山宥訳、興陽館、2020年／ほか］
2. 中世後期の小祈禱書より。出典は以下。Rosemary Horrox, ed., *The Black Death* (Manchester: Manchester University Press, 1994), 125.

第6章

1. 出典は以下。Michael B. A. Oldstone, *Viruses, Plagues, and History* (Oxford: Oxford University Press, 2000), 8.［『ウイルスの脅威── 人類の長い戦い』、マイケル・B・A・オールドストーン著、二宮陸雄訳、岩波書店、1999年］
2. Donald R. J. Hopkins, *Princes and Peasants: Smallpox in History* (Chicago: University of Chicago Press, 1983), 3.
3. 出典は以下。C. W. Dixon, *Smallpox* (London: J. & A. Churchill, 1962), 8–11.

第7章

1. Thomas Babington Macaulay, *The Complete Works of Lord Macaulay*, vol. 8 (Boston: Houghton, Mifflin, 1900), 272.
2. Charles Dickens, *Bleak House* (London: Bradbury and Evans, 1953), 354.［『荒涼館』（全4巻）、チャールズ・ディケンズ著、佐々木徹訳、岩波書店（岩波文庫）、2017年／ほか］
3. William Makepeace Thackeray, *The Works of William Makepeace Thackeray*, vol. 14: Henry Esmond (New York: George D. Sproul, 1914), 91.
4. 同上。103.
5. Edward Jenner, *On the Origin of the Vaccine Inoculation* (London: D. N. Shury, 1801), 8.
6. 出典は以下。Sam Kean, "Pox in the City: From Cows to Controversy, the Smallpox Vaccine Triumphs," *Humanities* 34, no. 1 (2013), https://www.neh.gov/humanities/2013/januaryfebruary/feature/pox-in-the-city.
7. United States Congress, Committee on Appropriations, Subcommittee on Departments of Labor, Health and Human Services, Education, and Related Agencies, *Global Eradication of Polio and Measles*, S. Hrg. 105-883, Special Hearing, United States Senate, One Hundred Fifth Congress, Second Session (Washington, DC: US Government Printing Office, 1999), 2.

第8章

1. "The Haitian Declaration of Independence: 1804," Duke Office of News & Communications, https://today.duke.edu/showcase/haitideclaration/declarationstext.html. 2018年8月21日にアクセス。
2. 原典は以下。*Life and Correspondence of Robert Southey*, vol. 2, 1850. 出典は以下。Flávia Florentino Varella, "New Races, New Diseases: The Possibility of Colonization through Racial Mixing in History of Brazil (1810–1819) by Robert Southey," *História, Ciencias, Saúde-Manguinhos* 23, suppl. 1 (2016), http://www.scielo.br/scielo.php?pid=S0104-59702016000900015&script=sci_arttext&tlng=en.
3. Robin Blackburn, "Haiti, Slavery, and the Age of the Democratic Revolution," *William and Mary Quarterly* 63, no. 4 (2006): 647–648.
4. 出典は以下。Philippe R. Girard, "Caribbean Genocide: Racial War in Haiti, 1802–4," *Patterns of Prejudice* 39, no. 2 (2005): 144.
5. Laurent Dubois, *Avengers of the New World: The Story of the Haitian Revolution* (Cambridge, MA: Harvard University Press, 2004), 113.
6. "Decree of the National Convention of 4 February 1794, Abolishing Slavery in All the Colonies," Liberty, Equality, Fraternity, https://chnm.gmu.edu/revolution/d/291/. 2018年8月21日にアクセス。
7. 出典は以下。Girard, "Caribbean Genocide," 145–146.
8. 出典は以下。Philippe R. Girard, "Napoléon Bonaparte and the Emancipation Issue in Saint-Domingue, 1799–1803," *French Historical Studies* 32, no. 4 (Fall 2009): 604.
9. John S. Marr and John T. Cathey, "The 1802 Saint-Domingue Yellow Fever Epidemic and the Louisiana Purchase," *Journal of Public Health Management and Practice* 19, no. 1 (2013): 79.
10. "History of Haiti, 1492–1805: General Leclerc in Saint-Domingue," https://library.brown.edu/haitihistory/9.html. 最終更新2015年10月27日。
11. Gilbert, *Histoire médicale de l'armée française, A Saint-Domingue, en l'an dix; ou mémoire sur la fièvre jaune* (Paris: Guilleminet, 1803), 55.
12. 出典は以下。Girard, "Napoléon Bonaparte," 614.
13. Philippe R. Girard, *The Slaves Who Defeated Napoleon: Toussaint Louverture and the Haitian War of Independence, 1801–1804* (Tuscaloosa: University of Alabama Press, 2011), 165.
14. 出典は以下。Girard, "Napoléon Bonaparte," 615.
15. 出典は以下。Girard, *The Slaves Who Defeated Napoleon*, 272.

第9章

1. Eugene Tarle, *Napoleon's Invasion of Russia, 1812* (New York: Oxford University Press, 1942), 3.
2. 出典は同上。54.
3. 出典は同上。46–47.
4. 出典は以下。J. Christopher Herold, ed., *The Mind of Napoleon: A Selection of His Written and Spoken Words* (New York: Columbia University Press, 1955), 270.
5. Philippe de Ségur, *History of the Expedition to Russia Undertaken by the Emperor Napoleon, in the Year 1812*, vol. 1 (London, 1840), 135.

註

第２章

1. Homer, *The Iliad*, Book I, trans. Samuel Butler, http://classics.mit.edu/Homer/iliad.1.i.html. 2017 年 9 月 20 日にアクセス。
2. "The Rev. Jerry Falwell," *Guardian*, May 17, 2007, https://www.theguardian.com/media/2007/may/17/broadcasting.guardianobituaries.
3. "Luther's Table Talk," Bartleby.com, https://www.bartleby.com/library/prose/3311.html. 2018 年 8 月 16 日にアクセス。
4. Hippocrates, "On the Sacred Disease," trans. Francis Adams, http://classics.mit.edu/Hippocrates/sacred.html. 2017 年 9 月 17 日にアクセス。
5. Charles-Edward Amory Winslow, *The Conquest of Epidemic Disease: A Chapter in the History of Ideas* (Princeton: Princeton University Press, 1943), 55–56.
6. Vivian Nutton, "Healers and the Healing Act in Classical Greece," *European Review* 7, no. 1 (February 1999): 31.
7. 出典は以下。Vivian Nutton, "The Fortunes of Galen," in R. J. Hankinson, ed., *The Cambridge Companion to Galen* (Cambridge: Cambridge University Press, 2008), 361.
8. 同上。355.

第３章

1. Procopius, Medieval Sourcebook: Procopius: The Plague, 542, "History of the Wars, II.xxi–xxxiii" (scanned from *History of the Wars*, trans. H. B. Dewing, Loeb Library of the Greek and Roman Classics［1914］), https://sourcebooks.fordham.edu/source/542procopius-plague.asp. 2017 年 9 月 20 日にアクセス。
2. William Chester Jordan, *The Great Famine: Northern Europe in the Early Fourteenth Century* (Princeton: Princeton University Press, 1997), 24.
3. Per Lagerås, *Environment, Society and the Black Death: An Interdisciplinary Approach to the Late-Medieval Crisis in Sweden* (Oxford: Oxbow, 2016), 8.
4. 同上。7.

第４章

1. Procopius, Medieval Sourcebook: Procopius: The Plague, 542, "History of the Wars, II.xxi–xxxiii" (scanned from *History of the Wars*, trans. H. B. Dewing, Loeb Library of the Greek and Roman Classics［1914］), https://sourcebooks.fordham.edu/source/542procopius-plague.asp. 2017 年 9 月 20 日にアクセス。
2. 出典は以下。Andrew Cunningham and Ole Peter Grell, *The Four Horsemen of the Apocalypse: Religion, War, Famine and Death in Reformation Europe* (Cambridge: Cambridge University Press, 2000), 283.
3. 例として、以下の 1903 年の記述を参照。Giles F. Goldsbrough, ed., *British Homeopathic Society* 11 (London, 1903), 256. 2012 年のこちらも参照。Theresa J. Ochoa and Miguel O'Ryan, "Etiologic Agents of Infectious Diseases," in *Principles and Practice of Pediatric Infectious Diseases*, 4th ed. (Elsevier, 2012). (ScienceDirect のサイトで "Bubo" の項を参照。https://www.sciencedirect.com/topics/medicine-and-dentistry/bubo. 2018 年 8 月 17 日にアクセス。)
4. Jane L. Stevens Crawshaw, *Plague Hospitals: Public Health for the City in Early Modern Venice* (Farnham: Ashgate, 2012), 143.
5. Rodrigo J. Gonzalez and Virginia L. Miller, "A Deadly Path: Bacterial Spread during Bubonic Plague," *Trends in Microbiology* 24, no. 4 (April 2016): 239–241, https://doi.org/10.1016/j.tim.2016.01.010.
6. Rachel C. Abbott and Tonie E. Rocke, *Plague, U.S. Geological Survey Circular* 1372, National Wildlife Health Center 2012, p. 7, https://pubs.usgs.gov/circ/1372/. 最終更新 2016 年 11 月 23 日。
7. 出典は以下。Susan Scott and Christopher J. Duncan, *Return of the Black Death: The World's Greatest Serial Killer* (Chichester: Wiley, 2004), 14–15.
8. Roger D. Pechous, Vijay Sivaraman, Nikolas M. Stasulli, and William E. Goldman, "Pneumonic Plague: The Darker Side of Yersinia pestis," *Trends in Microbiology* 24, no. 3 (March 2016): 194, 196.
9. M. Drancourt, "Finally Plague Is Plague," *Clinical Microbiology and Infection* 18, no. 2 (February 2012): 105.
10. Giovanni Boccaccio, Medieval Sourcebook: Boccaccio: The Decameron-Introduction (scanned from The Decameron, trans. M. Rigg［London, 1921］), https://sourcebooks.fordham.edu/source/boccacio2.asp. 2018 年 8 月 18 日にアクセス。

［訳者紹介］

桃井緑美子（ももい・るみこ）

翻訳家。外資系企業勤務を経て、翻訳業に従事。訳書にヴァンダービルト『ハマりたがる脳』（早川書房）、フェリス『スターゲイザー』（みすず書房）、フェイガン『歴史を変えた気候大変動』（共訳、河出書房新社）、フランクリン『子犬に脳を盗まれた！』（青土社）、トウェンギ、キャンベル『自己愛過剰社会』（河出書房新社）ほか多数。

塩原通緒（しおばら・みちお）

翻訳家。立教大学文学部英米文学科卒業。訳書にピンカー『暴力の人類史』（共訳、青土社）、リーバーマン『人体600万年史』（早川書房）、シャイデル『暴力と不平等の人類史』（共訳、東洋経済新報社）、クリスタキス『ブループリント』（共訳、ニューズピックス）ほか多数。

［著者紹介］
フランク・M・スノーデン
イェール大学歴史・医学史名誉教授。1975年にオックスフォード大学で博士号を取得。専門はイタリア史、ヨーロッパ社会・政治史、医学史。著書に *The Fascist Revolution in Tuscany, 1919-1922* (1989)、*Naples in the Time of Cholera, 1884-1911* (1995) など。とくに2006年の著作 *The Conquest of Malaria: Italy, 1900-1962* は高い評価を得て、イェール大学マクミラン国際地域研究センターからグスタフ・ラニス賞を、アメリカ歴史学会からヘレン＆ハワード・R・マッラーロ賞を、アメリカ医学史学会からウェルチ・メダルを贈られた。

疫病の世界史（上）——黒死病・ナポレオン戦争・顕微鏡

2021年11月18日　初版第1刷発行

著　者——フランク・M・スノーデン
訳　者——桃井緑美子・塩原通緒
発行者——大江道雅
発行所——株式会社 明石書店
101-0021 東京都千代田区外神田 6-9-5
電話 03-5818-1171　FAX 03-5818-1174
振替 00100-7-24505
http://www.akashi.co.jp
装　丁——間村俊一
印刷／製本—モリモト印刷株式会社
ISBN 978-4-7503-5267-1
（定価はカバーに表示してあります）